CURSO DE ESPAÑOL

VITAMINA B1

Eva Casarejos Daniel Martínez Berta Sarralde

¿POR QUÉ VITAMINA B1?

VITAMINA es un manual motivador basado en un enfoque orientado a la acción en el que el estudiante es el protagonista, un libro visualmente atractivo, con contenidos lingüísticos asimilables, interesante y fácil de usar tanto para profesores como para alumnos.

POR ESO VITAMINA B1 OFRECE

- UNOS TEXTOS orales, escritos y audiovisuales que contemplan variedad de temas e integración de los acentos y cultura de Hispanoamérica.
- TEMAS UNIVERSALES que muestran un renovado punto de vista y fomentan la interacción y el intercambio comunicativo entre los alumnos, a la vez que favorecen el conocimiento pluricultural.
- UNA EXTENSA TIPOLOGÍA DE GÉNEROS TEXTUALES que busca enriquecer las producciones orales y escritas.
- PRONUNCIACIÓN Y ORTOGRAFÍA con una propuesta clara e innovadora.
- FOCO EN EL LÉXICO y en el trabajo de colocaciones y combinaciones.
- CUADROS GRAMATICALES breves y sencillos con explicaciones pragmáticas de los usos de la lengua que se amplían en la parte final del libro con actividades adicionales.
- TAREAS Y ACTIVIDADES SIGNIFICATIVAS, muchas de ellas en formato tecnológico, que promueven la reflexión y el desarrollo de la autonomía del estudiante y animan a trabajar en cooperación.
- REVISIONES / REFLEXIONES con juegos para la clase y repaso de los contenidos.
- ACTIVIDADES EN PAREJAS para el trabajo de la interacción oral.
- VÍDEOS auténticos en YouTube.

ASÍ ES VITAMINA B1

1 PORTADA: una fotografía artística que sugiere e invita a despertar interés por la unidad. Presenta los temas y los contenidos e incluye preguntas relacionadas con la imagen.

2 TRES SECCIONES en cada unidad que tratan el tema desde diferentes puntos de vista.
CUADROS DE GRAMÁTICA Y COMUNICACIÓN sencillos que remiten a un apéndice final con explicaciones más extensas.
PRONUNCIACIÓN Y ORTOGRAFÍA con actividades.

VITAMINA B1 consta de 12 unidades y un apéndice que incluye actividades en parejas, un anexo con gramática y actividades, un glosario y las transcripciones de las audiciones.

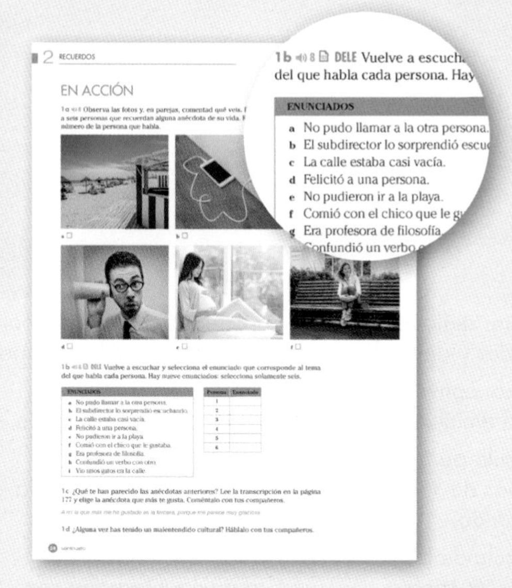
2 RECUERDOS

EN ACCIÓN

1b 8 DELE Vuelve a escuch
del que habla cada persona. Hay

ENUNCIADOS
a No pudo llamar a la otra persona.
b El subdirector lo sorprendió
c La calle estaba casi vacía.
d Felicitó a una persona.
e No pudieron ir a la playa.
f Comió con el chico que le
g Era profesora de filosofía.

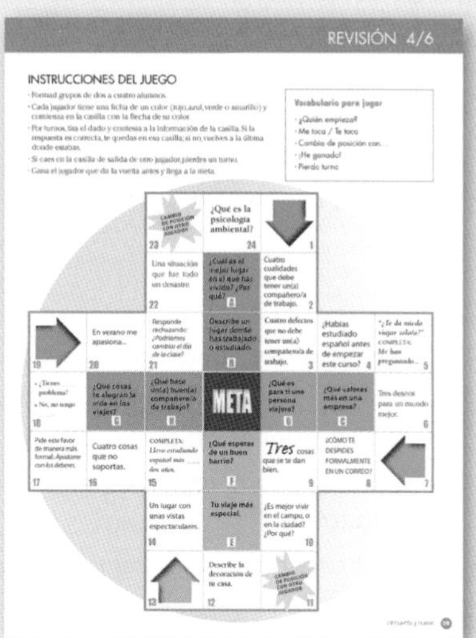
REVISIÓN 4/6

INSTRUCCIONES DEL JUEGO

META

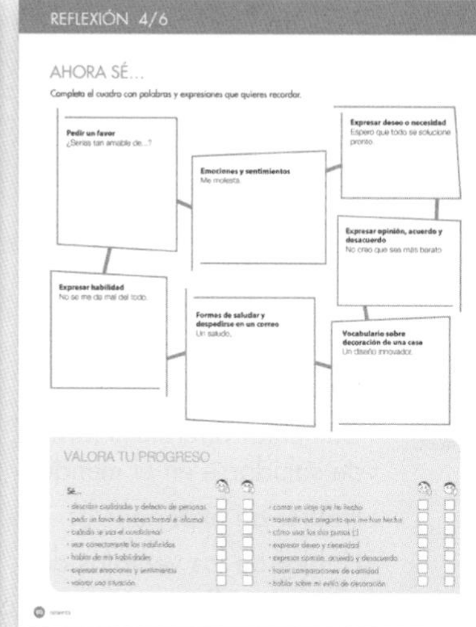
REFLEXIÓN 4/6

AHORA SÉ...

VALORA TU PROGRESO

3 EN ACCIÓN: página final con tareas de interés que estimulan la producción de textos orales y escritos fomentando la integración de destrezas. Además, ofrece una variada tipología de ACTIVIDADES DELE, similares a las del examen DELE B1.

4 REVISIÓN / REFLEXIÓN: cada tres unidades, con juegos para la clase y repaso para valorar el progreso de los estudiantes y propiciar la autoevaluación.

EN PAREJAS / ALUMNO A

1 VOLVER A VERNOS

C SOLO SE VIVE UNA VEZ

2 RECUERDOS

C MOMENTOS INOLVIDABLES

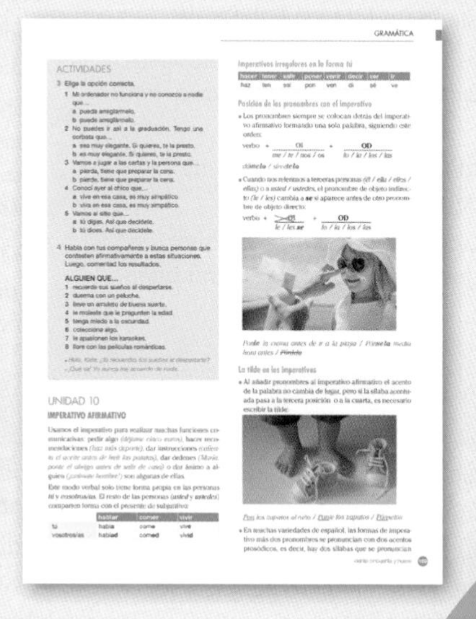
GRAMÁTICA

ACTIVIDADES

UNIDAD 10

IMPERATIVO AFIRMATIVO

5 APÉNDICE:

- ACTIVIDADES EN PAREJAS para ampliar la interacción.
- UN ANEXO DE GRAMÁTICA Y COMUNICACIÓN que consolida los contenidos lingüísticos de la unidad, con imágenes que ayudan a fijar lo aprendido y MÁS ACTIVIDADES para reforzar conocimientos y desarrollar un trabajo autónomo.
- GLOSARIO con el léxico más importante organizado en categorías.
- TRANSCRIPCIONES de los audios.

La versión digital gratuita de VITAMINA B1 incluye todos los contenidos, los audios y actividades interactivas.

CONTENIDOS

1 VOLVER A VERNOS

TEMAS

- **Empieza la fiesta:** conocerse
- **¡Cuánto tiempo!:** saludarse y despedirse
- **Solo se vive una vez:** hablar de experiencias

- ¿Por qué estudias español? ¿Te gusta?
- ¿Te resulta fácil o difícil?
- ¿Conoces a alguien de clase?
- ¿Qué te sugiere la foto?

A EMPIEZA LA FIESTA

Habla y lee

1a Cuando conoces a una persona por primera vez, ¿qué le preguntas? ¿De qué te gusta hablar? Coméntalo con un compañero.

- *Yo primero le pregunto el nombre y de dónde es.*
- *Sí, y también…*

1b Observa estas imágenes, lee los títulos que aparecen en ellas y piensa en tus propias respuestas.

Habla y escribe

1c En parejas, pensad cómo convertir los títulos de las fotos anteriores en preguntas y escribidlas.

- *Para la primera podemos preguntar: "¿Cuál es tu ciudad favorita para vivir?".*
- *Sí, o también: "¿En qué ciudad prefieres vivir?".*

Interrogativos

Qué, quién, cuál, cómo, cuánto, cuándo, dónde y ***por qué***:

- ***Qué:*** para preguntar por el significado de algo:
  - *¿Qué es una piñata?*
  - *Es un objeto que usamos en los cumpleaños y...*
- ***Qué:*** para preguntar por un elemento dentro de un grupo formado por elementos de distinta categoría. Por ejemplo, entre diferentes categorías de actividades de tiempo libre:

¿Qué te gusta hacer en tu tiempo libre?

- ***Cuál / Cuáles / Qué:*** para preguntar por un elemento dentro de un grupo o de una categoría. Por ejemplo, si se pregunta solo por la categoría de deporte:
  - ***Cuál / Cuáles* + verbo:** *¿Cuál es tu deporte favorito? / ¿Cuáles son tus deportes favoritos?*
  - ***Qué* + sustantivo:** *¿Qué deportes te gustan más?*

Ver más en pág. 126

Habla, escribe y lee

2a Todos de pie: imagina que estás en una fiesta y quieres conocer a todos tus compañeros. Elige una persona para empezar a hablar: puedes hacerle las preguntas que más te interesan de la actividad **1c**. Cuando tu profesor diga "tiempo", tienes dos minutos para escribir la información que recuerdas de tu compañero y, después, cambiar de pareja.

- *Hola, me llamo Gary, ¿y tú?*
- *Yo, Hana. Encantada.*
- *Encantado. ¿Cuánto tiempo llevas estudiando español?*

2b Lee la información que han escrito sobre ti. ¿Es todo correcto?

2c ¿Con qué compañeros tienes más cosas en común?

A Luca, a Nadine y a mí nos gusta ir a la montaña y...

B ¡CUÁNTO TIEMPO!

Habla, lee y escucha

1a Observa las fotos de la actividad **1b**: ¿qué relación piensas que hay entre esas personas? ¿Crees que se están saludando o despidiendo? ¿Por qué? Coméntalo con tu compañero.

• *Yo creo que son amigos y se están saludando, porque están dándose un abrazo.*
▪ *¿Tú crees? A mí me parece que se están despidiendo.*

> **¡Fíjate!**
> *Dar(se) la mano.*
> *Dar(se) dos besos.*
> *Dar(se) un abrazo.*

1b Relaciona cada conversación con la foto correspondiente. ¿Eran correctas tus hipótesis?

A

B

C

• Bueno, Roberto, **¡qué alegría haberte visto!**
▪ A mí también me ha encantado verte; lo hemos pasado genial.
• **A ver si nos vemos pronto otra vez.**
▪ Sí, claro, hablamos y quedamos.
• Te llamo. Un beso.
▪ Chao.

1 □

• En fin, Paco, que me voy ya, que tengo que hacer la compra todavía.
▪ Vale, sí, tranquila. **Da recuerdos a las niñas.**
• Sí, de tu parte. Y tú, ¡cuídate!
▪ Claro, no te preocupes, lo haré. Venga, date prisa, que no llegas.
• Sí, sí, me voy ya. **¡Adiós, hasta pronto!**
▪ ¡Adiós!

2 □

• **¡Hombre, David! ¡Cuánto tiempo! ¿Cómo estás?**
▪ Bien, como siempre, aquí trabajando. **¿Y tú, qué tal? ¿Cómo va todo?**
• **Bueno, así así.**
▪ ¿Y eso?
• Nada, temas de trabajo, pero nada importante, no te quiero aburrir...
▪ **Vaya, hombre.** Oye, ¿tienes tiempo y nos tomamos algo?
• Uy, no, ahora no puedo, que he quedado con Julia y ya voy tarde. Mira, te llamo un día y quedamos, ¿vale?
▪ **Venga, muy bien, cuando quieras.**

1c 🔊 1 Ahora, escucha y comprueba.

1d En tríos, comentad cuándo creéis que se usan las expresiones marcadas en negrita en los diálogos anteriores.

• *Pues yo creo que, cuando te despides de una persona que no ves mucho, dices: "¡Qué alegría haberte visto!".*
▪ *Sí, estoy de acuerdo... Y "A ver si nos vemos pronto otra vez" se dice posiblemente cuando...*

Pronunciación y ortografía

> **¡Fíjate!**
> Para saludar y despedirse podemos usar expresiones de cortesía que muestran una entonación muy característica: *¡Cuánto tiempo! / ¿Cómo estás? / ¡Qué alegría haberte visto!*

1e 🔊 2 Escucha las expresiones en negrita de las conversaciones de la actividad **1b** y presta atención a la entonación. Luego, repítelas.

Habla y lee

2a Comenta estas preguntas con tu compañero.

1 ¿Saludas a todo el mundo de la misma forma? ¿De qué depende?
2 ¿Crees que cada vez somos más informales al saludar?
3 ¿Te parece adecuado saludar dando un beso?

Claro, no saludo a todo el mundo igual, depende de...

2b Lee el siguiente texto sobre algunas formas de saludo en el mundo: ¿coincide con tu opinión? Piensa en un título apropiado.

____

Cuando te presentan a alguien, ¿nunca has tenido la duda de qué hacer, si darle la mano o darle dos besos? Actualmente se extiende la costumbre de besar cuando saludamos, algo que en algunas culturas o países puede interpretarse como demasiado íntimo, y en otras, como una manera más cercana y amable de relacionarse.

Aunque el significado de estos gestos va cambiando con el tiempo y depende también del ambiente social, la edad, la confianza e incluso el sexo, dar un beso o dos como saludo es común en España, América del Sur o Italia; tres y cuatro, en países como Francia y Holanda. En muchos otros, se besa solo a familiares, y en algunos lugares como Rusia o países árabes estamos acostumbrados a ver a hombres del mundo de la política que se saludan con besos. ¿Y por dónde empezamos, por la mejilla derecha o por la izquierda?

Con la globalización compartimos más hábitos y hay una mayor flexibilidad para elegir la forma de saludarse y despedirse, así que fíjate bien en lo que hace la gente del lugar que visitas.

Gramática

2c ¿Cómo se saludan estas personas cuando se encuentran? Fíjate en estas frases: ¿cuándo crees que usamos el verbo *dar* y cuándo *darse*?

1 Alejandra da un beso a Sara.

2 Bruno y Lucas se dan un abrazo.

Expresar una acción recíproca

- ***Dar un beso / un abrazo / la mano:*** una de las personas realiza la acción. En la frase 1 de la actividad **2c**, Alejandra da un beso a Sara, pero Sara no se lo devuelve.
- ***Darse un beso / un abrazo / la mano:*** las dos personas realizan la misma acción y a la vez la reciben del otro. En la frase 2 de la actividad **2c**, Bruno le da un abrazo a Lucas y este, a Bruno.

Otros verbos recíprocos son: *saludarse, despedirse, comunicarse, pelearse...*

Ver más en pág. 127

2d Comenta con tus compañeros cómo saludas y te despides de:

- un buen amigo
- un profesor al final de la clase
- un familiar muy cercano
- una chica que te acaban de presentar
- una persona en una entrevista de trabajo
- los compañeros de clase

- *Pues yo, a un buen amigo, le doy un abrazo. ¿Y tú?*
- *Bueno, depende...: nosotros nos saludamos con la mano, pero...*

Escribe y habla

3 En parejas o tríos, elegid una situación y cread un diálogo. Debéis ensayarlo y, después, representarlo ante la clase. Valorad el trabajo de los otros grupos.

- ¿El guion te parece natural?
- ¿Han usado bien los gestos y la entonación?
- ¿Han hecho una buena interpretación?

Situación 1

Sois viejos amigos que os encontráis por la calle después de un año sin veros. Os saludáis, habláis de vuestros estudios o trabajos y os despedís.

Situación 2

Te encuentras a un compañero de clase en el aeropuerto. Os saludáis, habláis un poco de adónde vais y os despedís.

Situación 3

Estás en la cola del cine y te encuentras a la directora de tu empresa. Os saludáis, le presentas a tu pareja y os despedís.

C SOLO SE VIVE UNA VEZ

Habla y lee

1a ¿Sabes lo que es "la zona de confort"? Habla con tu compañero y escribid una definición. Después, comparadla con el resto de la clase.

- *Yo creo que vivir en "la zona de confort" significa...*
- *Pues a mí me parece que es...*

1b Lee el siguiente artículo publicado en un blog sobre bienestar y comprueba qué significa. ¿Crees que vives en la zona de confort? Coméntalo con tu compañero.

- *Yo sí, porque me gusta tener una vida tranquila y controlada.*
- *Pues yo creo que no, porque hago cosas diferentes cada fin de semana y...*

LA ZONA DE CONFORT

¿Te levantas y te acuestas todos los días a la misma hora? ¿Llevas mucho tiempo trabajando o estudiando en el mismo lugar? ¿Sueles quedar siempre con la misma gente? ¿Tus fines de semana son todos parecidos? ¿Hace mucho tiempo que no cambias tu corte de pelo? ¿Escuchas siempre las mismas canciones? ¿Has tenido alguna vez el deseo de hacer algo distinto, pero finalmente no lo has hecho? Si todas tus respuestas son afirmativas, es porque vives en tu zona de confort. La zona de confort es un estado mental que nos transmite seguridad y comodidad. Vivimos en la zona de confort cuando llevamos una vida tranquila, sin demasiados cambios, controlando lo que pasa a nuestro alrededor y evitando los riesgos.

Sin embargo, esta rutina cómoda y agradable tiene un gran peligro. Mientras vivimos instalados en esa zona segura, olvidamos realizar muchas de las cosas que realmente queremos hacer, aquellas que hemos soñado y siempre dejamos para un mañana que probablemente nunca va a llegar. Por eso les hemos preguntado a nuestros lectores cuáles son las cosas que les gustaría hacer, pero todavía no han hecho.

- La respuesta más repetida ha sido tomarse un año sabático y viajar por el mundo. Las grandes capitales europeas y los pequeños pueblos paradisiacos son los lugares preferidos para vivir esta aventura.
- Hacerse un tatuaje es muy común hoy en día, pero sigue siendo el sueño que muchos no terminan de hacer realidad. ¿Es el miedo al dolor, o a un resultado no satisfactorio?
- En tercera posición está cambiar el trabajo o los estudios. Sin duda, algo que todos pensamos en algún momento, pero pocas veces hacemos, si no nos vemos en la obligación.
- Paracaidismo, escalada o surf son algunos de los deportes de riesgo que nuestros lectores quieren practicar. Una buena dosis de adrenalina nos ayuda a olvidarnos del estrés y de la rutina diaria.
- Por último, aprender un nuevo idioma o mejorar nuestros conocimientos de una lengua es el deseo de gran parte de nuestros lectores. Sin lugar a dudas, la mejor manera de conocer otros países, nuevas culturas y diferentes formas de pensar.

Y a ti, ¿te gustaría hacer alguna de estas cosas?

1c Pregunta a tu compañero qué actividades le gustaría hacer para salir de la zona de confort y por qué.

- *¿Te gustaría tener un año sabático?*
- *Sí, me encantaría, porque...*

Escucha

2a 3 Escucha la conversación entre dos amigos, Marta y Diego, y señala en la tabla si han hecho estas actividades y cuándo.

	Diego	Marta	¿Cuándo?
1 Tomarse un año sabático			
2 Hacerse un tatuaje			
3 Cambiar de trabajo			
4 Practicar un deporte de riesgo			
5 Aprender una nueva lengua			

Gramática

2b Fíjate en estos comentarios extraídos de la conversación anterior. ¿Qué tiempos del pasado utilizan? Relaciona cada frase con su uso.

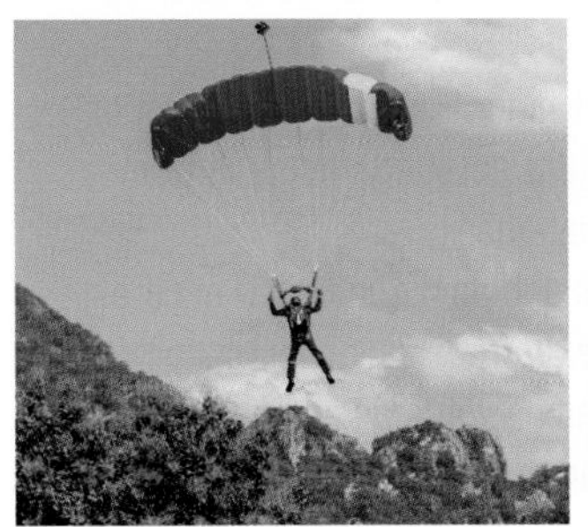

1 **Hice** paracaidismo el verano pasado.

2 **He hecho** escalada muchas veces.

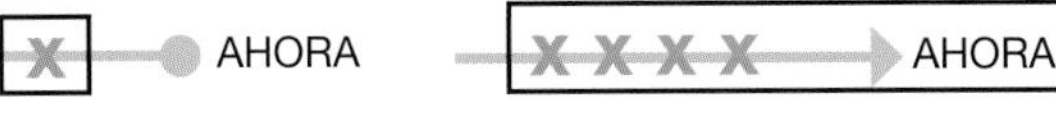

a ☐ Acción pasada que el hablante conecta con su momento actual.
b ☐ Acción pasada que el hablante no conecta con su momento actual.

Hablar de experiencias

El pretérito perfecto y el pretérito indefinido son dos tiempos que nos permiten referirnos a experiencias pasadas, pero con cada uno el hablante muestra una perspectiva diferente respecto al momento presente:

***Me he hecho** un tatuaje.* (Para el hablante la acción pasada está conectada con el momento presente sin importar el momento en el que la realizó.)

***Me hice** un tatuaje el año pasado.* (Para el hablante la acción pasada no tiene relación con el momento presente.)

En la mayor parte del mundo hispanoamericano y en algunas regiones de España, como Galicia, Asturias o Canarias, se usa más el pretérito indefinido.

Ver más en pág. 128

3 Relaciona cada una de estas frases con su final.

1 He estudiado mucho… 2 Estudié mucho…	a español de pequeño en el colegio. b en las últimas semanas para este examen, espero aprobar.
3 Ha subido el precio de los pisos… 4 Subió el precio de los pisos…	a tanto este año que no puedo comprarme uno. b un 7 % en el año 2010.
5 He estado aquí… 6 Estuve aquí…	a con mi mujer antes de casarnos. ¡Qué tiempos! b muchas veces y, siempre que vengo, me alojo en la misma habitación.

Habla

4 Practica con tu compañero. El alumno A abre el libro por la página 114 y el alumno B, por la página 120.

Escribe, lee y habla

5a Escribe en diferentes pósits tres cosas que te gustaría hacer en la vida y pégalos en la pared.

5b Coge los pósits de las actividades que ya has realizado y coméntalo con tus compañeros. ¿Quién ha hecho más cosas?

- *Yo he visitado el Machu Picchu, pero todavía no he ido a la India aunque me gustaría mucho.*
- *Ah, pues yo ya he estado en la India, pero…*

EN ACCIÓN

1a ¿Crees que estudiar idiomas tiene ventajas? Haz una lista con tu compañero.

1b DELE Lee el siguiente texto sobre las ventajas de aprender idiomas, del que se han extraído seis fragmentos. A continuación, lee los ocho fragmentos propuestos (A-H) y decide en qué lugar del texto (1-6) hay que colocar cada uno de ellos. Sobran dos.

LA VENTAJA DE APRENDER IDIOMAS

Hoy en día somos conscientes de los beneficios de hablar otras lenguas además de la propia. Si no hemos tenido la suerte de nacer en un entorno bilingüe, sabemos que tenemos que invertir tiempo y esfuerzo para conseguir dominar otros idiomas, pero, sin duda, merece la pena. **(1)** ______. Hablar otras lenguas ofrece mayores oportunidades laborales, no solo si queremos trabajar en el extranjero, sino también en nuestro país: siempre es un plus que puede marcar la diferencia entre un candidato u otro. **(2)** ______. También nos permite la posibilidad de aumentar nuestras relaciones sociales y ser capaces de entender otras formas de vida.

Y eso no es todo. Descubre aquí más motivos por los que hablar otras lenguas es una gran ventaja:

- **Mayor capacidad cognitiva.** Las personas que hablan dos o más lenguas desarrollan estrategias cognitivas que les permiten adaptarse mejor a una situación nueva y cambiar de tarea con más facilidad. **(3)** ______.
- **Mejora la memoria.** El cerebro de las personas que hablan varias lenguas es más flexible y eficiente, porque usar más de un idioma permite asociar mejor la información, y por eso es más fácil recordarla y memorizarla.
- **Más concentración.** Se ha comprobado en diversos estudios que los bilingües tienen más facilidad para distinguir la información relevante de la irrelevante, y esto les permite concentrarse mejor al realizar diferentes tareas.
- **Decisiones más razonadas.** Cuando pensamos en una lengua extranjera, podemos tomar decisiones de una forma más racional, mientras que en la lengua materna es más fácil reaccionar de manera impulsiva. **(4)** ______.
- **Más creativos. (5)** ______. Si los bilingües poseen un cerebro más flexible, hacen uso de más estrategias cognitivas y se concentran mejor, y es evidente que también tendrán más posibilidades de desarrollar la creatividad.
- **El paso del tiempo afecta menos al cerebro de los bilingües. (6)** ______. Este hecho permite retrasar la aparición de enfermedades como el alzhéimer hasta cuatro o cinco años en comparación con los monolingües.

¿No son motivos más que suficientes? ¡No lo pienses más!
Nunca es tarde para empezar.

FRAGMENTOS

- A Porque todas las ventajas mencionadas anteriormente benefician el desarrollo creativo.
- B Solo viviendo en un país de habla extranjera se puede llegar a dominar la lengua.
- C Esto es debido a que tienen el cerebro mejor organizado, con sistemas de clasificación más amplios.
- D Pero aprender idiomas no es una tarea sencilla y puede tener algunos inconvenientes.
- E El motivo es que las emociones tienen un vínculo más fuerte con la lengua con la que hemos crecido.
- F Pero no solo es importante en el plano laboral: además, hablar idiomas nos abre las puertas para viajar y conocer otras culturas.
- G Una de las ventajas más evidentes está relacionada con el empleo.
- H Según diversos estudios, el cerebro de las personas que hablan varias lenguas envejece más lentamente.

1c ¿Cuáles de las ventajas anteriores te sorprenden más? Coméntalo con tu compañero.

A mí me sorprende que el alzhéimer se desarrolla más tarde, no lo sabía.

2a Tu escuela necesita hacer publicidad de las clases de español. En tríos, cread una infografía con los cinco aspectos más importantes de aprender español. Negociad cuáles son, haced un borrador con el texto y elegid una aplicación para presentarla.

2b Observa las infografías de otros grupos. ¿Qué os gusta de cada una?: ¿el diseño (claro, atractivo, original,...), el contenido (organizado, interesante, completo,...), etcétera?

A mí me gusta la infografía de Rosella, Gabriel y Mariko porque tiene un diseño muy atractivo y...

2 RECUERDOS

TEMAS

- **¿Y eso hacíamos?:** describir el pasado
- **Historias increíbles:** comentar noticias
- **Momentos inolvidables:** contar anécdotas

- ¿Cuál es el mejor recuerdo de tu infancia?
- ¿Y del colegio?
- ¿Recuerdas tu primera clase de español?
- ¿Qué te sugiere la foto?

A ¿Y ESO HACÍAMOS?

Habla y lee

1a Haz una lista de cosas que existían cuando eras pequeño pero ahora no son comunes. Compara con un compañero: ¿tenéis las mismas?

- *Las cabinas telefónicas, ahora ya no hay.*
- *Bueno, en Londres todavía hay, pero como atracción turística.*

1b Lee la siguiente infografía sobre cómo ha cambiado la vida de la gente en las últimas décadas. ¿Haces o has hecho alguna de las cosas que se mencionan? ¿Crees que son impensables hoy en día? Coméntalo con tu compañero.

Yo solo sé de memoria el teléfono de mis padres.

Recuerda

- Antes sí / Ahora no:
  *Antes había cabinas telefónicas y ahora **ya no**.*
- Antes sí / Ahora sí:
  *Antes había cabinas telefónicas y ahora **todavía** hay.*

Ver más en pág. 130

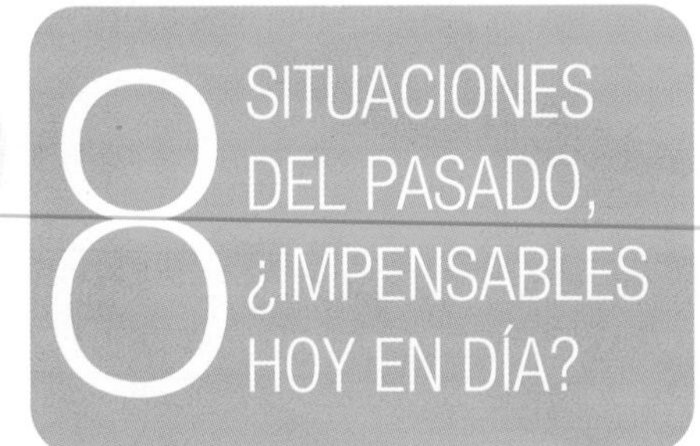

1 Sabíamos de memoria todos los números de teléfono de nuestros contactos.

2 Buscábamos información en las enciclopedias o íbamos a la biblioteca a documentarnos.

3 Solicitábamos un puesto de trabajo en persona, íbamos a las empresas a dejar en mano nuestro currículum.

4 Conducíamos sin cinturón de seguridad, y tampoco nos poníamos el casco en la moto.

5 Los niños jugaban por las calles de la ciudad hasta tarde sin la supervisión de sus padres.

6 Pasábamos el día en la playa y no nos echábamos protector solar.

7 Solíamos alquilar películas en el videoclub.

8 Cuando se estropeaba la televisión, la llevábamos a reparar.

1c ¿A qué crees que se deben los cambios de la infografía anterior? Coméntalo con tu compañero.

- *El primero es debido al teléfono móvil: ya nadie necesita memorizar los números de teléfono porque los llevamos en la agenda del móvil.*
- *Es verdad, pero eso es un problema si se pierde el móvil.*

Vocabulario

1d Busca en la infografía palabras que combinan con estos verbos. ¿Conoces más?

- saber
- buscar
- solicitar
- ponerse
- echarse
- alquilar
- estropearse
- reparar

Gramática

2a Fíjate en los verbos de las frases de la infografía de la actividad **1b**. ¿Recuerdas este tiempo verbal? ¿Qué expresa? Después, lee el cuadro y comprueba.

Pretérito imperfecto

Este tiempo tiene los mismos usos que el presente, pero en este caso nos situamos en un momento del pasado y describimos lo que pasa o lo que hacemos en ese momento.

Presente	Pretérito imperfecto
A Hablar de acciones habituales	
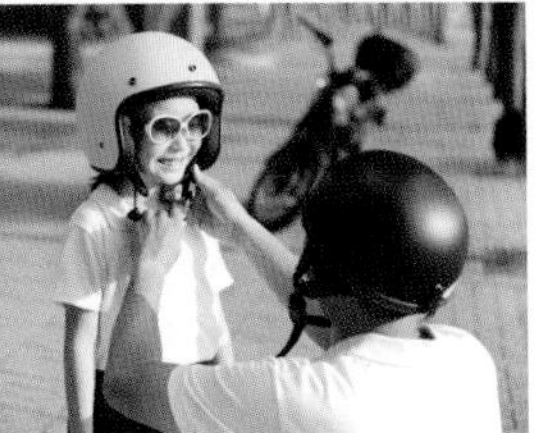 *Ahora nos ponemos casco.*	 *Antes no nos poníamos casco.*
B Describir lugares, personas y cosas	
 *Ahora no llevo gafas.*	 *Antes llevaba gafas.*

Para expresar una acción habitual podemos usar el verbo ***soler* + infinitivo**:

Cuando era pequeña, solíamos alquilar todos los viernes películas en el videoclub.

Ver más en pág. 130

2b Lee las siguientes situaciones: ¿te sientes identificado/a? Añade dos más que son relevantes para ti. Luego, levántate y busca en la clase otras personas que se identifican con ellas.

Cuando eras pequeño/a, ¿solías...

1. comer muchos dulces?
2. ir al colegio en bicicleta?
3. pasar muchas horas hablando por teléfono con amigos?
4. hacer los deberes con máquina de escribir?
5. ver mucho la tele?

Escucha y habla

3a 4 Escucha un programa de radio donde dos oyentes, Valentín y Raquel, comentan cómo hemos cambiado en los últimos años. ¿De qué temas hablan?

3b 4 Vuelve a escuchar y toma nota de la opinión que tiene cada uno. ¿Estás de acuerdo con ellos?

Gramática

3c Observa estas frases del audio anterior y decide si las palabras en negrita sirven para expresar causa, consecuencia o para contrastar ideas.

Conectores de causa, consecuencia o contraste de ideas

- **Como** nos gustaba mucho el fútbol y no teníamos un parque cerca, jugábamos en mitad de la carretera.
- **Aunque** parece peligroso, no lo era.
- No había tantos estudios ni campañas de concienciación, **así que** todo el mundo fumaba.
- No había ni cinturones ni nada, **por eso** podíamos ir tumbados durmiendo.
- Era muy cómodo: **sin embargo**, ahora te ponen una multa por conducir sin cinturón.
- Y lo mismo pasaba con el uso del cinturón de seguridad, **es que** no lo usaba nadie.
- No íbamos a parques infantiles como ahora, **sino** que jugábamos en la misma calle.

Ver más en pág. 131

Escribe y habla

4 Vamos a participar en el programa de radio anterior. Prepara una exposición oral para explicar cómo ha cambiado tu sociedad en los últimos años. Primero, elige el tema: la educación, las condiciones laborales, la alimentación, la vivienda, las relaciones sociales, el ocio, etc. Luego, escribe tu guion, grábate y compártelo con tus compañeros y tu profesor.

B HISTORIAS INCREÍBLES

Habla y lee

1a ¿Qué tipo de noticias te interesan más? ¿Dónde las lees? Coméntalo con la clase.

- internacional
- nacional
- deportes
- política
- sociedad
- economía
- cultura
- salud
- sucesos
- moda
- belleza
- ...

- *Me encanta leer noticias sobre economía en mi móvil, ¿y a ti?*
- *Pues yo no suelo leer nada de economía, aunque me interesa: leo más sobre política internacional.*

1b En parejas, vais a leer una noticia curiosa. Primero, fijaos en la foto y en el titular: ¿dónde sucedió la historia? ¿Qué creéis que pasó? Después, leed la noticia para comprobar vuestras hipótesis y responded las preguntas de los círculos.

Vive cinco meses de okupa con una mujer y esta no lo sabe

Hoy, en la noticia curiosa del día, les contamos la historia de un joven japonés que estuvo cinco meses viviendo de okupa en casa de una anciana. Pero "¿cómo puede ser posible?", seguro que se preguntan ustedes. Pues porque el okupa era muy silencioso y la mujer tenía 90 años. La casa era grande, tenía dos pisos y el chico se instaló cómodamente en el segundo. La mujer no se dio cuenta de nada, hasta que fue a visitarla su hijo. Estaban comiendo tranquilamente, cuando, de repente, oyeron ruidos en el piso superior.
El hijo subió a mirar y encontró al desconocido: estaba durmiendo profundamente en una colchoneta. Cerró la puerta e inmediatamente llamó a la policía. Aunque la anciana nunca vio al joven, la policía encontró sus zapatos en la entrada de la vivienda, como marca la tradición japonesa. Fue detenido y está acusado de ocupación ilegal.

Información extraída de www.abracadabranoticias.com

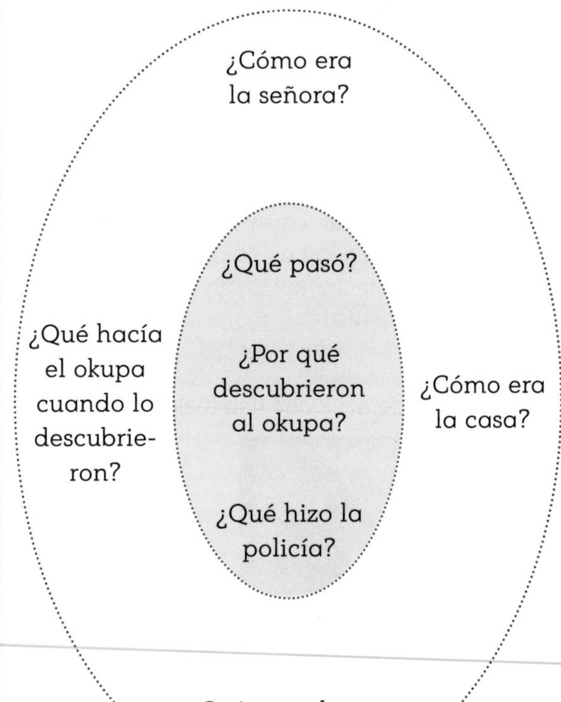

Gramática

1c ¿Qué información te parece fundamental para entender la noticia anterior: la del círculo interior o la del exterior? ¿Por qué? Coméntalo con tus compañeros. Luego, completa la información del cuadro de la derecha. ¿Coincide con lo que habéis dicho?

1d ¿Conoces alguna otra historia de okupas? ¿Qué piensas de este movimiento? ¿Es frecuente en tu país? Cuéntaselo a la clase.

Narrar historias (I)

Cuando contamos historias, combinamos el uso del **pretérito indefinido** y del **pretérito imperfecto**.

Utilizamos el (1) ____________ para describir el contexto en el que se desarrolla la historia *(la casa era grande, tenía dos pisos, estaban comiendo tranquilamente...)*, mientras que con el (2) ____________ hacemos que la acción principal avance hasta un nuevo punto *(la mujer no se dio cuenta, oyeron ruidos en el piso superior, encontró al desconocido, llamó a la policía...)*.

Ver más en pág. 133

Escucha y habla

2a 5 Escucha a dos amigos hablando de otra noticia increíble. Responde si la información es verdadera (V) o falsa (F).

1 ☐ La noticia sucedió en Corea.
2 ☐ Alguien robó una chocolatina.
3 ☐ En la comisaría de policía hicieron una prueba de ADN.
4 ☐ El producto robado era muy caro.
5 ☐ No pudieron saber quién era el ladrón.

2b ¿Qué te ha parecido esta noticia? ¿Podría pasar en tu país? Coméntalo con tu compañero.

Vocabulario

2c Lee la transcripción del audio anterior en la página 176, busca expresiones que usamos cuando contamos una anécdota y, después, completa el cuadro.

Recursos para ordenar un relato y reaccionar

Cuando contamos una anécdota o una historia curiosa, interesante o increíble, es frecuente seguir este esquema que ordena el relato y usar expresiones para:

- **Empezar el relato:**
  ¿Sabes lo que me pasó el otro día?
  Pues, una vez...
  ___
  ___
- **Introducir una situación inesperada:**
  Estaban comiendo y, de repente, oyeron ruidos.
  De pronto, aparecieron los policías.
  ___
- **Marcar el final del relato:**
  Total, que...
  ___
  ___

Y el oyente, durante el relato, usa expresiones para:

- **Mostrar interés por lo que se está contando:**
  (No,) Dime.
  ___
  ___
- **Reaccionar durante y al final de la historia:**
  ¿De verdad?
  ¡Madre mía!
  ___
  ___

Ver más en pág. 133

Pronunciación y ortografía

3 6 Escucha estas preguntas extraídas de la conversación anterior: ¿cuál crees que coincide con esta curva melódica?

1 Pero, ¿fue sin querer, o fue aposta?
2 ¿A que es increíble?

Entonación de preguntas con alternativa

Las frases interrogativas que proponen una alternativa excluyente, es decir, una elección entre dos elementos, tienen una entonación ascendente en el primer elemento y descendente en el segundo:

¿Se lo pidió, o lo cogió sin permiso?

Ver más en pág. 134

Escribe y habla

4a Vais a hacer un concurso de historias increíbles por grupos. Antes de escribirla, debéis pensar en:

- ¿Dónde ocurrió? En un castillo, un bosque, una casa abandonada,...
- ¿Quién es el protagonista? Un político ambicioso, un animal,...
- ¿Cuándo pasó? En la época de los romanos, una oscura noche de invierno,...
- ¿Qué pasó? Fingió su secuestro para no hacer los deberes, intentó robar un autobús,...

4b Formad tríos con personas de otros grupos y contad vuestras historias usando los recursos que habéis aprendido. Decidid entre todos qué queréis evaluar y cómo, y votad las historias. Aquí tenéis algunas ideas:

- La historia más curiosa
- La historia más original
- La historia mejor escrita
- La historia mejor contada
- ...

- *Para mí la historia del grupo C es la más original. Me ha encantado la mezcla de personajes que han hecho.*
- *Sí, sin duda. A mí también me parece la más original, pero la mejor escrita creo que ha sido...*

C MOMENTOS INOLVIDABLES

Habla

1 Mira las fotos: ¿recuerdas algún momento importante de tu vida relacionado con ellas? Habla con tu compañero y cuéntale qué recuerdas de ese día.

Ganar un premio

Enamorarse

Graduarse

Comprar un coche

Uno de mis momentos inolvidables fue cuando gané un premio de atletismo en el colegio. Recuerdo que mis padres estaban muy contentos y me abrazaban todo el rato.

Lee

2a Lee el siguiente blog de experiencias y relaciona la información de la tabla con las personas que escriben en el blog.

Mi primera vez

Dicen que la primera vez nunca se olvida y parece que este dicho popular es cierto. Hacemos las mismas cosas muchas veces, sin embargo, hay alguna primera vez que se queda grabada en nuestra mente de manera imborrable. Buenas o malas experiencias que tiempo después nos producen risa, vergüenza o nostalgia. ¿Qué primera vez recuerdas tú? Cuéntanoslo.

Ramón (Oviedo)
19 jun (17:45 h)

Era mi primera entrevista de trabajo y estaba muy nervioso. Cogí el coche y en la carretera casi tuve un pequeño accidente con otro coche. Aunque creo que yo tuve la culpa, empecé a insultar al otro conductor. Cuando llegué a la empresa, vi al mismo hombre allí. No me lo podía creer, era mi entrevistador. Fue un momento muy incómodo. ¡Qué vergüenza! Pero él no me dijo nada. Lógicamente, no conseguí el trabajo.

Natalia (Salamanca)
22 jun (22:33 h)

Hace un par de años me fui a esquiar a Sierra Nevada con unos amigos de la universidad. El caso es que, como era la primera vez que esquiaba, no conocía cómo era el mecanismo del telesilla. Me subí a uno y un trabajador de allí me empezó a decir "baja, baja" (por la barra de seguridad…). Me asusté y, sin pensar dos veces, salté del telesilla desde una altura de tres metros aproximadamente… Afortunadamente, no me pasó nada, pero me sentí muy ridícula.

Marc (Barcelona)
22 jun (23:12 h)

Ocurrió hace unos cinco años. Era lunes y tenía prisa para ir a trabajar. Me duché rápidamente, pero, cuando me peinaba, vi un pelo que tenía diferente color. "No puede ser una cana, es un pelo rubio. Todavía no soy tan mayor", pensé. Estuve mirando el pelo durante un buen rato y, al final, decidí quitármelo y preguntar a mi familia. Todos respondieron sin dudar que era una cana. No me lo podía creer. Lo peor de todo es que, además de descubrir mi primera cana, llegué tarde al trabajo y tenía una reunión importante con mi jefe.

	Ramón	Natalia	Marc
1 No entendía lo que le decían.			
2 No quería aceptar el paso del tiempo.			
3 Fue muy maleducado.			
4 Su familia no pensaba como él.			

Gramática

2b Relaciona estas frases con una de las imágenes.

1 ☐ Cuando llegué a la oficina, vi al mismo hombre.
2 ☐ Cuando llegaba a la oficina, vi al mismo hombre.

A — — — — — — —

B ————————●|

Narrar historias (II)

- Utilizamos el **pretérito indefinido** para hablar de un hecho ocurrido en el pasado, situándonos fuera de la acción, viéndolo como algo ya terminado:
  Cuando llegué a la oficina, vi al mismo hombre.
- Utilizamos el **pretérito imperfecto** para hablar de un hecho pasado mientras sucede, situándonos dentro de ese proceso, viéndolo como algo todavía no terminado:
  Cuando llegaba a la oficina, vi al mismo hombre.

Ver más en pág. 135

3 Relaciona estos comentarios con su situación.

1 Cuando volvía a casa, llamé a María. **2** Cuando volví a casa, llamé a María.	**a** Llamé a María de camino a casa. **b** Llamé a María en casa.
3 No fui a la fiesta porque estaba enferma. **4** No fui a la fiesta porque estuve enferma.	**a** No sabemos si todavía está enferma. **b** Ahora está bien.
5 No quería decir nada porque estaba muy enfadado. **6** No quise decir nada porque estaba muy enfadado.	**a** No dijo nada. **b** No sabemos si dijo algo o no.
7 Cuando nos íbamos, llegó él. **8** Cuando nos fuimos, llegó él.	**a** No lo pudieron ver. **b** Lo pudieron ver.

Habla y escucha

4a En parejas, ordenad estas imágenes de Javier y cread una historia a partir de ellas. Luego, comentadla con el resto de la clase.

A ☐

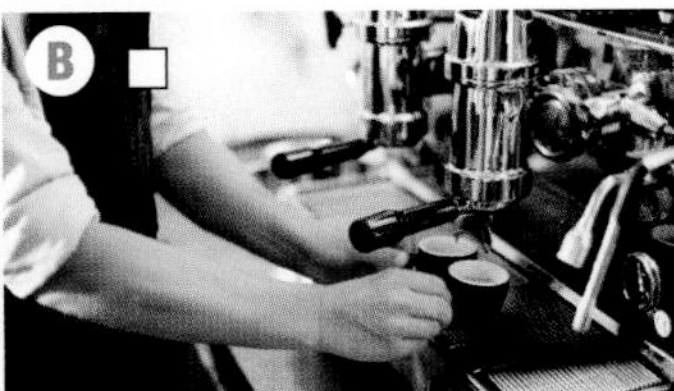
B ☐

C ☐

D ☐

- *Yo creo que el chico viajó a un país extranjero y allí trabajó de camarero…*
- *Pues yo creo que él trabajaba de camarero y conoció a una chica en el restaurante…*

4b 7 Ahora, escucha la historia de Javier y compárala con la vuestra. ¿Qué pareja ha coincidido más?

Habla

5 Practica con tu compañero. El alumno A abre el libro por la página 114 y el alumno B, por la página 120.

Escribe, escucha y habla

6a Escribe una historia sobre una primera experiencia que tuviste en el pasado. Trata de memorizarla para poder contarla sin leer.

6b En parejas, contaos vuestras historias. Presta atención a la de tu compañero para poder contársela a otro. ¿Se parece la última historia que has escuchado a la original?

EN ACCIÓN

1a 8 Observa las fotos y, en parejas, comentad qué veis. Después, vas a escuchar a seis personas que recuerdan alguna anécdota de su vida. Relaciona las fotos con el número de la persona que habla.

a ☐

b ☐

c ☐

d ☐

e ☐

f ☐

1b 8 DELE Vuelve a escuchar y selecciona el enunciado que corresponde al tema del que habla cada persona. Hay nueve enunciados: selecciona solamente seis.

ENUNCIADOS

- **a** No pudo llamar a la otra persona.
- **b** El subdirector lo sorprendió escuchando.
- **c** La calle estaba casi vacía.
- **d** Felicitó a una persona.
- **e** No pudieron ir a la playa.
- **f** Comió con el chico que le gustaba.
- **g** Era profesora de filosofía.
- **h** Confundió un verbo con otro.
- **i** Vio unos gatos en la calle.

Persona	Enunciado
1	
2	
3	
4	
5	
6	

1c ¿Qué te han parecido las anécdotas anteriores? Lee la transcripción en la página 177 y elige la anécdota que más te gusta. Coméntalo con tus compañeros.

A mí la que más me ha gustado es la tercera, porque me parece muy graciosa.

1d ¿Alguna vez has tenido un malentendido cultural? Háblalo con tus compañeros.

3 EL MUNDO DEL FUTURO

TEMAS

- **¿Hacia dónde vamos?:** hacer predicciones
- **Vive tus sueños:** hablar de planes de futuro
- **¿Será bueno?:** hacer suposiciones sobre el presente

- ¿Te gusta pensar en tu futuro?
- ¿Eres optimista o pesimista cuando piensas en él?
- ¿Cuál ha sido el mayor cambio del siglo XXI en tu opinión?
- ¿Qué te sugiere la foto?

A ¿HACIA DÓNDE VAMOS?

Lee y habla

1a Observa la imagen del artículo: ¿cómo te imaginas el futuro? Haz una lista con tu compañero de los aspectos de la vida que crees que van a ser diferentes en el 2050.

- *Los medios de transporte. Yo creo que en el futuro van a ser más rápidos.*
- *Sí, y también las ciudades, porque...*

1b Lee el siguiente artículo y añade los siguientes títulos en su lugar correspondiente.

- ¿Viviremos más años?
- ¿Qué cambios traerá internet?
- ¿Dónde viviremos?
- ¿Qué pasará con la crisis ambiental?
- ¿Los coches podrán volar?

¿QUÉ NOS DEPARA EL FUTURO?

PARA EL AÑO 2050, HABRÁ MÁS DE NUEVE MIL MILLONES DE PERSONAS EN NUESTRO PLANETA. ESTE DATO PERMITE A LOS CIENTÍFICOS HACER PRONÓSTICOS DE CÓMO SERÁ LA VIDA EN EL FUTURO.

1 ______________________

Hoy en día, más de la mitad de los seres humanos vivimos en ciudades y se cree que, para la mitad de siglo, siete de cada diez personas tendrán su hogar en una gran urbe. Los edificios y las casas serán más eficientes y la tecnología nos ayudará a gestionar la energía y nuestras propias vidas.

2 ______________________

Esta imagen tan futurista de ciudades llenas de vehículos voladores es una de las ideas más extendidas de cómo vemos el transporte en el futuro. Sin embargo, los expertos hoy en día tienen una visión más sensata al respecto: piensan que, en general, los transportes serán más rápidos y los coches se podrán conducir solos, pero no podrán volar.

3 ______________________

Estaremos más conectados y esto seguirá transformando nuestra vida tanto personal como laboral. Algunos de los trabajos del futuro todavía no se han creado, pero ya estamos viendo cómo surgen pequeñas empresas *online* que venden sus productos a miles de kilómetros de distancia a través de plataformas digitales. Cualquier persona podrá tener éxito, solo necesitará una buena idea.

4 ______________________

Algunos científicos piensan que, si no actuamos ahora, posiblemente para 2050 será demasiado tarde y en cien años seguramente nos extinguiremos. El cambio climático ya está causando problemas que serán mucho más graves en el futuro. Algunas islas, como Filipinas, estarán en serio peligro por el aumento del nivel del mar. Además, la escasez de recursos básicos, como el agua dulce, provocará conflictos entre los países.

5 ______________________

No viviremos hasta los ciento veinte años de edad, aunque seguramente llegaremos a los noventa o cien años con mejor salud. No sabemos si se encontrará una cura para las enfermedades actuales, sin embargo, los científicos sí predicen que los huertos urbanos serán una necesidad y habrá una cultura más regional con respecto a la comida, debido al aumento de la población en las grandes ciudades.

Siempre nos hemos preguntado cómo será nuestro futuro. Esta curiosidad nos ayuda a anticipar qué cambios habrá en nuestra vida, pero no debemos olvidarnos de vivir el momento presente.

1c ¿Cuáles de las predicciones anteriores te preocupan más? ¿Estás de acuerdo con la conclusión del artículo? Coméntalo con tu compañero.

A mí me preocupa mucho el cambio climático porque...

Vocabulario

1d Busca en el artículo anterior una combinación léxica con las siguientes palabras.

1 seres ____________
2 empresa ____________
3 plataformas ____________
4 cambio ____________
5 nivel ____________
6 huertos ____________

Gramática

2a Para hacer predicciones usamos el futuro simple. Fíjate en este cuadro y contesta a las preguntas.

Hacer predicciones: el futuro simple

- **Verbos regulares**

	estar	ser	vivir
yo	estar**é**	ser**é**	vivir**é**
tú	estar**ás**	ser**ás**	vivir**ás**
él / ella / usted	estar**á**	ser**á**	vivir**á**
nosotros/as	estar**emos**	ser**emos**	vivir**emos**
vosotros/as	estar**éis**	ser**éis**	vivir**éis**
ellos/as / ustedes	estar**án**	ser**án**	vivir**án**

- **Verbos irregulares**

	hacer	decir
yo	har**é**	dir**é**
tú	har**ás**	dir**ás**
él / ella / usted	har**á**	dir**á**
nosotros/as	har**emos**	dir**emos**
vosotros/as	har**éis**	dir**éis**
ellos/as / ustedes	har**án**	dir**án**

1 ¿Hay diferencias en la terminación de los verbos *-ar, -er e- ir*?
2 ¿Cuál es la raíz de los verbos regulares?
3 ¿Los verbos irregulares lo son por la raíz o por la terminación?
4 ¿Qué otros verbos irregulares aparecen en el artículo anterior?

Ver más en pág. 136

2b Practica con tu compañero. El alumno A abre el libro por la página 115 y el alumno B, por la página 121.

Escucha

3a 9 Escucha una entrevista a una experta destacada en el mundo de la ciencia y la tecnología. Marca de qué temas habla.

1 ☐ Las ciudades y el transporte
2 ☐ La salud y la alimentación
3 ☐ El clima y la contaminación
4 ☐ El ocio y las relaciones sociales
5 ☐ La tecnología y la comunicación
6 ☐ La energía y los recursos
7 ☐ El trabajo y los estudios
8 ☐ La colonización de otros planetas

3b 9 Vuelve a escuchar. Toma nota de sus opiniones y compáralas con otro compañero.

Gramática

3c Lee estas frases sobre el futuro extraídas del audio anterior. ¿Qué expresiones usan para expresar probabilidad? ¿Cuál crees que expresa mayor probabilidad?

- Posiblemente en el próximo siglo habrá grupos de aventureros que vivirán en Marte.
- Supongo que si actuamos ya de forma rápida, el cambio climático no debería llegar a sus peores consecuencias.
- Seguramente (los móviles) no existirán.
- Seguro que habrá computación móvil, aunque integrada en la ropa o incluso en nuestro cuerpo.

Expresar probabilidad en el futuro

Uno de los usos del futuro es hacer predicciones, es decir, imaginamos el futuro, pero podemos hacerlo expresando mayor o menor certeza. Para ello usamos expresiones de probabilidad como:

- seguro que
- probablemente
- quizás
- seguramente
- tal vez
- supongo que

Ver más en pág. 137

Escribe y habla

4 En dos grupos, vais a hacer un debate sobre el futuro: los que piensan que el futuro será mejor que ahora y los que piensan que será peor.

- Cada grupo piensa en los argumentos para defender su punto de vista: haced un borrador con vuestras ideas.

- Cada persona del grupo se encarga de comenzar un tema diferente dentro del debate.

B VIVE TUS SUEÑOS

Habla y escucha

1 ¿Eres una persona a la que le gusta planificar su futuro, o vives el presente sin preocuparte por lo que pasará después? Coméntalo con tu compañero.

Yo creo que soy bastante planificador. Siempre organizo todo con mucha antelación: los fines de semana, las vacaciones…

2a Rubén y Eva imaginan cómo será su futuro después de la universidad. Mira las fotos y señala con cuál de ellos relacionas la información de la tabla.

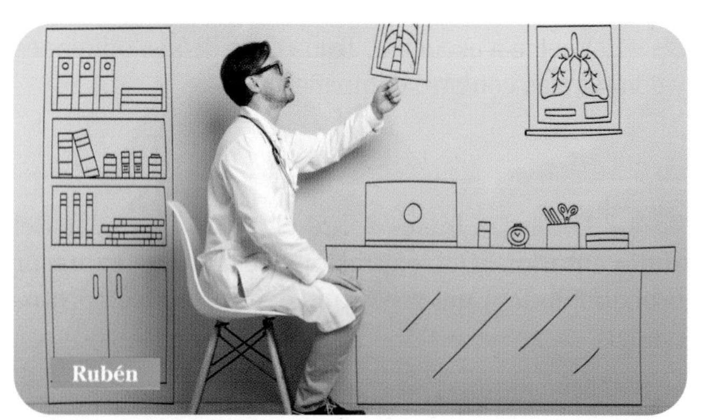

	Rubén	Eva
1 Va a montar una pequeña empresa de diseño gráfico.		
2 Estudiará un máster de investigación clínica.		
3 Va a viajar a EE. UU.		
4 Se quedará a vivir en Barcelona.		
5 Trabajará desde su propia casa.		
6 Va a buscar un trabajo fuera de España.		
7 Va a vivir con su pareja, pero no quiere tener hijos.		
8 Tendrá hijos y un perro.		

2b 10 Ahora escucha la conversación y comprueba tus respuestas.

Gramática

2c Fíjate en estas dos frases extraídas de la conversación anterior. ¿Qué estructuras utilizan para referirse al futuro? ¿Qué diferencias hay entre ellas? Coméntalo con tu compañero.

1. He pensado que voy a montar una pequeña empresa de diseño gráfico. Me encanta el tema y, por lo que he visto, no requiere mucha inversión.
2. No lo tengo tan claro todavía. Probablemente estudiaré un máster de investigación clínica o algo parecido.

Hablar de ideas y planes de futuro

El **futuro simple** y la construcción ***ir a* + infinitivo** se usan para hablar del futuro, pero el hablante toma una perspectiva diferente.

- Usamos el **futuro simple** para hablar de un hecho futuro que no relacionamos con el presente. Por eso, normalmente lo utilizamos para hacer predicciones e hipótesis que no sabemos si se van a cumplir:
  Estudiaré un máster de investigación.

  Momento presente — X — Máster de investigación

- Usamos ***ir a* + infinitivo** para hablar de un hecho futuro que relacionamos con el presente. Por eso, normalmente lo utilizamos para hablar de intenciones o planes que pensamos realizar:
  Voy a montar una empresa de diseño.

  Momento presente — X — Empresa de diseño

Ver más en pág. 137

2d Elige la opción más adecuada teniendo en cuenta el contexto y justifica tu respuesta.

1. Todos los años en agosto voy de vacaciones con mi familia. Ya hemos reservado el apartamento de este año. **Vamos a ir / Iremos** a Málaga.
2. No he hablado con él desde hace unos meses, pero seguramente lo **voy a ver / veré** un día de estos.
3. Al final, me **voy a comprar / compraré** el coche que te enseñé el otro día: es el que más me gusta.

Habla y lee

3a ¿Te consideras una persona optimista? ¿Cómo sueles reaccionar cuando un proyecto sale mal? Habla con tu compañero.

Yo normalmente soy optimista, pero reconozco que, cuando las cosas no van bien, no lo soy tanto.

3b Mira esta infografía: ¿qué paso te parece más importante para conseguir tus sueños? Coméntalo con la clase.

Vocabulario

3c Busca el intruso en cada grupo.

1. imaginar - visualizar - realizar - pensar
2. crear un plan - lograr un deseo - marcar una meta - fijar un objetivo
3. divertirse - aburrirse - disfrutar - pasarlo bien
4. ser positivo - fracasar - ser optimista - tener esperanzas

Lee y escucha

4a Lee estas frases sobre el pensamiento positivo y relaciona el principio con su final.

1. Si una puerta se cierra,...
2. Si miras en dirección al sol,...
3. Si hoy te caes,...
4. Si siempre estás mirando hacia abajo,...
5. Si piensas en positivo,...

a. nunca verás el arcoíris.
b. no verás las sombras.
c. otra se abrirá.
d. mañana te levantarás.
e. las cosas buenas vendrán.

4b 11 Ahora escucha las frases y comprueba si son correctas.

Gramática y pronunciación

4c 11 Vuelve a escuchar y fíjate en la curva melódica de las oraciones.

Expresar hipótesis: oraciones condicionales

- Las oraciones condicionales están formadas por dos partes. Una parte da una información que se realiza solo cuando se cumple la condición de la otra parte. Esta condición está introducida por la conjunción ***si*** y suele aparecer en primer lugar.
- Estas dos partes de la oración condicional tienen una línea melódica distinta: la entonación es ascendente en la condición y descendente en el otro segmento (resultado):

Si una puerta se cierra, (Condición) *otra puerta se abrirá.* (Resultado)

Ver más en pág. 138

4d ¿Conoces otras frases de pensamiento positivo? Si no, invéntatelas y coméntalas con tu compañero.

Escribe

5a Piensa en un objetivo que quieres conseguir en la vida y los problemas que crees que pueden surgir. Luego, escríbelo.

Mi sueño ha sido siempre viajar por Asia y conocer diferentes culturas. Me gustaría recorrer China, pero me da miedo hacerlo solo, principalmente por la barrera del idioma. Si tengo algún problema, no podré comunicarme con la gente local.

5b Intercambia tu texto con un compañero y escríbele consejos para ayudarlo a conseguirlo.

Si hablas inglés, podrás comunicarte con mucha gente que te podrá ayudar, y...

C ¿SERÁ BUENO?

Lee y habla

1a Lee las siguientes noticias. Una de ellas es falsa: ¿cuál crees que es? Coméntalo con tus compañeros y justifica tu respuesta.

A ¿Expuestos en los conciertos a más radiación?

Las luces de los móviles iluminan los festivales de música y han duplicado la radiación a la que estamos expuestos en este tipo de eventos. Sin embargo, seguimos hablando de índices que no afectan en absoluto nuestra seguridad.

B Fotografiar todo mejora nuestra memoria

Estudios de neurociencia han demostrado que la manía de hacer fotos de todo nos ayuda a recordar mejor los acontecimientos y aumenta la capacidad de inmortalizar los recuerdos.

C Impresión en 3D

La tecnología de impresión 3D permite construir viviendas económicas que podrán mejorar la calidad de vida de familias con pocos recursos.

D Cuidar la dieta

Expertos en dietética trabajan para producir alimentos transgénicos modificados éticamente y animan a aumentar el consumo de algas, proteínas vegetales y comida vegana.

1b Relaciona las siguientes opiniones con las noticias anteriores.

1 ☐ ¿Será buena tanta modificación genética?
2 ☐ Y dejar el móvil encendido en la mesilla, ¿afectará a nuestra salud?
3 ☐ ¿No estaremos perdiendo capacidad de memoria consultando tanto en internet?
4 ☐ Será carísimo, ¿no?
5 ☐ Imagino que se necesitarán impresoras gigantes para ello.

1c ¿Cuál es tu opinión sobre los temas anteriores? Discútelo con tus compañeros.

- *Pues yo creo que sí estamos perdiendo mucha capacidad de memoria.*
- *Sí, estoy de acuerdo contigo: ahora, cuando no nos acordamos de un dato, lo buscamos rápidamente en internet, ¿no creéis?*

Gramática

2a Fíjate en el tiempo verbal de las opiniones de la actividad **1b**. ¿A qué momento hacen referencia: al presente o al futuro? Coméntalo con la clase. Después, lee el cuadro para comprobar tus hipótesis.

Hacer suposiciones sobre el presente

Usamos el futuro simple también para hacer suposiciones sobre algo que sucede en el momento presente:

Las viviendas que ahora se están construyendo en 3D serán caras, ¿no?

¿Estará afectando a nuestra capacidad de memoria fotografiar todo?

Ver más en pág. 138

4 TRABAJO

TEMAS

- **El compañero perfecto:** pedir favores
- **Personal y laboral:** expresar indeterminación o falta de existencia
- **Mi trabajo ideal:** expresar habilidades

- ¿A qué te dedicas?
- ¿Crees que la gente es feliz en su trabajo?
- "El trabajo es salud": ¿qué opinas?
- ¿Qué te sugiere la foto?

A EL COMPAÑERO PERFECTO

Habla y lee

1a ¿Conoces los siguientes adjetivos? ¿Cuáles te parecen cualidades y cuáles defectos para un compañero de trabajo? Coméntalo con tu compañero.

- perfeccionista
- diplomático/a
- competitivo/a
- desordenado/a
- mandón/ona
- amable
- egocéntrico/a
- vago/a
- responsable
- amistoso/a

- *Para mí es muy importante ser responsable y perfeccionista en un trabajo.*
- *Pues yo creo que ser perfeccionista no es siempre bueno porque…*

1b ¿Cómo debe comportarse una persona para ser un buen compañero de trabajo? Coméntalo en clase. Luego, lee la noticia: ¿coincide con vuestras ideas?

BUENOS COMPAÑEROS

Para algunas personas el espacio de trabajo no es un lugar para hacer amistades, mientras que para otros la buena relación con los compañeros es algo necesario. Además de mejorar el rendimiento de una empresa, las buenas relaciones laborales son sinónimo de felicidad para el 46 % de los trabajadores. Si quieres tener una buena relación con tus compañeros, estos son los aspectos más importantes que debes tener en cuenta:

SÉ EDUCADO: pide las cosas por favor y da las gracias. Utiliza un lenguaje correcto y evita pedir algo de manera muy directa o autoritaria.

ESCUCHA: interésate por lo que te dicen y respeta su opinión.

OFRECE TU AYUDA: todos necesitamos un poco de ayuda de vez en cuando.

IGNORA LOS COTILLEOS: a nadie le gusta que hablen de su vida privada con otros compañeros.

RESPETA SU VIDA PERSONAL: todos tenemos familia, pareja o amigos que también necesitan nuestro tiempo. Por eso, evita los mensajes o las llamadas innecesarias después del trabajo.

INTERÉSATE POR LOS DEMÁS: pregunta cómo ha ido el día o si han tenido un buen fin de semana.

SÉ PUNTUAL Y REALIZA TU TRABAJO: nadie quiere tener a un vago por compañero y mucho menos tener que hacer el trabajo de otros.

Gramática

2a Estos son los mensajes que ha recibido Raúl de su compañera Luisa. ¿Qué puntos del artículo no ha respetado Luisa?

LUISA

¡Hola! Esta mañana he llegado tarde a la reunión y me he perdido la parte más importante. ¿Puedes pasarme las notas que has tomado?

RAÚL

Sí, claro. ¿Podría enviártelas mañana? Es que estoy cenando con la familia.

Vale, pero, acuérdate. ¿Qué estáis cenando?

¿Sería posible hablar mañana? Es que tengo aquí a los niños y no me dejan tranquilo.

Vale, bueno… Te iba a contar también lo que le ha pasado a Marisa con su novio, pero, si estás tan ocupado, nada.

Sí, la verdad es que no es un buen momento. Ya hablamos mañana.

2b Fíjate en estas dos frases extraídas de los mensajes anteriores. ¿Cuál de ellas te parece más educada para pedir algo?

1 ¿Puedes pasarme las notas que has tomado?
2 ¿Podría enviártelas mañana?

sent to notas

Pedir un favor

Para pedir algo de manera más formal o educada, podemos usar el condicional simple:

- ***Necesitaría pedirte*** (una cosa / un favor)
- ***¿Podrías*** + infinitivo
- ***¿(No) te importaría*** + infinitivo
- ***¿(Te) sería posible*** + infinitivo
- ***¿Serías tan amable de*** + infinitivo
- ***¿Me harías el favor de*** + infinitivo

¿Te importaría ayudarme a terminar el informe? Es que no me va a dar tiempo.

Condicional simple

Se forma añadiendo al infinitivo las terminaciones **-ía, -ías, -ía, -íamos, -íais, -ían**:

Verbos irregulares	
hacer: haría	poder: podría
decir: diría	poner: pondría
tener: tendría	haber: habría

Ver más en pág. 139

2c Relaciona las peticiones con la respuesta adecuada. Fíjate en las fórmulas empleadas: ¿por qué crees que se han elegido unas con condicional y otras con presente? Coméntalo con tus compañeros.

1 Oye, Juan, ¿puedes cerrar la ventana? informal
2 Perdone, joven, ¿sería tan amable de leerme lo que pone aquí? Es que no veo bien. formal
3 Javier, ¿te importaría ayudarme con estas bolsas? Es que pesan mucho. informal
4 Disculpe, Rafael, ¿sería posible salir del trabajo una hora antes? formal
5 Miguel, ¿me haces el favor de darle esto a Marta?

a 3 Sí, claro, yo llevo esa que pesa más.
b 4 Bueno, eso depende. ¿Es por algo urgente? Ya sabe que hoy tenemos mucho trabajo.
c 5 Bueno, no sé, es que creo que ya se ha marchado. irse
d 2 Sí, por supuesto. Mire, aquí dice que...
e 1 No sé, es que hace mucho calor.

Yo creo que en la segunda frase se usa el condicional porque la señora no conoce a la persona a quien pregunta, ¿verdad?

Pronunciación y ortografía

3a Fíjate cómo se dividen las sílabas en las palabras en rojo.

1 **¿Se/rí/a** posible abrir la ventana?
2 Mi jefa es muy **se/ria**.

3b Lee la información del cuadro: ¿en cuál de las palabras anteriores se forma un hiato?

Hiatos

Un hiato se produce cuando aparecen dos vocales seguidas que se pronuncian en sílabas diferentes. Esto sucede cuando:

- hay una vocal cerrada en la sílaba acentuada *(í, ú)* y una vocal abierta no acentuada *(a, e, o)* independientemente de su orden: *rí/o, Ra/úl.*
- hay dos vocales iguales: *po/se/er, chi/i/ta.*
- hay dos vocales abiertas *(a, e, o)* distintas: *te/a/tro, ca/ca/o.*

Ver más en pág. 140

3c Divide estos pares de palabras en sílabas.

1 Mario - María
2 ruido - reído
3 actúa - actuar
4 vivió - vivía
5 criar - creer
6 Paula - Paola

3d 13 Ahora, escucha y comprueba.

Escribe y habla

4 En parejas, vais a representar una de estas situaciones. Pensad qué favores se necesitan pedir y cómo va a reaccionar la otra persona. Luego, escribid el guion y representadlo delante de la clase.

a Sois compañeros de oficina. Uno de vosotros tiene que preparar la fiesta de Navidad de la empresa, pero no puede hacerlo todo solo y necesita ayuda.

b Tu jefa se va de vacaciones y te pide que termines un proyecto muy largo y complicado de forma urgente. Hay muchas cosas que hacer.

c Te encuentras mal en el trabajo y necesitas ir al médico. Pide ayuda a tu compañero para terminar tu trabajo y poder salir antes.

B PERSONAL Y LABORAL

Lee y habla

1a Lee el título de la infografía e imagina qué puede hacer una empresa, en tu opinión, para conseguir un buen equilibrio entre la vida personal y la laboral de sus trabajadores. Después, lee el texto y comprueba tus hipótesis.

- *Yo creo que una buena empresa debería dejar organizar el horario a los trabajadores: si entras más tarde, sales más tarde, pero tienes esa flexibilidad, ¿no crees?*
- *Pues yo diría que eso no es posible en todos los trabajos porque…*

¡Fíjate!

Otros usos del condicional:

- Utilizamos el condicional para aconsejar o sugerir:
  Una buena empresa debería pensar en el bienestar de sus trabajadores.
- También usamos el condicional cuando queremos suavizar una afirmación o una opinión, y evitar el efecto negativo que puede causar en el oyente:
  Yo diría que eso no es así.

Ver más en pág. 140

10 COSAS que hace una empresa que busca el equilibrio vida-trabajo

1 Flexibilidad de tiempo
Un horario flexible da la oportunidad de organizar actividades fuera del trabajo.

2 Actividades de ocio
Ofrecer desde una televisión en el comedor de la empresa, hasta mesa de billar o juegos de diferentes tipos, ayuda a crear un mejor ambiente para los trabajadores y reduce el estrés.

3 Tiempo libre para celebraciones
Las celebraciones dentro del horario laboral fomentan el compañerismo, el orgullo corporativo y demuestran interés y agradecimiento por parte de la empresa.

4 Trabajo en casa
Con esta modalidad las horas que se perderían en el transporte permitirían pasar más tiempo con la familia o en actividades extralaborales.

5 Hora de salida
Cumplir puntualmente con los horarios de salida posibilita organizarse y tener tiempo para otras facetas de la vida personal.

6 Vacaciones
Las empresas que ofrecen más días de vacaciones de los que establece la ley, retienen mejor el talento y sus empleados tienen un mejor rendimiento.

7 Programas de salud
Campañas de salud, estudios oftalmológicos gratis, nutricionista, convenios con gimnasios… animan a adoptar un estilo de vida saludable.

8 Facilidades para padres
Los permisos especiales para asistir a compromisos escolares, guardería dentro de las instalaciones, cuartos de lactancia acondicionados, entre otros, son muy valorados.

9 Flexibilidad en permisos
Dar libertad para pedir permisos justificados en momentos imprevistos como hospitalizaciones, emergencias familiares, cursos o exámenes, trámites…

10 Comedores y cafeterías
Son servicios ofrecidos por las empresas que contribuyen con la felicidad y bienestar de sus colaboradores.

Información extraída de https://www.entrepreneur.com

1b Comenta con tus compañeros. Porque es muy importante tener tiempo para cosas y actividades que te gustan para equilibrio.

1. ¿Cuáles de todos los aspectos anteriores te parecen más necesarios para lograr ese equilibrio?
2. ¿Qué valorarías más en una empresa: lo económico, o poder tener un buen equilibrio entre tu vida personal y tu vida laboral? Para mí es más importante que lo económico en un trabajador porque tener tiempo libre es crucial para mi salud mental

Escucha y escribe

2a 14 Lucía habla con su amigo Alejo sobre su nuevo trabajo. ¿Prefiere su trabajo actual o el anterior? ¿Por qué? Escucha y anota la respuesta.

Gramática

2b Relaciona las preguntas y las respuestas que han aparecido en el diálogo anterior.

1 ¿Hay **alguien** vigilando vuestro trabajo?
2 Si tienes **alguna** duda, ¿qué haces?
3 ¿Hay **algo** que no te gusta?

a ☐ No, **nada**, la verdad.
b ☐ No, no hay **nadie**.
c ☐ Puedo llamar a **algún** compañero.

2c Elige la opción correcta para completar el cuadro con la información de la actividad anterior.

COSAS | PERSONAS | COSAS Y PERSONAS

Expresar indeterminación o falta de existencia

Los indefinidos son palabras que nos permiten hablar de un número indeterminado de cosas o personas ***(alguno/a/os/as, alguien, algo)***, o bien de la no existencia ***(ninguno/a/os/as, nadie, nada)***:

1 ***Alguien*** y ***nadie*** se utilizan para hablar de ________.
2 ***Algo*** y ***nada*** se usan para hablar de ________.
3 ***Alguno/a/os/as*** o ***ninguno/a/os/as*** se pueden usar para hablar de ________

Alguno/a/os/as o ***ninguno/a/os/as*** siempre hacen referencia a un sustantivo que indica el tipo concreto de lo que se habla y por eso concuerda en género y número con él. Delante de un sustantivo masculino ***alguno*** y ***ninguno*** cambian a ***algún*** y ***ningún***:

- *¿Sabes si hay **algún** gimnasio cerca de la oficina?*
- *Pues no, **no** hay **ninguno**.*

Ver más en pág. 141

2d Completa los diálogos con la opción correcta y relaciónalos con la foto adecuada.

a

b

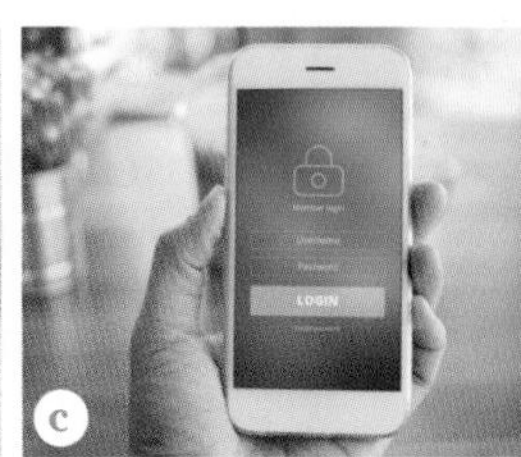
c

1 ☐
- ¿________ problema?
- Sí, la pantalla se ha quedado en blanco, ¿puedes ayudarme?

a Algún **b** Alguno **c** Alguna

2 ☐
- ¿________ sabe la contraseña para entrar?
- Sí, ahora te la digo.

a Alguna **b** Alguien **c** Algo

3 ☐
- ¿Tenéis ________ pregunta más?
- No, ha quedado muy claro.

a alguna **b** ninguna **c** algún

2e Completa las frases con los siguientes indefinidos y luego comenta con tus compañeros si estás de acuerdo o no con ellas.

nadie nada algunas ningún (x3) algún

1 ¿Hay ________ trabajo perfecto?
2 Si eliges un trabajo que te gusta, no tendrás que trabajar ________ día de tu vida.
3 El trabajo es el refugio de los que no tienen ________ que hacer.
4 No hay ________ secreto para el éxito. Es el resultado de la preparación, el trabajo y aprender del fracaso.
5 A ________ debe obligársele a hacer el trabajo que puede hacer una máquina.
6 No hay ________ trabajo malo, lo malo es tener que trabajar.
7 El trabajo tiene ________ ventajas, hace los días más cortos y prolonga la vida.

Investiga, escribe y habla

3a En grupos, investigad sobre una empresa actual que sea atractiva para trabajar y preparad una presentación. Pensad en:

- El nombre de la empresa y la nacionalidad
- El producto que vende
- Los aspectos que ayudan a hacer un equilibrio vida-trabajo

3b Escucha la presentación de los otros grupos: ¿en cuál de todas las empresas te gustaría trabajar?

C MI TRABAJO IDEAL

Lee y habla

1a Observa la imagen y lee el primer párrafo del siguiente cuestionario. ¿Cuál crees que es tu profesión ideal?, ¿por qué? Coméntalo con tu compañero.

- *Yo soy economista y me gusta lo que hago.*
- *Pues yo no sé a qué me voy a dedicar, pero me interesa mucho el diseño.*

DIME CÓMO ERES Y TE DIRÉ CUÁL ES TU TRABAJO IDEAL

Conocerte bien resulta fundamental no solo para elegir tu carrera profesional, sino también para reorientar tu trayectoria laboral o adquirir nuevas responsabilidades dentro de tu compañía. Si quieres saber qué profesión es más adecuada para ti, realiza el siguiente cuestionario (marca la opción con la que te sientes más identificado).

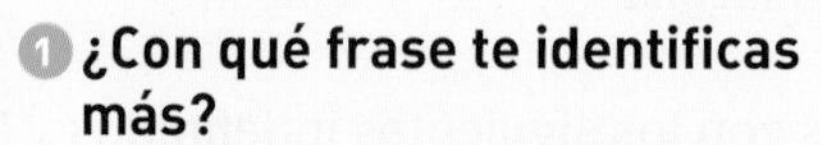

1 ¿Con qué frase te identificas más?
- a Me resulta fácil aprender un nuevo deporte.
- b Se me dan bastante bien las manualidades.
- c Soy bueno/a para las matemáticas.
- d No me cuesta conocer gente nueva.
- e Se me da bien planificar.

2 ¿Qué te produce más felicidad?
- a Sentir que estoy en forma.
- b Conmoverme con las cosas que me rodean.
- c Encontrar la solución a un problema.
- d Ayudar a otras personas.
- e Tener el control de mi vida.

3 ¿Qué tipo de evento elegirías?
- a Una carrera benéfica.
- b La inauguración de un nuevo edificio o una galería de arte.
- c Una feria de tecnología.
- d Una reunión familiar.
- e Una grabación de un programa de televisión.

4 ¿Qué preferirías leer?
- a Un libro sobre rutas de senderismo.
- b Una revista de decoración.
- c Un manual para aprender un nuevo lenguaje de programación.
- d Un libro sobre inteligencia emocional.
- e Un libro para saber ahorrar e invertir mi dinero.

5 ¿Con cuál de estas características te describes mejor?
- a Soy una persona activa y dinámica.
- b Me considero una persona creativa e innovadora.
- c Soy una persona analítica y con capacidad para tomar decisiones.
- d Tengo mucha empatía con la gente.
- e Soy una persona muy organizada y previsora.

6 ¿Qué sueles hacer durante el fin de semana?
- a Algo de ejercicio.
- b Voy a alguna exposición.
- c Veo las nuevas temporadas de mis series favoritas.
- d Quedo con mis amigos.
- e Aprovecho para recoger la casa y hacer las compras que necesito.

7 ¿Qué es lo que más necesitas en tu vida?
- a Actividad.
- b Imaginación.
- c Aprender.
- d Comunicarme.
- e Seguridad.

8 ¿Cuál es el peor defecto en una persona?
- a Ser vago.
- b Ser insensible.
- c La falta de interés.
- d Ser incapaz de llevarse bien con los demás.
- e Ser un desastre para controlar los gastos.

1b Haz el cuestionario y comprueba cuál es tu trabajo ideal. ¿Estás de acuerdo con los resultados? Comentálo con tu compañero.

RESULTADOS:

Mayoría de respuestas "a" - Seguro que fuiste un niño muy movido e inquieto. Eres muy bueno en los deportes en general, por eso la profesión ideal para ti sería profesor de Educación Física, entrenador personal o bailarín. También podrías dar clases de yoga o cualquier otra profesión relacionada con actividades corporales.

Mayoría de respuestas "b" - Eres una persona muy observadora, sabes apreciar la belleza y tienes un buen ojo para los espacios. Lo mejor para ti sería dedicarte a la arquitectura, el diseño gráfico o cualquier profesión relacionada con el mundo artístico. Podrías ser un apasionado pintor o fotógrafo.

Mayoría de respuestas "c" - Te encantan los retos mentales y no paras hasta conseguir resolverlos. Tienes una gran capacidad de análisis y te gusta estar en constante aprendizaje, por eso destacarías en una profesión relacionada con las ciencias, las ingenierías o las nuevas tecnologías.

Mayoría de respuestas "d" - Tu punto fuerte es la comunicación, por ello, podrías ser periodista, publicista o dedicarte al *marketing* digital. Además, serías un buen psicólogo o profesor ya que se te da bien relacionarte con los demás y trabajar en equipo.

Mayoría de respuestas "e" - Para ti lo más importante es mantener el orden en tu entorno. Te gusta tenerlo todo planificado y tienes dotes de mando: estas habilidades vienen muy bien para trabajos de administración de empresas y del sector financiero.

Vocabulario

1c Busca en el cuestionario y en los resultados anteriores palabras para completar estas definiciones.

1 La gente con ____________ tiene facilidad para comprender los sentimientos y emociones de los demás.
2 La gente que se prepara con antelación es ____________.
3 Los ____________ ayudan a mantener el cerebro en forma.
4 Las personas con facilidad de reflexión lógica tienen ____________.
5 Una persona a la que le gusta dar órdenes a los demás tiene ____________.

Gramática

2a Busca en la actividad **1a** un ejemplo de las expresiones del siguiente cuadro que se usan para hablar de habilidad o falta de ella.

Expresar habilidad

1 ***Soy bueno/a en... / para...***
2 ***Me resulta(n) fácil(es) / difícil(es)...***
3 ***Se me da(n) bien / mal...***
4 ***No me cuesta(n)...***
5 ***Soy un genio / desastre para...***

Ver más en pág. 142

2b Practica con tu compañero. El alumno A abre el libro por la página 115 y el alumno B, por la página 121.

2c Completa las siguientes frases con tus habilidades. Luego, pregunta a tus compañeros: ¿cuántas personas coinciden contigo?

1 No se me da mal del todo...
2 Me resulta bastante difícil...
3 No me cuesta mucho...
4 Soy bueno/a para...

Escucha

3 🔊 15 Escucha un extracto de una entrevista de trabajo y contesta a estas preguntas.

1 ¿Para qué tipo de trabajo lo están entrevistando?
2 ¿Crees que es un buen candidato para el puesto? ¿Por qué?

Escribe y habla

4a Tu compañero y tú trabajáis en un departamento de recursos humanos y tenéis que contratar a un nuevo trabajador. Pensad a qué se dedica vuestra empresa y qué tipo de trabajador buscáis. Después, escribid preguntas para realizar una entrevista al candidato.

- ¿Cuáles son tus principales fortalezas y debilidades?
- ¿Por qué crees que deberíamos contratarte a ti y no a otro candidato?

4b Entrevistad a vuestros compañeros de la clase. ¿Quién es el más adecuado para el puesto?

Nosotros pensamos que Luke es el mejor candidato para el puesto de recepcionista porque es una persona muy sociable y paciente y no le importaría trabajar de cara al público. Además, se le da bien...

EN ACCIÓN

1a DELE Elige una de las fotografías y describe con detalle durante 1 o 2 minutos lo que ves y lo que está ocurriendo. Puedes tener en cuenta las siguientes preguntas:

- ¿Dónde están estas personas?
- Cómo son? ¿Qué relación tienen? ¿Qué hacen? ¿De qué hablan?
- ¿Cómo es el lugar dónde se encuentran?
- ¿Qué objetos hay? ¿Dónde están? ¿Cómo son?

1b Comenta con tu compañero.

- ¿Conoces algún lugar parecido?
- ¿Has trabajado en algún lugar como este? ¿Te gustaría? ¿Por qué?
- ¿Cómo son los lugares en los que tú has trabajado o estudiado?
- ¿Cómo fue tu primer día en el trabajo o en la escuela?
- ¿Qué tipo de trabajo te gustaría hacer en el futuro? ¿Por qué?

5 BUEN VIAJE

TEMAS

- **Cosas que nos alegran la vida:** emociones y sentimientos
- **Sorpréndete:** hablar de acciones pasadas
- **Auténticos viajeros:** transmitir preguntas de otros

- ¿Cuál ha sido tu último viaje?
- ¿Qué es lo que más te gusta cuando viajas?
- ¿Y lo que menos?
- ¿Qué te sugiere la foto?

A COSAS QUE NOS ALEGRAN LA VIDA

Lee y habla

1a Mira la foto de Daniela Pereyra: ¿qué puedes decir de ella? Luego, lee el título de la entrevista y piensa qué relación puede tener con las fotos del texto.

Daniela Pereyra

Pequeñas cosas que me alegran la vida en los viajes

Daniela Pereyra

Daniela Pereyra, argentina con residencia en Málaga, periodista, poeta, fotógrafa, viajera incansable..., ¿me dejo algo?

No, cierto todo lo que decís, aunque si tengo que elegir algo que me defina, sería motoquera y viajera: ¡**me apasiona** la sensación de libertad que me da ir de un lugar a otro en la moto!

Y entre todos los países del mundo que conoces, ¿cuál escoges?

Uf, difícil elección... Te diría que, si tengo que elegir, entre todos elegiría alguno de Asia: **me encanta** la simpatía y la amabilidad de los japoneses, tailandeses, coreanos, de la gente de Myanmar... cuando te sentís perdida o cuesta hacerse entender por el idioma.

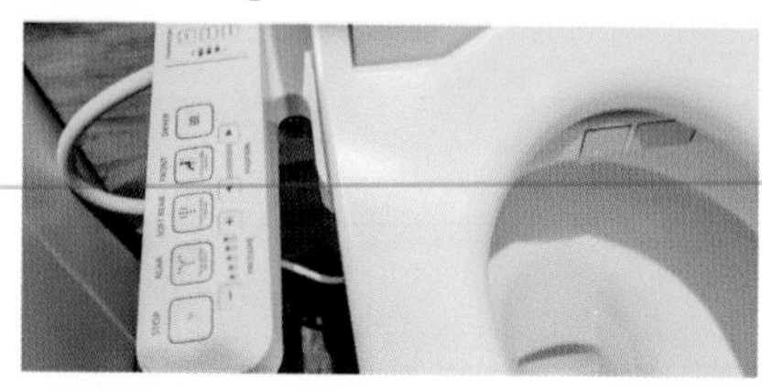

¿Qué es lo que más valoras cuando viajas?

Lo que más me gusta son las pequeñas cosas que me alegran la vida en los viajes. Te diría que son muchas como, por ejemplo, los inodoros de Japón: ¡los nipones sí que saben vivir!, algunos incluso tienen música... O el gusto de llegar a una ciudad luego de un largo viaje y encontrar una conexión rápida y barata con el centro de la ciudad. **No soporto** las esperas y llegar y solo tener opciones como taxis o colectivos caros y poco frecuentes... Y, como siempre voy cargada, **me encantan** las escaleras mecánicas en las estaciones y tener un lugar seguro para guardar las mochilas: Tokio es el lugar donde encontré mayor cantidad de guardaequipajes en perfecto estado.

Y de esas pequeñas cosas, ¿cuáles serían las que menos te gustan?

Odio cuando sentís hambre en la madrugada y no podés encontrar nada que comer...: en Tailandia y Vietnam nunca vas a pasar hambre porque hay puestos de comida abiertos a todas horas. En Buenos Aires también podés encontrar una *pizza* o un choripán a cualquier hora del día que puede salvarte de ese ataque de hambre. También **me molesta** la dificultad de encontrar cajeros automáticos: perdí mucho tiempo esperando en bancos en algunos países donde tuve que regatear por el cambio. **No me importa** pagar una pequeña comisión, pero odio tener que contar los billetes para comprobar que el cambio está bien.

¿Alguna otra pequeña cosa que te da felicidad en tus viajes?

Sí, claro, son muchas: las tapas gratuitas cuando tomas una bebida en España, un buen sistema de subtes o colectivos, conexión gratis a internet, entrada gratuita a museos... Son esas pequeñas cosas que te ponen de buen humor y hacen que un viaje sea mucho más agradable todavía. El resto **me da igual**: viajar es mi pasión y llena toda mi vida.

1b Ahora lee la entrevista anterior, verifica tus hipótesis y marca la información del texto con la que coincides o no. Coméntalo con tu compañero y pensad juntos qué otras cosas simples hacen mejor un viaje.

- *Me encanta también encontrar gente amable cuando viajo, pero me molesta pagar pequeñas comisiones a los bancos por el cambio de moneda.*
- *A mí también, lo odio.*

Vocabulario

1c Busca en el texto una expresión que significa:

1. Elegir
2. Japonés
3. Llena (de bolsas y maletas)
4. Periodo entre las 12 h de la noche y el amanecer
5. Taquilla o lugar para guardar bolsos y mochilas en Argentina
6. Bocadillo de chorizo asado típico del Cono Sur
7. Discutir el precio de un producto para intentar conseguir el más bajo
8. Metro en Argentina y Uruguay

Gramática

2a Mira en el texto las expresiones de emociones y sentimiento que aparecen en rojo y colócalas en la columna correspondiente. Después, lee el cuadro para ampliar la información.

Positivos	Negativos	Neutros

Expresar emociones y sentimientos (I)

Algunas expresiones de emociones y sentimientos funcionan gramaticalmente como el verbo *gustar (me da(n) igual, me molesta(n)...)* y otras como verbos normales que se conjugan en todas las personas *(odio, no soporto...)*:

- *Me molestan las estaciones sin escaleras mecánicas, ¿y a ti?*
- *A mí también.*

- *No soporto las esperas, ¿y tú?*
- *Yo tampoco.*

Ver más en pág. 143

2b Practica con tu compañero. El alumno A abre el libro por la página 116 y el alumno B, por la página 122.

Escribe y habla

3a Coge un pósit y dibuja o escribe tres cosas que te encantan en la vida y tres que no soportas. Pégalo por las paredes de la clase. Mira el resto de los pósits e intenta averiguar su significado y de quién son.

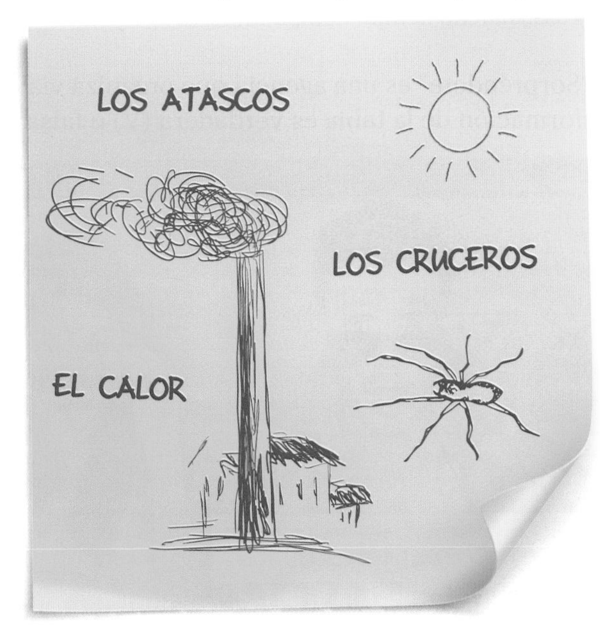

- *¿Odias las arañas?*
- *Sí, las odio: bueno, no soporto los insectos en general.*

3b Discutid los resultados obtenidos y haced una gráfica que refleje los sentimientos de la clase de las cosas más positivas a las más negativas. Podéis usar un esquema similar al que te presentamos.

- *Pues está claro que el sol es una de las cosas que nos encanta a la mayoría de la clase, ¿lo ponemos como número uno?*
- *Sí, perfecto... Veamos qué ponemos como número dos.*

B SORPRÉNDETE

Habla y lee

1 Pregunta a tu compañero: ¿coinciden vuestras respuestas?

1. ¿Te gusta organizar tus viajes, o prefieres los viajes organizados?
2. ¿Haces la maleta con mucha antelación, o dejas todo para el último momento?
3. Antes de tus viajes, ¿buscas información sobre el lugar que vas a visitar y las rutas que se pueden hacer?
4. ¿Pasas mucho tiempo comparando vuelos y hoteles?

2a "Sorpréndete" es una agencia que organiza viajes sorpresa. Lee su página web y di si la información de la tabla es verdadera (V) o falsa (F). Justifica tu respuesta.

En **SORPRÉNDETE** queremos hacer de tu viaje una experiencia que nunca olvidarás. Tu viaje incluye el vuelo a una ciudad sorpresa, la gestión de los documentos necesarios, el alojamiento en un hotel de tres o cuatro estrellas y el transporte desde el aeropuerto hasta el hotel.
Para evitar sorpresas desagradables, al realizar tu reserva, deberás rellenar un cuestionario en el que podrás indicar lo que esperas de tu viaje y los destinos a los que no te interesaría viajar. Y días antes de tu partida recibirás el pronóstico del clima para poder preparar la maleta.

INICIO VIAJES PROMOCIONES OPINIONES CONTACTO

CARLOS Un amigo me había hablado muy bien de esta página y decidí probar. Era el cumpleaños de mi novia y quería regalarle algo especial, así que no me lo pensé más. Fuimos a Nápoles y, aunque había pensado que sería un destino más lejano (vivimos en Mallorca), la ciudad nos encantó y pasamos unos días increíbles. Todo muy bien organizado, tanto los vuelos de ida como los de vuelta, con muy buen horario para disfrutar al máximo. Ha merecido la pena.

IRENE Estuve en Oslo con mi marido, nunca habíamos estado allí antes. Los días anteriores estuvimos muy nerviosos pensando en el destino que nos tocaría. La verdad es que mejor elegido, imposible. La ciudad y su arquitectura, el fiordo y su naturaleza, nos encantó todo. Cuando llegamos a la habitación, nos habían dejado una guía de la ciudad. Desde el hotel se podía llegar a todos los sitios andando y la habitación tenía unas vistas espectaculares. ¡Muchas gracias por todo!

VICENTE Desafortunadamente, mi experiencia ha dejado mucho que desear. Nos enviaron a Bruselas, aunque la habíamos rechazado en el cuestionario. Mi mujer es belga y habíamos estado allí muchas veces. Aunque lo pasamos bien, la organización del viaje fue una gran decepción. Nos alojamos en un hotel anticuado, en la periferia de la ciudad y mal comunicado. Cuando llegamos, el recepcionista se había ido a comer y tuvimos que esperar 30 minutos. En resumen, fue todo un desastre.

		V	F	JUSTIFICACIÓN
CARLOS	1 Le recomendaron la página web.			
	2 Creía que iba a otro lugar.			
IRENE	3 Ya conocía Oslo.			
	4 Pidieron una guía de la ciudad.			
VICENTE	5 Querían ir a Bélgica.			
	6 No había nadie en la recepción.			

2b ¿Usarías esta agencia? Coméntalo con tu compañero.

- *Yo creo que sí la usaría. Me encantan los viajes sorpresa.*
- *Pues yo creo que no, porque...*

Vocabulario

2c Observa estas expresiones para valorar extraídas de la página web de la actividad **2a** y comenta con tu compañero si son valoraciones positivas (+) o negativas (-).

	+	-
1 Lo pasamos bien.		
2 Fue una gran decepción.		
3 Ha dejado mucho que desear.		
4 Ha merecido la pena.		
5 Pasamos unos días increíbles.		
6 Nos encantó todo.		
7 Tenía unas vistas espectaculares.		
8 Fue todo un desastre.		
9 Mejor elegido, imposible.		

Gramática

3a Fíjate en estas frases extraídas de la actividad **2a** y señala si la parte que aparece en negrita es anterior o posterior a la otra parte.

- **Un amigo me había hablado muy bien de esta página** y decidí probar.
- Cuando llegamos a la habitación, **nos habían dejado una guía de la ciudad**.
- Nos enviaron a Bruselas, **aunque la habíamos rechazado en el cuestionario**.
- Cuando llegamos, **el recepcionista se había ido a comer.**

Pretérito pluscuamperfecto

- Usamos el pretérito pluscuamperfecto para hablar de una acción en el pasado que es anterior a otro momento del pasado del que estamos hablando:
  Un amigo me había hablado muy bien de esta página y decidí probarla.

- El pluscuamperfecto se forma con el verbo *haber* en la forma del imperfecto y un participio:

yo	hab**ía**	
tú	hab**ías**	trabaj**ado**
él / ella / usted	hab**ía**	com**ido**
nosotros/as	hab**íamos**	viv**ido**
vosotros/as	hab**íais**	
ellos / ellas / ustedes	hab**ían**	

Ver más en pág. 144

3b ¿Con qué frases te identificas? Comenta con tu compañero tus experiencias. Puedes añadir dos más.

1. No pude hacer el viaje porque había perdido el pasaporte.
2. Llegué tarde a clase porque me había quedado dormido.
3. Tuve una discusión porque había dicho algo inadecuado.
4. Ayudé a alguien que había tenido un problema.
5. Hice algo que nunca había pensado que sería capaz de hacer.
6. Viví una situación que había soñado antes.

Escribe y habla

4 Piensa en un viaje especial que has hecho. Primero, toma nota y luego cuéntaselo a tus compañeros. ¿Quién ha tenido el viaje más sorprendente?

Para mí el viaje más sorprendente es el de Lars, porque...

C AUTÉNTICOS VIAJEROS

Lee, habla y escucha

1a Observa la imagen de la derecha y lee la descripción de una persona viajera. ¿Te identificas con ella? ¿Conoces algún viajero?

Yo no me considero viajero, pero mi hermana sí: ella siempre está planeando viajes por todo el mundo y no le importa ir sola.

"Para un viajero viajar es un modo de vida y, por ello, le dedica la mayor parte de su tiempo. No solo se limita a observar los atractivos turísticos, porque cree que la mejor forma de entender otras culturas es participando activamente con los nativos. Ve las diferencias como algo rico y valioso y lo que realmente le sorprende es la similitud que compartimos como humanos independientemente del lugar".

1b Algunas personas sienten curiosidad y les sorprende el modo de vida de la gente que se dedica a viajar. ¿Cuáles son las preguntas que crees que suelen hacer a los viajeros? Haz una lista con tu compañero.

- ¿Cuántos países has visitado?
- ¿No te da miedo viajar solo/a?

1c Lee la siguiente lista y comprueba si coincide con la tuya.

1. ¿Qué país te ha gustado más?
2. ¿Te queda algún país por conocer?
3. ¿No te da miedo viajar solo/a?
4. ¿Cómo haces para viajar tanto?
5. ¿Pero tú trabajas alguna vez?
6. ¿No te cansas de tanto viaje?
7. ¿Qué comen los niños en esos países?
8. ¿Cómo puedes llevarlo todo en una mochila?

1d 16 Escucha un programa de radio donde tres viajeros, Silvia, Emilio y Luciana, comentan qué preguntas les suelen hacer. Señala en la lista anterior cuáles menciona cada uno.

1e 16 Escucha de nuevo y toma nota de las respuestas que da cada uno en cada caso.

Pues, por ejemplo, Silvia, cuando le preguntan qué comen los niños, responde: "¡pues comida!".

Gramática

2a Observa las siguientes frases extraídas del audio anterior. Relaciónalas con las preguntas de la lista de la actividad **1c**.

- **a** ☐ Me han preguntado que qué comen los niños en esos países.
- **b** ☐ Me preguntan mucho si no me canso de tanto viaje.
- **c** ☐ Me preguntan si me queda algún país por conocer.
- **d** ☐ Me preguntan si trabajo alguna vez.
- **e** ☐ Me preguntan mucho si no me da miedo viajar sola.
- **f** ☐ Una vez me preguntaron que cómo podía llevarlo todo en una mochila.

2b Observa las frases de la actividad **2a** y las preguntas directas de **1c** y completa el cuadro.

Transmitir mensajes: estilo indirecto

Comentamos una pregunta que nos han hecho de esta manera:

- Si la pregunta directa es de respuesta *sí* o *no*, usamos el verbo *preguntar* + **(1)** __________ antes del enunciado directo:

- Si la frase directa es una pregunta introducida por un interrogativo *(qué, cuál, dónde, cómo, quién...)* usamos el verbo *preguntar* directamente seguido del enunciado directo:

  ¿Qué comen los niños en esos países? → Me ha preguntado qué comen los niños en esos países.

- Podemos añadir la partícula **(2)** __________ detrás del verbo *preguntar* cuando intentamos reproducir la pregunta exacta que nos han hecho:

  Me preguntan que si me ha tocado la lotería.

  Me preguntan que cómo hago para viajar tanto.

Ver más en pág. 145

Lee y habla

3a Lee los correos y contesta a estas preguntas.

1 ¿Qué relación hay entre el destinatario y el receptor?
2 ¿Cuál es el motivo del correo?
3 ¿Te parece formal o informal? ¿Por qué?

De: Leticia Zamora
Para: Héctor García
Asunto: Holaaaaa

¡Hola, Héctor!
¿Qué tal va todo? Yo acabo de volver de vacaciones y estoy como nueva. Necesitaba cambiar de aires. Como dice mi padre: "viajar es la mejor terapia".
He estado en Lanzarote y me ha encantado todo: las playas, la naturaleza, la comida, la gente... ¡Espectacular!
Y tú, ¿dónde estás viviendo ahora? ¿Sigues en Londres? ¿Vas a volver a Barcelona por Navidad? Espero que sí, porque voy a organizar una fiesta en Nochevieja y quiero invitar a todos los amigos. Tú no puedes faltar.
Un abrazo,
Leticia

De: José Santos
Para: Sandra Hernández
Asunto: Reserva

Estimada Sra. Hernández:
Quiero reservar una habitación para dos personas en su casa rural los días 8, 9 y 10 de octubre. Por favor, ¿puede decirme si tienen disponibilidad para esos días?
Nos apasiona la naturaleza y el deporte. ¿Podría darnos información de qué se puede hacer allí? Por ejemplo: rutas de senderismo, en bici, a caballo...
También quiero saber a qué hora podemos entrar en la habitación y si el desayuno está incluido en el precio.
Muchas gracias.
Un saludo,
José Santos

3b Elige uno de los correos anteriores e imagina que lo has recibido tú. Transmite la información a una tercera persona.

Leticia me ha dicho que acaba de volver de vacaciones y que...

Vocabulario

3c Observa los correos de la actividad **3a** y completa la tabla con más fórmulas para saludar y despedirse en contextos formales e informales.

	Contexto informal	Contexto formal
Saludar	Hola, ¿qué tal? **(1)** ______	**(3)** ______
Despedirse	Besos / Un beso **(2)** ______	Atentamente, **(4)** ______

Pronunciación y ortografía

4a Lee la siguiente información sobre el uso de los dos puntos (:) y relaciona cada uno con el ejemplo correspondiente. Luego, busca más ejemplos de cada caso en los correos de la actividad **3a**.

Los dos puntos (:)

USOS

1 ☐ Después de fórmulas de saludos en correos electrónicos y cartas.
2 ☐ Para iniciar una enumeración o para introducir ejemplos, explicaciones o conclusiones.
3 ☐ Para reproducir las palabras literales de otra persona.

EJEMPLOS

a *Tengo que organizar mi próximo viaje: comprar los billetes, reservar el hotel y organizar algunas visitas.*
b *Como dijo San Agustín: "el mundo es un libro y, aquellos que no viajan, solo leen una página".*
c *Estimado Sr. Pérez:*

Escribe y habla

4b Escribe en una hoja tu tema favorito y pásasela a tus compañeros. Añade preguntas relacionadas con los temas en las hojas de otras personas.

4c Recoge tu hoja y prepara una exposición para hablar de tu tema favorito. Ten en cuenta las preguntas que te han hecho.

Me han preguntado si he estado en todos los países de Sudamérica. Pues bien, todavía no, pero me gustaría: he estado en...

EN ACCIÓN

1a Mira las fotos de estas ciudades españolas: ¿sabes cuáles son? Comentadlo entre todos, a ver si acertáis. Después, lee el correo que te ha mandado una amiga española: ¿en cuál de estas ciudades está?

Bilbao | Málaga | Zaragoza | Santiago de Compostela

Hola:

¡Cuánto tiempo sin tener noticias tuyas! Quería escribirte hace tiempo, pero estoy con mucho trabajo y no encontraba el momento de hacerlo. El otro día recibí un mensaje de Rafa y me contó que os encontrasteis en Zaragoza porque habías ido por algo, pero no me dijo nada más. ¡Qué casualidad, ¿no?! ¿Por qué fuiste a Zaragoza? Escríbeme y cuéntamelo todo, también si quedaste al final con Rafa o no.

A ver si nos vemos pronto. ¿Cuándo vas a venir a Santiago? Me lo has prometido, no tardes. Te va a encantar. Está llena de peregrinos de todo el mundo y hay muchos estudiantes: hay un ambiente increíble, ya lo verás.

Tengo muchas ganas de verte.

Un fuerte abrazo,

Antonia

1b DELE Escríbele un correo electrónico (entre 100 y 120 palabras) a Antonia para responder a sus preguntas. Debes:

- Saludar
- Contar por qué fuiste a Zaragoza
- Explicar si estuviste con Rafa y qué hicisteis
- Decir cuándo has pensado ir a Santiago de Compostela
- Despedirte

6 VIVIENDA

TEMAS

- **Un barrio mejor:** expresar deseo y necesidad
- **Hogar, dulce hogar:** expresar opinión o desacuerdo
- **Tu casa habla de ti:** hablar de decoración

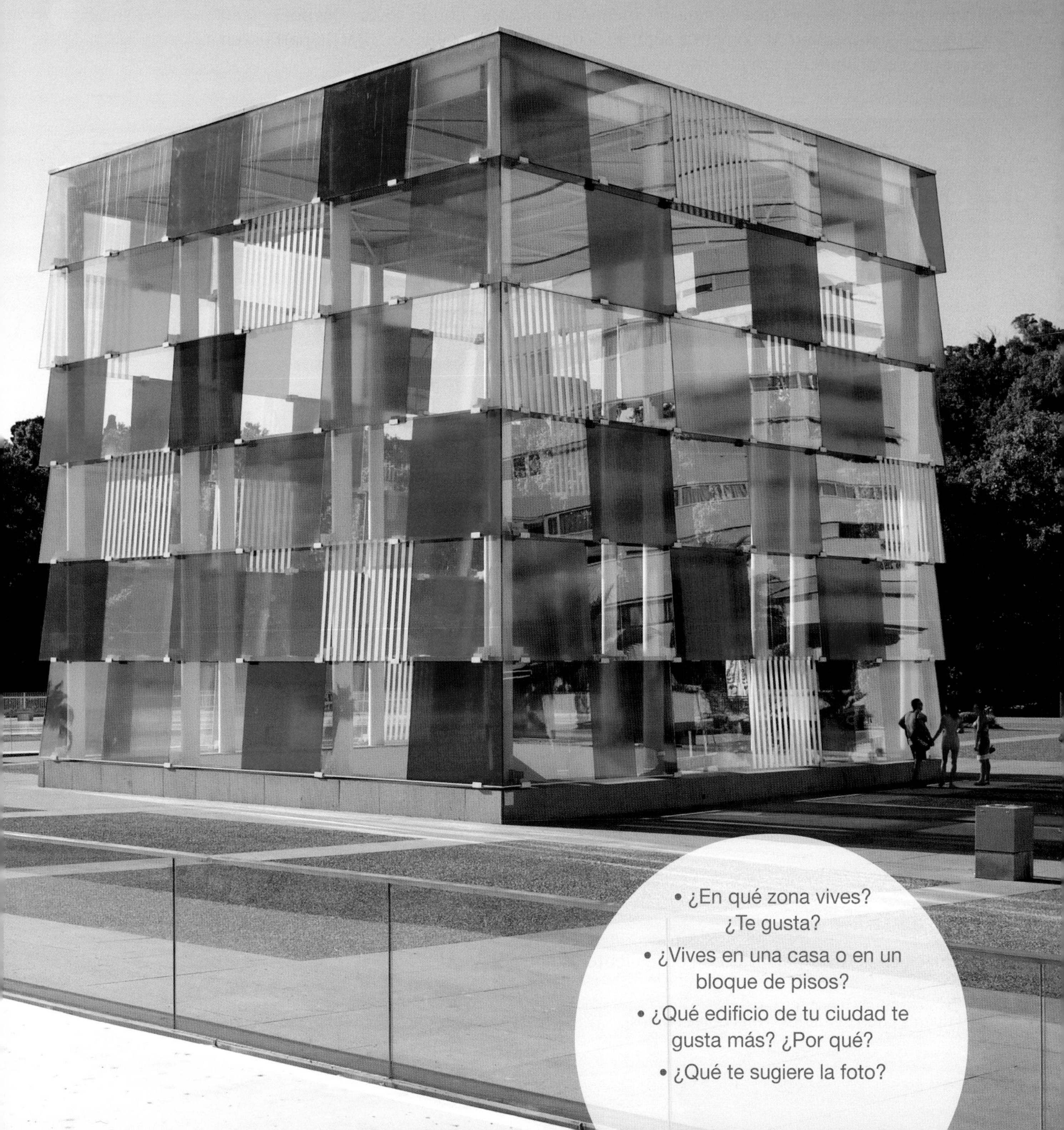

- ¿En qué zona vives? ¿Te gusta?
- ¿Vives en una casa o en un bloque de pisos?
- ¿Qué edificio de tu ciudad te gusta más? ¿Por qué?
- ¿Qué te sugiere la foto?

A UN BARRIO MEJOR

Habla y lee

1a ¿Qué lugar elegirías en la zona donde vives para cada tipo de actividad? Cuéntaselo a tu compañero y justifica tu elección.

- Para hacer deporte.
- Para pasear.
- Para salir a comer o cenar.
- Para ir de compras.
- Para estar con niños.
- Para estudiar o trabajar.

A mí, para ir de compras, me encanta la calle Fuencarral, pero para salir a cenar...

1b En parejas, pensad qué echáis de menos en la zona donde vivís. Después, leed el texto y comprobad si comenta algo de lo que habéis hablado. ¿Participaríais en una aplicación similar para mejorar vuestro(s) barrio(s)?

Pienso que en mi barrio falta... y usaría esta aplicación para...

Cómo puedo cambiar el espacio urbano

Están surgiendo muchas "aplicaciones urbanas" que nos permiten colaborar en el diseño de las ciudades y sugerir o apoyar mejoras en su planificación, en la movilidad o en los servicios que ofrecen.

MEJORANDO MI BARRIO es una *app* que busca que los vecinos participen y compartan sus ideas para mejorar los espacios comunes. "Necesitamos recuperar el barrio para volver a disfrutar de aquellos espacios que han sido descuidados y reaccionar antes de que sea demasiado tarde", nos dicen desde esta plataforma. Se podrá denunciar todo aquello que no te gusta o votar las propuestas de otras personas con un solo clic. "Queremos que el ciudadano colabore con los ayuntamientos para mejorar sus políticas porque son los vecinos quienes mejor conocen la realidad que existe en su ciudad".

Se pueden hacer propuestas para mejorar la calidad del aire, sugerir espacios para pasear, jugar o ubicar instalaciones deportivas, denunciar desperfectos, trabajar en cuidados de ancianos y niños, pensar en talleres o nuevos proyectos y muchas otras medidas para avanzar en el bienestar de la gente.

¿Quieres que se oiga tu voz? ¡Participa!

Vocabulario

1c Busca en el texto palabras con el siguiente significado.

1 Aparecer
2 Lugares poco cuidados o mal conservados
3 Localizar, situar
4 Declarar oficialmente un daño o defecto que sufre una cosa

Gramática

2a Lee el comentario que una usuaria de "Mejorando mi barrio" deja en la aplicación, observa una foto de su barrio y contesta a las preguntas.

AnaRed:
Tenemos un parque precioso en el barrio, pero necesitamos que pongan columpios para los niños.

1 ¿Afirma que hay un parque en su barrio?
2 ¿Afirma que hay columpios?
3 ¿Qué desea?

2b Lee la información del cuadro y completa.

Expresar deseo y necesidad

- El modo indicativo se usa para declarar, es decir, expresar lo que sé o pienso de un hecho, y el subjuntivo cuando no queremos declararlo.
- Para expresar deseo o necesidad usamos verbos como *esperar, desear, querer, necesitar…*:

  *Queremos que el ciudadano **colabore**.*
  nosotros — el ciudadano

  Necesitamos ***recuperar*** el barrio.
  nosotros — nosotros

- Normalmente usamos el modo (1) ______________ cuando no coinciden los sujetos de las dos oraciones. Cuando coinciden o no queremos especificar el sujeto de la oración subordinada, usamos un (2) ______________.
- ***Ojalá (que)*** se usa para expresar deseo con mayor intensidad y generalmente lo vemos como algo más difícil de alcanzar. Siempre va seguida de subjuntivo:
  Ojalá pongan una piscina cubierta en mi barrio.

Ver más en pág. 147

Presente de subjuntivo

El presente de subjuntivo de los verbos regulares es muy similar al presente de indicativo, pero los verbos en -AR cambian la vocal ***a → e*** y los verbos en -ER/-IR cambian ***e / i → a***.

	Regulares		
	trabajar	**comer**	**permitir**
yo	trabaj___	com___	permit**a**
tú	trabaj**es**	com___	permit___
él / ella / usted	trabaj___	com**a**	permit___
nosotros/as	trabaj___	com**amos**	permit___
vosotros/as	trabaj**éis**	com___	permit**áis**
ellos/as / ustedes	trabaj___	com**an**	permit___

Irregulares		
sea: *ser*	haga: ________	vaya: ________
tenga: ________	esté: ________	oiga: ________

2c Completa las frases en tu cuaderno. Luego, coméntalo con tus compañeros. ¿Tenéis los mismos deseos?

1 Este año quiero… **2** Espero que mi profesor(a)… **3** Ojalá que el próximo año… **4** Necesito que mis amigos…

- *Este año quiero mejorar mi español. ¿Y tú?*
- *Yo también, pero he escrito…*

Escribe y habla

3 Vais a crear un anuncio de una aplicación que permita solucionar los problemas de vuestra ciudad. Dividid la clase en pequeños grupos.

- Haz una lista de los problemas que ves en tu barrio y crea tus propias peticiones y deseos para conseguir un barrio ideal.
- Compártelo con tu grupo. Seleccionad lo más importante.
- Diseñad un anuncio de una *app* que os puede ayudar. Pensad en su nombre y características.
- Presentadla al resto de los grupos. ¿Cuál os gusta más? ¿Por qué?

B HOGAR, DULCE HOGAR

Habla y lee

1 Pregunta a tu compañero cuáles son sus preferencias sobre la vivienda. ¿Coincidís?

- ¿Apartamento o casa?
- ¿En el centro o en las afueras?
- ¿Casa moderna o antigua?
- ¿Jardín o terraza con vistas?

¿Prefieres vivir en un apartamento o en una casa?

2a Observa y lee este anuncio. ¿Qué te parece esta casa? ¿Por qué dice que es una casa domótica?

CASA EN SAN SEBASTIÁN 800.000 € Siguiente ›

300 m² | 4 dormitorios | Casa domótica | Guardar en favoritos | Ver mapa

Magnífica casa domótica

Situada en una moderna urbanización a las afueras de San Sebastián, la vivienda consta de 4 dormitorios, 3 baños, un aseo, amplio salón-comedor, cocina y un jardín de 300 m² con piscina.

La casa cuenta, además, con un sofisticado sistema de domótica que permite, mediante una aplicación del móvil, encender y apagar las luces de la vivienda, subir y bajar las persianas o poner y quitar la calefacción. Además, se han instalado alarmas en la cocina, baños y aseo que, en caso de detectarse un fuego o una fuga de agua, avisan automáticamente a los propietarios.

Distribución:

- Planta baja: salón con suelo de madera, techos altos y salida directa al jardín; cocina con electrodomésticos de última generación; aseo; y jardín con piscina.
- Primera planta: 2 dormitorios con cuarto de baño incorporado; y 2 dormitorios con un baño compartido.

Preguntar al anunciante

Contactar

865 47 89 34

Vocabulario

2b Busca en el texto palabras que combinan con las siguientes.

1 Encender / Apagar ______
2 Subir / Bajar ______
3 Poner / Quitar ______
4 ______ alarmas
5 ______ un fuego
6 Fuga de ______

Escucha

3a 17 Marcos y Fernando hablan sobre la casa del anuncio. Escúchalos. ¿Qué piensa Fernando sobre estas características de la casa?

La piscina | El sistema de domótica | La localización | El precio

Gramática

3b Relaciona las siguientes frases extraídas de la conversación anterior con su significado.

1 ☐ Me parece que es demasiado cara, ¿no?
2 ☐ Pues yo no creo que sea tan cara.

a La persona pone en duda una información.
b La persona afirma o informa de lo que piensa.

Expresar opinión o desacuerdo

- Usamos el modo indicativo cuando queremos declarar algo que sabemos o creemos, por eso lo utilizamos detrás de verbos de opinión en forma afirmativa:

(+) Creo que / Pienso que / Imagino que / Me parece que — **es** más barato

- Usamos el modo subjuntivo detrás de verbos de opinión en forma negativa cuando no queremos declarar, sino poner en duda o negar algo:

(-) No creo que / No pienso que / No me parece que — **sea** más barato

Ver más en pág. 148

3c Marcos y Fernando tienen opiniones totalmente opuestas. Completa los diálogos con la opinión contraria.

1 **Marcos:** Creo que tienen que prohibir conducir en el centro de las ciudades.
Fernando: Pues, yo no creo que tengan que prohibir ______.

2 **Marcos:** No pienso que una dieta vegetariana sea buena para la salud.
Fernando: No estoy de acuerdo contigo: yo pienso que una dieta vegetariana es buena para la salud

3 **Marcos:** Me parece que la vida en la ciudad es muy estresante.
Fernando: ¡Qué va! A mí no me parece que la vida en la ciudad sea muy estresante, ______.

4 **Marcos:** En mi opinión, deberían multar a las personas que no reciclan. creo que deban mul
Fernando: No sé… Yo no creo que deban multar a las personas que no reciclan porque reciclaje es necesario para la salud el medio ambiente y más personas harían lo si no había una multa

5 **Marcos:** No creo que sea bueno tener animales en una casa.
Fernando: Pues, yo no pienso lo mismo. A mí me parece que sea mejor tener animales en una casa porque animales como perros les encanta viviendo con personas.

Habla

3d Pregunta a tu compañero cuál es su opinión sobre los temas anteriores. ¿Estáis de acuerdo?

- *Oliver, ¿crees que deberían prohibir conducir en el centro de las ciudades?*
- *Yo creo que es bueno reducir el tráfico, pero no creo que se pueda prohibir conducir a todos los coches. Y tú, ¿qué piensas?*
- *Pues, yo no estoy de acuerdo. Yo sí creo que deberían prohibirlo, para reducir la contaminación y los ruidos.*

¡Fíjate!

- Para expresar acuerdo podemos utilizar estas expresiones:
  - Tienes razón.
  - Yo pienso lo mismo / Yo pienso como tú.
  - Sí, yo también / tampoco lo creo.
  - Sí, totalmente de acuerdo.
  - Sí, está claro.
- Para expresar desacuerdo podemos usar estas expresiones:
  - No estoy de acuerdo contigo.
  - Yo no pienso lo mismo (que tú).
  - Pues, a mí me parece que no / sí.
  - No, no es cierto / verdad.
  - ¡Qué va! informal

4a En pequeños grupos, vais a hacer un debate sobre los siguientes temas. ¿En qué cosas estáis de acuerdo? ¿En cuáles no?

1. ¿Qué factores son más importantes para elegir una vivienda (localización, ruidos, estado de la vivienda, orientación…)?
2. ¿Es mejor vivir en una gran ciudad, o en un lugar más pequeño?
3. ¿Crees que los gobiernos deberían regular el precio de las casas?
4. Durante las vacaciones, ¿es mejor ir a un hotel, o alquilar un apartamento?

4b Comentad con el resto de la clase vuestras conclusiones.

Nosotros no estamos de acuerdo sobre los factores más importantes para elegir una casa. Para Anne lo más importante es vivir en una zona sin ruidos, pero Tamako y yo no creemos que sea lo más importante…

C TU CASA HABLA DE TI

Habla y lee

1a Comenta con tu compañero cómo es tu casa y cuál es la estancia más importante para ti.

Yo vivo en un piso pequeño en el centro. Mi habitación preferida es el salón, porque allí es donde paso más tiempo. No es muy grande, pero tiene mucha luz y…

1b ¿Te preocupas por la decoración de tu casa? ¿Sabes cuál es tu estilo? Haz el siguiente cuestionario para descubrirlo. Luego, comenta los resultados con tu compañero.

TU CASA HABLA DE TI

Seguramente, cuando visitas la casa de otra persona, admiras su decoración y quizás otras veces piensas: "yo nunca pondría esto en mi casa". Esto se debe a que cada persona tiene una personalidad única que no solo influye en el comportamiento o la manera de vestir, sino que también se refleja en la forma de decorar. Para sentirte bien en tu hogar, es importante elegir el estilo más adecuado a tu personalidad. ¿Sabes cuál es tu estilo? Haz el siguiente cuestionario y descúbrelo.

1 Quiero que mi casa sea…
- a un lugar práctico y moderno, donde me siento yo mismo.
- b un lugar muy personal lleno de buenos recuerdos.
- c un lugar limpio y ordenado, donde me siento en paz y tranquilidad.
- d un lugar acogedor, donde puedo pasar buenos ratos con mi familia.

2 Las paredes de mi casa…
- a las prefiero con tonos neutros y con algún cuadro abstracto.
- b me gusta decorarlas con carteles de mis películas favoritas.
- c mejor blancas y lisas que llenas de cuadros.
- d con cuadros de paisajes impresionistas, me encantan.

3 Para decorar, prefiero…
- a un espejo o una lámpara de diseño.
- b elementos que llaman la atención, como un teléfono de los años 60.
- c no poner mucho: intento evitar los objetos que no tienen una utilidad.
- d un bonito jarrón con flores.

4 Me gustan los muebles…
- a con un diseño innovador.
- b antiguos pero reformados.
- c sencillos y funcionales.
- d tradicionales de madera.

5 Un cuarto de estar necesita…
- a una pantalla gigante de televisión.
- b elementos decorativos personales y únicos.
- c una buena iluminación natural.
- d unas bonitas cortinas de flores y una alfombra acogedora.

6 En mi cocina no puede(n) faltar…
- a todo tipo de electrodomésticos: frigorífico, congelador, horno… Todo de última generación.
- b la vajilla de mi abuela: es un recuerdo de familia que le da un toque especial a mi mesa.
- c los electrodomésticos básicos, pero no me gusta llenar la encimera de aparatos: solo necesito una buena cafetera.
- d una mesa grande de madera para poder comer en familia.

ESTILO MODERNO

ESTILO MINIMALISTA

ESTILO RÚSTICO

Vocabulario

2a Busca la palabra que no tiene relación y comenta con tu compañero por qué.

1 la pared - el suelo - el techo - el cuarto de estar
2 un cuadro - un póster - un jarrón - un espejo
3 un horno - un frigorífico - un congelador - una cafetera
4 una alfombra - una vajilla - unas cortinas - un cojín

ESTILO RETRO

RESULTADOS

Mayoría de respuestas "a": ESTILO MODERNO. Es ideal para personas extrovertidas, líderes e imaginativas, a las que les encanta seguir las tendencias y la moda. Les gustan los diseños innovadores con acabados de buena calidad en tonos neutros como gris, marrón, blanco y negro.

Mayoría de respuestas "b": ESTILO RETRO. Es característico de personas elegantes, cultas, nostálgicas y tradicionales. Les apasionan los muebles y la decoración antigua, buscando recrear el gusto y diseño de épocas pasadas que les permiten retroceder en el tiempo. Pueden decorar con poco presupuesto, restaurando o pintando muebles de segunda mano.

Mayoría de respuestas "c": ESTILO MINIMALISTA. Para amantes del orden y la funcionalidad. Perfecto para personas que optan por un estilo de vida en el que no hay excesos y que prefieren vivir con lo básico, porque para ellos menos es más. Lo que caracteriza a este estilo decorativo son los colores neutros (normalmente el blanco), las líneas rectas y los espacios diáfanos que dejan a la vista prácticamente todas las estancias de la casa.

Mayoría de respuestas "d": ESTILO RÚSTICO. Es perfecto para personas tranquilas y familiares que buscan el bienestar y el confort en el hogar. Les encanta la sensación de vivir en armonía con la naturaleza, dando un toque tradicional y natural. En este estilo predominan los muebles de madera y los tonos cálidos con decoraciones florales.

2b Busca combinaciones con estas palabras en la actividad **1b**.

- Mueble
- Estilo
- Decoración
- Diseño

2c Practica con tu compañero. El alumno A abre el libro por la página 116 y el alumno B, por la página 122.

Escucha

3a 18 Escucha a una pareja, Esther y Germán, en una tienda de muebles. ¿Qué estilo crees que tiene cada uno? ¿Por qué?

Gramática

3b Fíjate en esas frases del audio anterior para hacer comparaciones. Comenta con tu compañero qué diferencias hay entre ellas y razona tu respuesta.

1 Es **más** barato **que** los demás.
2 Cuesta **menos que** el otro.
3 Hay **más de** cincuenta modelos diferentes.
4 Con **menos de** cien euros te decoras la casa entera.

Comparaciones de cantidad

Usamos ***más de*** o ***menos de*** en frases comparativas que indican una cantidad numérica: *Yo no me gasto más de quinientos euros en un sofá. / Cuesta menos de cien euros.*

Ver más en pág. 149

Pronunciación y ortografía

4a 19 Escucha este extracto de la conversación entre Esther y Germán: ¿qué intención tienen cada uno al decir "mil euros"? Presta atención a las diferencias en la entonación.

GERMÁN: ¿Sabes cuánto cuesta?
ESTHER: **Mil euros.**
GERMÁN: **¡¿Mil euros?!**

4b 20 Subraya la expresión que escuchas según la entonación.

1 Me voy de vacaciones **dos meses / ¡¿dos meses?!**
2 Tengo **cincuenta años / ¡¿cincuenta años?!**
3 Somos **ocho hermanos / ¡¿ocho hermanos?!**

Habla

5 En parejas, imaginad que vais a compartir casa y tenéis que decorar el salón. Pensad qué presupuesto tenéis y negociad qué estilo, muebles y decoración os gustaría. Preparad una presentación para el resto de la clase: podéis ilustrarla con fotos o en forma de *collage*.

Vamos a decorarlo con un estilo retro y minimalista. Por eso vamos a comprar pocos muebles y de segunda mano: este cuesta cincuenta euros y…

EN ACCIÓN

1a ¿Sabes qué es la psicología ambiental? Comenta tu respuesta con tu compañero.

- *Yo creo que tiene que ver con el medioambiente: cómo nos influye la contaminación o la destrucción de la naturaleza.*
- *Sí, podría ser, pero yo pienso que está relacionada con…*

1b Lee la entrada a este blog de psicología y comprueba si tu respuesta es correcta.

BLOG PSICOLOGÍA

ÚLTIMAS ENTRADAS:

- diciembre (4)
- noviembre (12)
- octubre (2)
- septiembre (9)
- agosto (5)
- julio (6)
- junio (15)
- mayo (4)
- abril (13)
- marzo (7)
- febrero (18)
- enero (5)

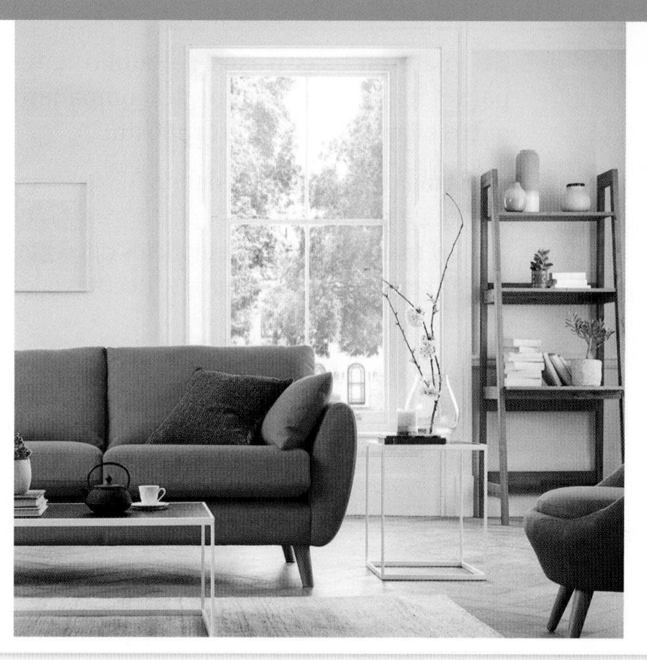

20 de diciembre

Psicología ambiental

Elegir dónde vivir es una de las decisiones más importantes que tenemos que tomar en nuestra vida. El lugar que habitas influye en cómo te ves, cómo te sientes o cómo piensas. La psicología ambiental estudia de qué manera nos afecta dónde vivimos en nuestra vida y los factores que debemos tener en cuenta a la hora de mudarnos a un nuevo espacio.

2 ¿Cuáles de estos factores crees que son más importantes a la hora de elegir un lugar para vivir? Compara tu respuesta con la de tu compañero.

1. Oportunidades de trabajo
2. Seguridad
3. Proximidad de tu familia y amigos
4. Clima
5. Oferta cultural
6. Comunicación y transportes
7. Comida
8. Tamaño de la ciudad o del pueblo
9. Sistema educativo y de salud
10. Precios

Yo prefiero vivir en una ciudad grande porque hay más oportunidades de trabajo y oferta cultural, pero también quiero que sea una ciudad segura porque…

3a DELE Tienes que preparar una presentación de dos o tres minutos sobre un lugar donde te gustaría vivir. Tu presentación debe incluir información sobre:

- Qué lugar es y por qué te gustaría vivir allí.
- Cuáles son las ventajas y desventajas de vivir en ese lugar.
- Qué te gustaría hacer allí y con quién te gustaría vivir.
- Experiencias de otras personas que han vivido en ese lugar.

No olvides:

- Diferenciar las partes de tu exposición: introducción, desarrollo y conclusión.
- Ordenar y relacionar bien las ideas.
- Justificar los sentimientos y las opiniones.

3b En parejas, vais a contar a vuestro compañero vuestra presentación. Preparad unas preguntas para hacérselas después.

- ¿Has vivido en diferentes países? ¿Dónde?
- De los sitios en los que has vivido, ¿cuál te ha gustado más?
- ¿Qué es lo más importante en tu opinión para decidir vivir en un determinado lugar?
- ¿Y para decidir no vivir en un lugar?
- …

INSTRUCCIONES DEL JUEGO

- Formad grupos de dos a cuatro alumnos.
- Cada jugador tiene una ficha de un color (rojo, azul, verde o amarillo) y comienza en la casilla con la flecha de su color.
- Por turnos, tira el dado y contesta a la información de la casilla. Si la respuesta es correcta, te quedas en esa casilla; si no, vuelves a la última donde estabas.
- Si caes en la casilla de salida de otro jugador, pierdes un turno.
- Gana el jugador que da la vuelta antes y llega a la meta.

Vocabulario para jugar

- ¿Quién empieza?
- Me toca / Te toca
- Cambio de posición con...
- ¡He ganado!
- Pierdo turno

1 (flecha)

2 Cuatro cualidades que debe tener un(a) compañero/a de trabajo.

3 Cuatro defectos que no debe tener un(a) compañero/a de trabajo.

4 ¿Habías estudiado español antes de empezar este curso?

5 *"¿Te da miedo viajar solo/a?"* COMPLETA: *Me han preguntado...*

6 Tres deseos para un mundo mejor.

7 (flecha)

8 ¿CÓMO TE DESPIDES FORMALMENTE EN UN CORREO?

9 Tres cosas que se te dan bien.

10 ¿Es mejor vivir en el campo, o en la ciudad? ¿Por qué?

11 CAMBIO DE POSICIÓN CON OTRO JUGADOR

12 Describe la decoración de tu casa.

13 (flecha)

14 Un lugar con unas vistas espectaculares.

15 COMPLETA: *Llevo estudiando español más ____ dos años.*

16 Cuatro cosas que no soportas.

17 Pide este favor de manera más formal: *Ayúdame con los deberes.*

18
- ¿Tienes ____ problema?
- No, no tengo ____.

19 (flecha)

20 En verano me apasiona...

21 Responde rechazando: *¿Podríamos cambiar el día de la clase?*

22 Una situación que fue todo un desastre.

23 CAMBIO DE POSICIÓN CON OTRO JUGADOR

24 ¿Qué es la psicología ambiental?

A ¿Cuál es el mejor lugar en el que has vivido? ¿Por qué?

B Describe un lugar donde has trabajado o estudiado.

C ¿Qué valoras más en una empresa?

D ¿Qué es para ti una persona viajera?

E Tu viaje más especial.

F ¿Qué esperas de un buen barrio?

G ¿Qué cosas te alegran la vida en los viajes?

H ¿Qué hace un(a) buen(a) compañero/a de trabajo?

META

AHORA SÉ...

Completa el cuadro con palabras y expresiones que quieres recordar.

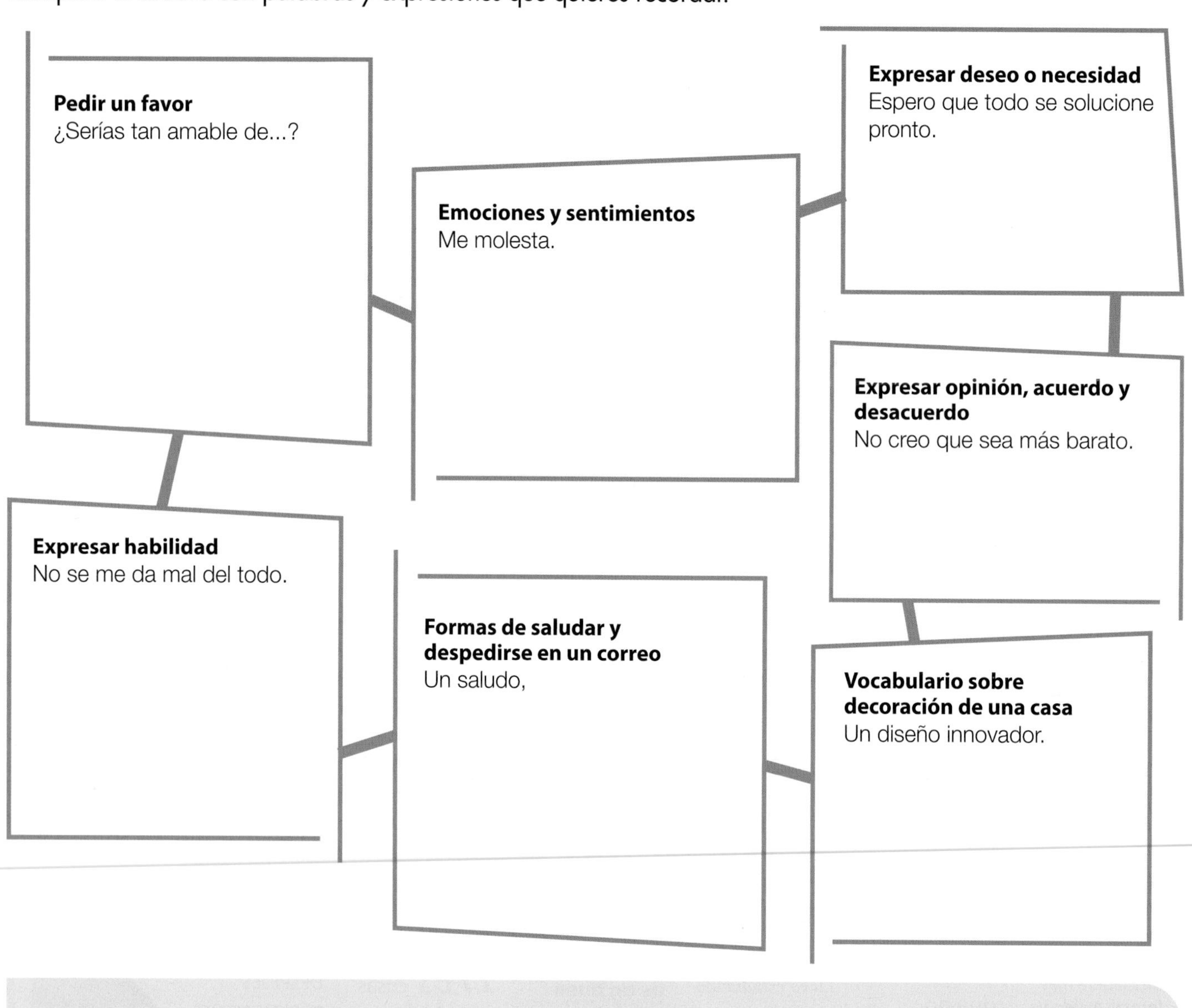

VALORA TU PROGRESO

Sé...	👍	👎
• describir cualidades y defectos de personas	☐	☐
• pedir un favor de manera formal e informal	☐	☐
• cuándo se usa el condicional	☐	☐
• usar correctamente los indefinidos	☐	☐
• hablar de mis habilidades	☐	☐
• expresar emociones y sentimientos	☐	☐
• valorar una situación	☐	☐
• contar un viaje que he hecho	☐	☐
• transmitir una pregunta que me han hecho	☐	☐
• cómo usar los dos puntos (:)	☐	☐
• expresar deseo y necesidad	☐	☐
• expresar opinión, acuerdo y desacuerdo	☐	☐
• hacer comparaciones de cantidad	☐	☐
• hablar sobre mi estilo de decoración	☐	☐

7 RELACIONES HUMANAS

TEMAS

- **La gente que me gusta:** describir personas y relaciones
- **No lo soporto:** expresar emociones y sentimientos
- **¿Está mal visto?:** normas sociales

- ¿Te gusta estar solo, o prefieres rodearte de gente?
- ¿Quiénes son las personas más importantes de tu vida?
- ¿Crees que las normas sociales nos diferencian mucho?
- ¿Qué te sugiere la foto?

A LA GENTE QUE ME GUSTA

Habla y lee

1 ¿Cómo es la gente que te gusta? Coméntalo con tu compañero.

- *Una característica común que tienen es que son personas muy abiertas.*
- *Pues para mí...*

2a Lee la infografía y comprueba si estas cualidades coinciden con tus respuestas anteriores.

¿Qué hacen las personas para caer bien?

Estos son los comportamientos que más apreciamos de las personas que más nos gustan:

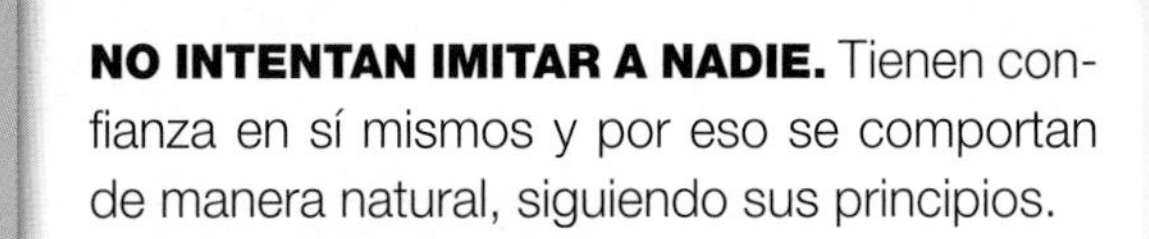

1. **NO INTENTAN IMITAR A NADIE.** Tienen confianza en sí mismos y por eso se comportan de manera natural, siguiendo sus principios.
2. **SE INTERESAN POR LOS DEMÁS.** Les gusta escuchar lo que tienes que decir y nunca te interrumpen. Si necesitas contarles algo, siempre están ahí.
3. **NUNCA TE JUZGAN.** Se llevan bien con todo el mundo porque saben ponerse en el lugar de la otra persona y no tienen prejuicios.
4. **SABEN GUARDAR UN SECRETO.** Estamos seguros de que nunca traicionarían nuestra confianza.
5. **NO PRESUMEN.** Están a gusto con ellos mismos y no necesitan hablar de sus cualidades o de las cosas que tienen.

6. **SU LENGUAJE CORPORAL ES POSITIVO.** Son personas cálidas que nos miran a los ojos y utilizan un tono cariñoso, por eso es fácil hacerse amigos.

7. **SONRÍEN.** Saben cuándo pueden gastar una broma y nos hacen sentir cómodos cuando hablamos con ellos.

8. **RESPETAN NUESTRA INTIMIDAD.** Evitan las preguntas incómodas y nunca invaden nuestro espacio.

Vocabulario

2b Relaciona estos adjetivos con cada uno de los puntos de la infografía anterior.

- abiertos
- agradables
- auténticos
- prudentes
- atentos
- discretos
- cercanos
- humildes

2c Busca en la infografía de la actividad **2a** las palabras que aparecen en combinación con estas.

1 Caer ___________.
2 ___________ en sí mismos.
3 Se comportan ___________.
4 ___________ bien con todo el mundo.
5 Guardar ___________.
6 ___________ con ellos mismos.
7 Hacerse ___________.
8 ___________ una broma.

¡Fíjate!

- Para valorar la impresión que nos causa una persona, usamos el verbo *caer* seguido de un adverbio *(bien / mal / genial / fatal)*. La construcción del verbo es igual a la del verbo *gustar*:

  Me cae bien Ana, pero a ella le caen mal mis amigos.

- Para valorar la relación que tenemos con una persona, usamos el verbo *llevarse* seguido de un adverbio *(bien / mal / genial / fatal)*. Al ser un verbo recíproco, necesita siempre un pronombre:

  Me llevo bien con Ana, pero ella no se lleva bien con mis amigos.

2d Contesta a estas preguntas y añade dos más usando las expresiones de la actividad **2c**. Después, pregunta a tu compañero.

1 ¿Recuerdas a una persona que no te cayó bien cuando la conociste? ¿Cambió tu opinión después?
2 Cuando tienes que tomar una decisión importante, ¿confías en ti mismo, o le preguntas a la gente de tu alrededor?
3 ¿Eres capaz de guardar un secreto?
4 ___________________________
5 ___________________________

Escucha

3a 21 Lucía ha viajado a Chile y ha conocido a mucha gente nueva allí. Escucha su conversación con una compañera de trabajo y señala si la información es verdadera (V) o falsa (F).

1 ☐ José es un chico muy atractivo.
2 ☐ Julia ha terminado sus estudios en la universidad.
3 ☐ A Lucía no le cayó bien Francisco al principio.
4 ☐ Gustavo es una persona muy reservada.
5 ☐ Isabel tiene el mismo carácter que su hermano Gustavo.

Gramática

3b Fíjate en estas frases extraídas de la conversación anterior. ¿De qué manera se intensifica el significado del adjetivo?

1 La verdad es que es guapísimo.
2 Es superinteligente, está haciendo ahora su tesis doctoral.
3 Es amabilísimo, siempre está ayudando a todo el mundo y es muy generoso.
4 Cuando lo conoces, te das cuenta de que es extremadamente tímido.

El superlativo

En español existen diferentes formas de intensificar el significado de un adjetivo o un adverbio:

- Mediante un adverbio: *muy, tremendamente, sumamente, excesivamente…:*

  Mi hermano es excesivamente tímido.

- Mediante el prefijo *super-*:

  Tu amigo Iván es superinteresante, me encantó hablar con él.

- Mediante la terminación *-ísimo*. Esta terminación concuerda en género y número con el sustantivo al que se refiere:

  Me lo pasé muy bien con Laura, es divertidísima.

  Algunos adverbios también aceptan esta terminación para intensificar su significado:

  Me gusta muchísimo hablar contigo.

Ver más en pág. 150

Habla

4 Busca en tu móvil imágenes de personas importantes para ti y enséñaselas a tu compañero. Explícale cómo os conocisteis, qué relación tenéis y cómo son.

- *La chica de la camiseta de rayas es mi amiga María. La conocí en el colegio y desde el primer día me cayó muy bien y nos hicimos amigos. Es una persona divertidísima…*
- *Pues sí, parece una persona supersimpática.*

B NO LO SOPORTO

Habla y lee

1a Observa estas imágenes: ¿crees que muestran ejemplos de mala educación? Coméntalo con tu compañero.

- *Tumbarse en los asientos del metro es de mala educación porque no dejas espacio para los demás.*
- *Sí, y además…*

1b Lee la siguiente carta que un lector ha mandado a un periódico. ¿Qué relación tiene con las fotos anteriores? ¿Estás de acuerdo con la opinión del autor? Justifica tu respuesta.

CARTAS A LA DIRECTORA

Educación. ¿Y eso qué es?

SEBASTIÁN FERNÁNDEZ IZQUIERDO. Petrer (Alicante)

Unos niños juegan, gritan y corren entre las mesas del restaurante sin que los padres hagan nada. Un pasajero habla por teléfono a gritos, mientras el resto de personas debe escuchar la conversación, quieran o no. Quiero aparcar, pero no puedo porque otros han dejado su coche ocupando dos plazas de aparcamiento. Un perro ladra sin parar, mientras su dueño, impasible, sigue bebiendo su cerveza en la mesa de la terraza. Pasa una motocicleta, trucada para hacer más ruido. Podría seguir con muchos más ejemplos, como no dar los buenos días, pedir las cosas por favor, dar las gracias o ceder el asiento. ¿Cuándo y en qué parte del camino se perdió? ¿Dónde quedó aquello a lo que llamábamos educación?

Adaptado de https://elpais.com

8 ¡QUE APROVECHE!

TEMAS

- **Cultura gastronómica:** trucos de cocina
- **Neurogastronomía:** expresar hipótesis o probabilidad
- **Nuevos alimentos:** expresar certeza, duda o falsedad

- ¿Qué tipo de comida te gusta?
- ¿Cuál es tu restaurante favorito?
- ¿Te gusta hacer la compra? ¿Dónde?
- ¿Qué te sugiere la foto?

A CULTURA GASTRONÓMICA

Habla y lee

1a Piensa en la gastronomía de algunos países. ¿Cuál te parece más internacional? Coméntalo con tu compañero.

Yo creo que la comida italiana es una de las más conocidas porque todo el mundo sabe qué es la pasta.

1b Lee la entrevista al chef mexicano Roberto Ruiz y completa con estos fragmentos las intervenciones del entrevistador.

a) ¿Cuál es para usted el ingrediente fundamental de la cocina mexicana?
b) Cada vez hay más restaurantes mexicanos. ¿Por qué cree que aun así es una gastronomía desconocida?
c) El guacamole es uno de los platos más populares para el gran público. Cuéntenos el secreto para que nos salga perfecto.
d) ¿Y cuál es el plato más representativo?

Entrevista al chef mexicano Roberto Ruiz

b (1) ______________________

Lo más fácil de exportar es el Tex-Mex. Es algo que los americanos se inventaron y que está muy bien, pero eso no es la cocina mexicana. El típico restaurante que está lleno de cactus y de colores no es México. Vaya, es México, pero no es el de la tradición. Hay que tener en cuenta que la única gastronomía que está considerada como Patrimonio Intangible de la Humanidad es la mexicana y desde luego no tiene nada que ver con las fajitas y con poner queso en todo. [...]

a (2) ______________________

Por lo menos hay dos: el chile y el maíz. El maíz es el soporte de toda la gastronomía mexicana y el chile es un gran diferenciador que hace que la cocina sea tan diferente, que tenga todos estos contrastes.

d (3) ______________________

Creo que el mole puede ser uno de ellos. Es un plato conocido en casi todas partes y representa la fusión de cocinas, de la española y la mexicana. Pero, por otro lado, cuando pruebas un mole, sabe a México: a las semillas de México, a las tortillas, al maíz... Es un sabor muy ancestral, pero no por eso es menos sofisticado. Y es un plato que no deja indiferente: o te gusta o no te gusta.

c (4) ______________________

Siempre digo que es como la mayonesa mexicana, porque se toma con todo. Y el secreto es usar los mejores aguacates, que tengan un buen punto de maduración. El resto de los ingredientes, cebolla, cilantro y chile serrano, deben estar muy frescos. [...]

1c Piensa en la gastronomía de tu país y prepara una exposición para describirla: cómo es, los ingredientes principales y algunos platos típicos.

Vocabulario

2a Observa las siguientes imágenes y, en tríos, haced una lluvia de ideas de palabras relacionadas con ellas.

Ingredientes y sus características
marisco, caliente,...
salsa, fresco
tomates

Utensilios de cocina
platos, vasos,...
cuchillos, servilletas

Modos de preparación
a la plancha,...
grill

2b Ordena el siguiente vocabulario según las categorías anteriores.

soso/a cuchara dulce frito/a
tenedor picante hervido/a olla - tall pot
cazo crudo/a amargo/a cuchillo - knife
muy / poco hecho/a sartén salado/a

2c Comenta con tu compañero qué prefieres.

1 ¿La carne poco o muy hecha?
2 ¿El pescado a la plancha o frito?
3 ¿El dulce o el salado?
4 ¿Leche entera o desnatada?
5 ¿Aceite de oliva o de girasol?
6 ¿Comida de cuchara o de tenedor?
7 ¿Comer con un vaso de agua o con una copa de vino?
8 ¿La comida sosa o picante?

- *A mí la carne no me gusta ni poco ni muy hecha: la prefiero al punto. ¿Y tú?*
- *Pues yo es que no como carne: soy vegano.*

Habla y escucha

3a 24 ¿Conoces algún truco para las siguientes situaciones? Coméntalo con tus compañeros. Luego, escucha y comprueba. ¿Cuál te parece más práctico?

1 Para pelar cítricos fácilmente.
2 Para que los huevos no se rompan al cocerlos.
3 Para que las verduras no pierdan su color al hervirlas.
4 Para evitar la oxidación del aguacate.
5 Para que las cucharas de madera parezcan nuevas.

Gramática

3b Fíjate en la frase del cuadro y completa.

Expresar finalidad

La forma más habitual de expresar finalidad es con ***para***:

Pon sal en el agua para *que los huevos no **se rompan**.*

Detrás de ***para*** usamos ***que*** + (1) ________ cuando se especifica el sujeto de la oración subordinada. Cuando no se especifica o coincide con el de la oración principal, usamos un (2) ________:

*Para **pelar** naranjas fácilmente, mételas unos segundos en el microondas.*

Ver más en pág. 154

3c Practica con tu compañero. El alumno A abre el libro por la página 117 y el alumno B, por la página 123.

Investiga y habla

4 Vais a hacer un *ranking* de los tres mejores trucos de cocina. En pequeños grupos, vais a pensar en algunos: podéis buscar información en internet. Luego, compartidlos con los demás y decidid, entre todos, cuáles son los tres mejores y en qué orden de importancia.

B NEUROGASTRONOMÍA

Lee y habla

1a ¿Qué relación crees que tiene cada uno de los cinco sentidos con la gastronomía? Coméntalo con tus compañeros.

- *Para mí, la vista es muy importante, porque en mi país se dice que la comida entra por los ojos.*
- *¡Sí, en el mío también!*

1b ¿Sabías que muchos restaurantes utilizan técnicas de *neuromarketing* para influir en el comportamiento de los consumidores? En parejas, haced el siguiente test para conocer algunas de ellas. Después, asociad las preguntas con cada uno de los cinco sentidos.

- *La primera está relacionada con el oído.*
- *Sí, es verdad, y quizás se gasta más con la música* rock *porque...*

TEST SOBRE ***NEUROMARKETING***

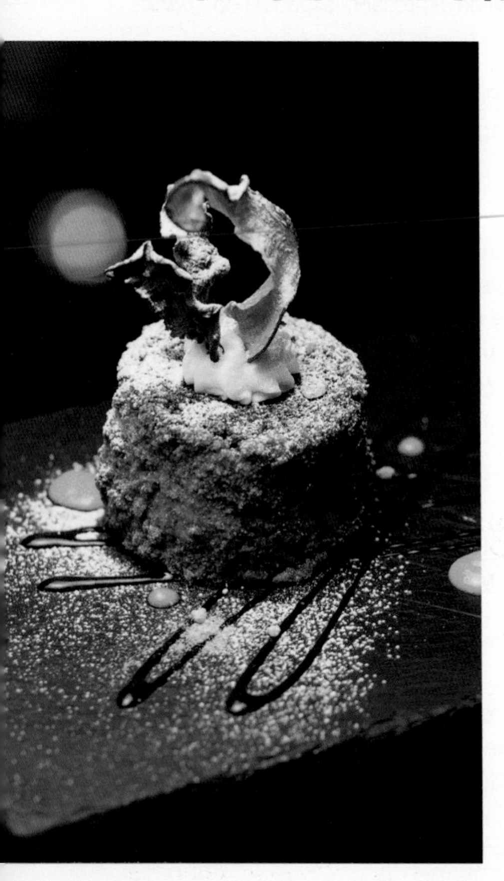

1 Los clientes tienden a gastar más dinero cuando de fondo:

a) escuchan música *rock*
b) escuchan música clásica
c) no escuchan nada

2 Los colores que aumentan la sensación de tener hambre son:

a) el rojo y el amarillo
b) el azul y el blanco
c) el verde y el naranja

3 Sentimos que un alimento es más dulce cuando se presenta en:

a) un plato cuadrado
b) un plato redondo
c) un plato triangular

4 La experiencia del cliente es más satisfactoria si come en:

a) una mesa de mármol
b) una mesa de plástico
c) una mesa de madera

5 El ser humano recuerda el 1 % de lo que toca, el 2 % de lo que oye, el 5 % de lo que ve, el 15 % de lo que degusta y el __________ de lo que huele:

a) 20 %
b) 35 %
c) 50 %

6 El cliente se siente más atraído por los platos que dentro del menú se sitúan:

a) en la esquina superior derecha
b) a la izquierda
c) en el centro

7 Los platos resultan más atractivos cuando incluyen:

a) nombres de países
b) nombres de familiares
c) nombres de ingredientes

Escucha y habla

1c 🔊 25 Ahora escucha a tres amigos que están haciendo el test anterior y verifica tus respuestas.

1d Analizad la información del audio anterior y comentad las conclusiones entre toda la clase.

- *¡Qué fuerte! Yo pensaba que el verde y el naranja aumentaban el apetito porque son colores de frutas o verduras, pero el audio dice que no.*
- *Yo había pensado lo mismo. Ahora entiendo por qué muchos logos de restaurantes de comida rápida son rojos y amarillos, ¿verdad?*

Gramática

2a Fíjate en estas frases extraídas del audio anterior. ¿Para qué se utilizan las expresiones en negrita? Después, completa el cuadro.

1. **Probablemente** se gaste más con música *rock*.
2. **A lo mejor** son el verde y el naranja los colores que estimulan el apetito.
3. ¿**Puede que** parezca más dulce algo en un plato redondo?
4. **Seguro que** es más satisfactorio comer en una mesa de madera.
5. **Quizás** recordamos el 50 % de lo que olemos.
6. **Dudo que** sea el 50 %: es mucho, ¿no?
7. **Probablemente** elijo los de la parte de arriba de la derecha.
8. **Quizás** los platos resulten más atractivos cuando incluyen nombres de países.

Expresar hipótesis o probabilidad

Para expresar hipótesis o probabilidad podemos usar diferentes expresiones seguidas de indicativo o de subjuntivo. La elección de uno u otro modo dependerá de si la intención del hablante es expresar solo la probabilidad (subjuntivo) o busca hacer una débil declaración con su hipótesis (indicativo).

- **Expresiones solo con indicativo:**
  supongo que, ____________, ____________.
- **Expresiones solo con subjuntivo:**
  es probable que, ____________, ____________.
- **Expresiones con ambos:**
  posiblemente , ____________, ____________.

- *Estoy segura de que comemos más rápido con una iluminación fuerte.*
- *Sí, puede que lo hagan por eso.*

Ver más en pág. 154

2b En parejas, leed estas preguntas curiosas y haced hipótesis sobre posibles respuestas. Podéis añadir dos preguntas más.

1. ¿Qué país del mundo es el segundo productor de aceite de oliva después de España?
2. ¿En qué región de España hay más bares que en Dinamarca, Irlanda, Finlandia y Noruega juntas?
3. ¿El cacahuete es un fruto seco o una legumbre?
4. ¿Con qué tipo de cubierto sabe mejor la comida: con uno ligero o con uno pesado?
5. ¿Qué plato peruano es considerado patrimonio cultural de la nación?
6. ¿Cuál es el alimento más consumido en el mundo?
7. ¿Después de Alemania, qué país hispano es el segundo mayor consumidor de pan?

- *No estoy seguro, pero probablemente sea Grecia el segundo país productor de aceite de oliva, ¿no?*
- *No, no creo: supongo que es Italia.*

Lee, investiga y habla

3a Mira la foto: ¿qué tipo de restaurante crees que sirven un plato así? Lee la información y comprueba. ¿Te gustaría ir?

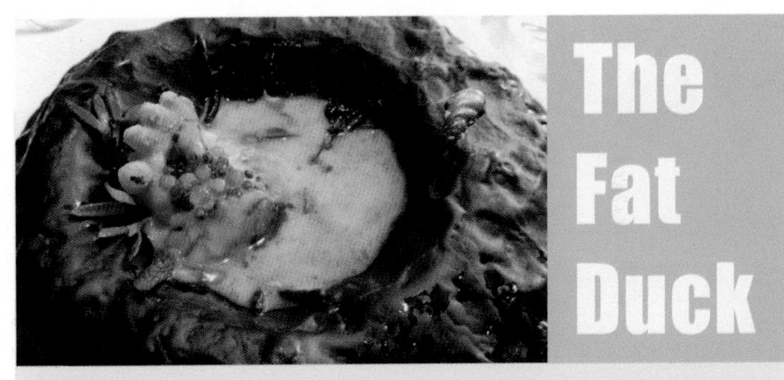

Nombre. "The Fat Duck", de Heston Blumenthal.
Localización. Hay uno en Bray (Gran Bretaña) y otro en Melbourne (Australia).
Tipo de comida. Este chef crea una especie de "arena" con algas, diferentes aceites y pescado crudo. Y lo sirve con una "espuma de mar" hecha con todo tipo de marisco (gambas, ostras, etc.).
Por qué es especial. Los clientes reciben una caracola con un iPod dentro y unos auriculares donde oyen el sonido del mar mientras comen. Blumenthal estudió en Oxford la relación entre el sonido y el sabor. Así, el pescado tiene un sabor mucho más fresco. Se trata de una experiencia única en el mundo.

3b ▶ En parejas, investigad sobre algún restaurante especial en el mundo. Presentadlo al resto de la clase (para ello podéis usar un PowerPoint o un vídeo) siguiendo el modelo del texto anterior.

C NUEVOS ALIMENTOS

Habla

1 Cuando haces la compra, ¿qué miras en la etiqueta de los alimentos? Coméntalo con tu compañero.

- El precio y los descuentos
- El aspecto del producto
- Las calorías que contiene
- El lugar de procedencia
- La fecha de caducidad
- Los colorantes y aditivos

- *Yo normalmente miro el aspecto del producto y las calorías que tiene.*
- *Pues yo creo que es muy importante mirar la fecha de caducidad: a veces se me olvida y tengo que tirar la comida.*

Lee y escribe

2a **Lee este artículo publicado en un portal de internet sobre los nuevos avances en la industria alimentaria y señala si estas frases son verdaderas (V) o falsas (F). Justifica tu respuesta.**

1. ☐ El autor duda que sepamos lo que comemos cuando vamos a un restaurante.
2. ☐ Los científicos están seguros de que las hamburguesas de laboratorio saben igual que las naturales.
3. ☐ No es verdad que este nuevo tipo de alimentos sean más saludables.
4. ☐ Es evidente que las nuevas impresoras 3D perjudicarán a los grandes cocineros.
5. ☐ No está claro que la gente esté preparada para estos grandes cambios.

Cada día estamos más concienciados sobre la importancia de tener una dieta equilibrada. Por ello, en las cartas de muchos restaurantes, además del nombre del plato y sus principales ingredientes, podemos encontrar información sobre el lugar de procedencia de los alimentos, las calorías que contiene el plato o los alérgenos.

Parece, sin embargo, que esto no se queda aquí y que los principales cambios en nuestra forma de alimentarnos están aún por venir. Imagínate entrar en un restaurante que anuncia "especialidad del día: hamburguesa creada a partir de células madre sin nada de grasa", o escuchar en la cocina el sonido de una impresora 3D en lugar de sartenes y ollas.

Parece ciencia ficción, pero no lo es. En la universidad de Maastricht ya han creado la primera hamburguesa a través de células madre. Según los expertos, esta hamburguesa tiene varias ventajas. Por un lado, es igual de sabrosa que la natural, tiene las mismas vitaminas y proteínas, pero es mucho más sana y ligera porque han eliminado la grasa. Por otro, producir carne *in vitro* es la mejor manera de alimentar a la población del futuro y reducir el daño medioambiental que produce la crianza de animales.

Sin embargo, lo que más ha atraído la atención a los profesionales de la industria alimentaria son las impresoras 3D. Estas máquinas serán capaces de imprimir cualquier tipo de comida, desde un rico ceviche hasta una tortilla de patatas.

Estas impresoras no supondrían el fin de los grandes cocineros, al contrario: la cocina se volvería más creativa, ya que los maestros de la cocina podrían imprimir piezas con la forma deseada, colorear sus platos o tener un mayor control sobre el sabor de sus platos.

Si en el siglo XX los alimentos congelados revolucionaron la industria alimentaria, parece que en el siglo XXI serán las modificaciones genéticas y las impresoras 3D las que transformarán nuestros platos. La pregunta es: ¿estamos preparados para este cambio?

COMENTARIOS:

Villa80:
Me da asco solo pensarlo... Carne elaborada en un laboratorio e impresoras preparando nuestros platos. ¿Nos hemos vuelto locos?

RománVT:
Por fin empezamos a preocuparnos un poco por el medioambiente. ¡Me encanta!

2b **¿Estás de acuerdo con los comentarios que han publicado en el portal de internet anterior?**

Gramática

3a Fíjate en las frases de la actividad **2a**. ¿Cuáles de ellas muestran que la información es cierta? ¿Cuáles no? ¿En cuáles se usa el subjuntivo?

Expresar certeza, duda o falsedad

- Para informar de algo que consideramos verdadero podemos usar las siguientes expresiones seguidas de un verbo en indicativo:

Estoy seguro/a de que
Es verdad que
Está claro que
Es evidente que
Es cierto que
Sé que
] ***han creado*** *una hamburguesa a partir de células madre.*

- Para expresar duda, falsedad o falta de certeza de una información, podemos usar las siguientes expresiones seguidas de un verbo en subjuntivo cuando no hay intención de declarar esa información:

No estoy seguro/a de que
No es verdad que
No está claro que
No es evidente que
No es cierto que
Dudo que
] *estas nuevas hamburguesas* ***sean*** *peligrosas para la salud.*

Ver más en pág. 155

3b Lee estos dichos populares y comenta su significado con tu compañero. ¿Crees que son ciertos?

"Desayunar como un rey,
comer como un príncipe
y cenar como un mendigo".

"Una manzana al día
mantiene al médico
en la lejanía".

"Lo que no mata, engorda".

"Vive, come y bebe,
que la vida es breve".

Es cierto que hay que desayunar muy bien y cenar poco: es lo más sano, ¿no crees?

Vocabulario y pronunciación

4a Encuentra el intruso en cada grupo.

1. Dieta sana / perjudicial / equilibrada / saludable
2. Comida pesada / ligera / calórica / exquisita
3. Vitamina / Aceite / Proteína / Fibra
4. Alimentos frescos / precocinados / congelados / baratos
5. Soy alérgico/a / Tengo una intolerancia / Está crudo / Me sienta mal
6. Me da asco / Tiene buena pinta / Está delicioso / Me encanta

Pronunciar dos vocales iguales seguidas

- Dentro de una misma palabra normalmente pronunciamos las dos vocales sin reducirlas cuando hay necesidad de diferenciar la palabra de otra *(azar / azahar)*, o cuando las vocales pertenecen a diferentes sílabas *(le-er, cre-er)*.
- Cuando están en palabras diferentes:
  - generalmente las pronunciamos fusionadas si el acento está en la primera vocal:
    Ayer comió olivas > comió:livas
  - si el acento está en la segunda, es habitual pronunciar las dos vocales sin reducirlas:
    Como ostras > Como-ostras
    Da asco > Da-asco

Ver más en pág. 156

4b 26 Piensa en cómo se pronuncian estas preguntas. Luego, escucha, comprueba y comenta con tu compañero tus respuestas.

1. ¿Crees que tienes una dieta equilibrada?
2. ¿Hay algún alimento que te sienta mal?
3. ¿Hay alguna comida que te da asco?
4. ¿Conoces a alguien que sea alérgico a algún alimento?
5. ¿Te encanta poner aceite en tus ensaladas?

Habla

5 ¿Creéis que son ciertas estas afirmaciones? Comentadlo en pequeños grupos.

- La comida dejará de ser uno de los placeres de la vida.
- Cada día comemos mejor porque la gente está más concienciada con lo que come.
- No hay suficientes controles alimenticios.
- La cocina tradicional es mucho mejor que la comida innovadora.

No es cierto que comamos mejor, porque cada vez hay más comida precocinada que lleva un montón de conservantes. Además,...

EN ACCIÓN

1 Observa esta página web sobre gastronomía con platos para momentos especiales. ¿Sabes en qué países son típicos estos platos? ¿Los has probado?

Arabia Saudí Venezuela China Rusia España Uruguay

PLATOS ESPECIALES

INICIO RECETAS TRUCOS BLOG CONTACTO

Plato con base de arroz que se prepara con otros ingredientes como verduras, carne o pescado y marisco.

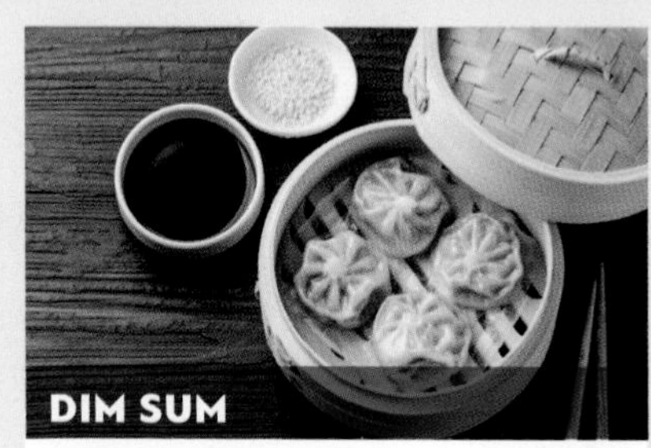

Bollo al vapor relleno de carne, verduras o marisco. Generalmente se sirve en porciones pequeñas con 3 o 4 piezas en cada plato.

Plato tradicional compuesto por arroz blanco cocido, frijoles negros, carne mechada, plátano maduro frito.

Milanesa al horno de carne vacuna habitualmente recubierta como una *pizza*, con salsa de tomate y queso *mozzarella*.

Croqueta de garbanzos que se sirve tradicionalmente con una salsa de yogur o de tahina en pan de pita o como entrante.

Sopa de verduras que incluye generalmente remolacha que le da un color rojo intenso característico.

2 ¿Cuál elegirías tú y para qué momento especial?

Pues yo para una celebración familiar elegiría una paella, que es fácil de preparar para mucha gente, pero para una cena íntima preferiría algo más ligero.

3 DELE Lee el mensaje publicado en una revista de gastronomía y escribe un comentario (entre 130 y 150 palabras) guiándote con las preguntas de la derecha.

COLABORA CON NOSOTROS

Pedimos colaboración a nuestros lectores para completar un estudio que estamos haciendo sobre la relación entre la comida y los momentos especiales de la vida. Cuéntanos tu experiencia.

- ¿Dónde y con quién estabas?
- ¿De qué momento se trataba?
- ¿Qué comiste?
- ¿Cómo fue la comida? ¿Quién la preparó?
- ¿Por qué fue un momento especial?

4 Comparte tus experiencias con tus compañeros. ¿Conocías todos los platos que han comentado? ¿Cuál te gustaría probar?

9 ECONOMÍA Y CONSUMO

TEMAS

- **Y tú, ¿ahorras mucho?:** presentar estadísticas
- **Consumismo:** expresar valoración
- **Pequeñas ideas, grandes inventos:** hablar de inventos

- ¿Crees que tienes demasiadas cosas en casa?
- ¿Te consideras una persona consumista?
- ¿Conoces alguna ONG concienciada con el medioambiente?
- ¿Qué te sugiere la foto?

A Y TÚ, ¿AHORRAS MUCHO?

Habla y lee

1a ¿Estás de acuerdo con estas frases? Coméntalo con tu compañero.

- El dinero no da la felicidad, pero ayuda a conseguirla.
- Para ser rico no importa el dinero que ganes, sino el que seas capaz de ahorrar.
- Es más importante aumentar tus ingresos que reducir tus gastos.

1b Observa la estadística de ahorro de los españoles: ¿te sorprende? ¿Qué consejos comenta el texto para ahorrar? ¿Se te ocurren otros?

¿DEBO AHORRAR PARA SER FELIZ?

Es conocida de sobra la frase "el dinero no da la felicidad pero ayuda a conseguirla". Sin embargo, un estudio reciente nos muestra que más de una cuarta parte de los españoles no tiene ahorros para cubrir gastos imprevistos. Y casi la mitad solo consigue ahorrar menos de 200 € al mes.

La disminución del gasto en ocio o productos de consumo que no son de primera necesidad como vacaciones, salidas nocturnas o compra de ropa fuera de temporada de rebajas, son algunos de los "caprichos" a los que casi tres de cada cuatro de los encuestados ha renunciado para lograr ahorrar algo a fin de mes.

Los expertos indican que la mayor parte de la gente se siente más feliz cuando cuenta con un colchón financiero que protege su economía en caso de imprevistos. Para ello se aconseja guardar el 10 % de la nómina de forma automática en cuanto se recibe y gastar en aquello que realmente se necesita, es decir, evitar gastos innecesarios. Por último, se recomienda pensar en cómo obtener una buena rentabilidad del dinero ahorrado con ayuda de un buen asesor.

Aunque parezca increíble, para la mayoría de los encuestados ahorrar dinero influye más sobre la felicidad que tener un salario alto. En conclusión, se puede decir que ahorrar aumenta la sensación de tranquilidad y bienestar y disminuye la incertidumbre: el objetivo no debería ser acumular riqueza, sino tener lo necesario para conseguir una mejor calidad de vida.

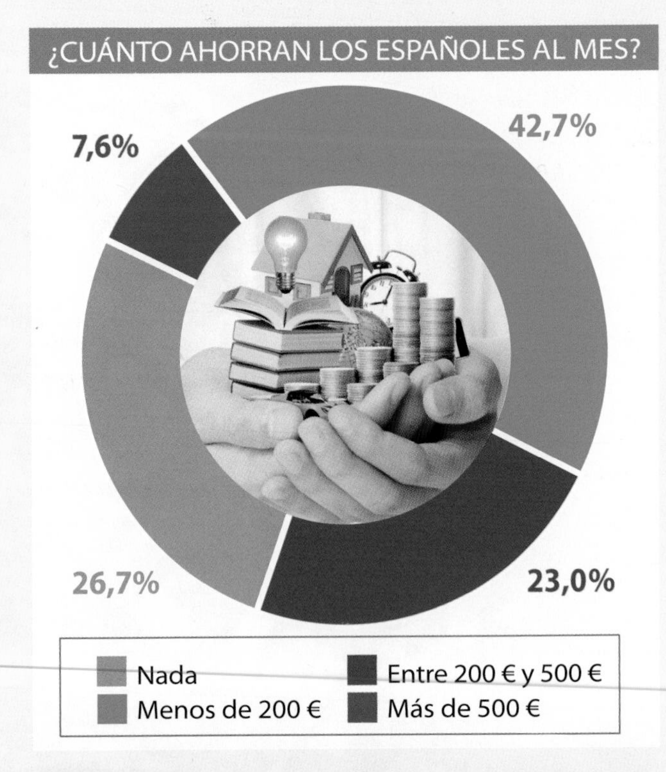

Cada país tiene su propia capacidad y forma de ahorro que puede ser colectiva o individual. Según datos del banco Revolut, China es la nación con mejores resultados en materia de ahorro en los hogares, seguido de Suiza y Luxemburgo. Por detrás de ellos está Suecia, Alemania ocuparía el quinto lugar y Corea del Sur el sexto. Austria, Estonia y Hungría se situarían por delante del décimo puesto, correspondiente a República Checa.

1c ¿Estás de acuerdo con la conclusión del texto anterior?

Vocabulario

1d Mira el contexto en el que aparecen las siguientes expresiones en el texto de la actividad **1b** y piensa en su significado. Coméntalo con el resto de la clase y con el profesor.

1. Renunciar a un capricho.
2. Contar con un colchón financiero.
3. Ahorrar disminuye la incertidumbre.
4. Gastos imprevistos.
5. Disminución de gastos.
6. Productos de primera necesidad.
7. Evitar gastos innecesarios.
8. Acumular riqueza.

Renunciar a un capricho significa no comprar cosas que no necesitas, por ejemplo...

2a Vuelve a leer el texto y busca expresiones para completar el cuadro. ¿Qué opinas de este *ranking* de países más ahorradores?

Presentar estadísticas

1 Para presentar estadísticas usamos **expresiones de cantidad** como:

- El doble (de), la mitad (de), un tercio (de)...: *La mitad de los jóvenes / un tercio de los adultos.*
- El veinte / treinta por ciento (de)...: *Casi el 30 % de los ciudadanos no logra ahorrar nada a fin de mes.*
- La mayoría (de)...
- ____________________
- ____________________
- ____________________

2 También usamos los números ordinales para **situar en un *ranking***:

1.º (primero) *China*
2.º (segundo) *Suiza*
3.º (tercero) ________
4.º (cuarto) *Suecia*
5.º (________) *Alemania*
6.º (________) *Corea del Sur*
7.º (séptimo) ________
8.º (octavo) *Estonia*
9.º (noveno) ________
10.º (________) *República Checa*

Ver más en pág. 157

2b Practica con tu compañero. El alumno A abre el libro por la página 118 y el alumno B, por la página 124.

2c Piensa si estas frases son verdaderas (V) o falsas (F). Luego, pregunta a tus compañeros para confirmarlo.

1. ☐ La mitad de las personas de esta clase sabe hablar más de tres idiomas.
2. ☐ Solo un cuarto de la clase ha viajado por diferentes países de Sudamérica.
3. ☐ Una de cada tres personas de esta clase ha estudiado español de pequeño/a.
4. ☐ Solo un tercio de la clase puede tocar un instrumento musical.
5. ☐ La mayor parte de la clase quiere hacer un examen oficial de español.

- *¿Habláis más de tres idiomas?*
- *Yo sí, hablo cuatro: ¿y vosotros?*

Investiga y habla

3a En grupos, preparad un cuestionario para descubrir si sois ahorradores o no. La siguiente infografía puede daros ideas.

CONSEJOS PARA AHORRAR EN LA ECONOMÍA DOMÉSTICA

1. Compara precios y busca ofertas.
2. Evita comprar por impulso y renuncia a los caprichos.
3. Antes de hacer clic en compras *online*, plantéate si verdaderamente lo necesitas.
4. Ahorra agua y energía en electrodomésticos eficientes y ecológicos.
5. Reduce el consumo de calefacción o aire acondicionado con unas buenas ventanas.

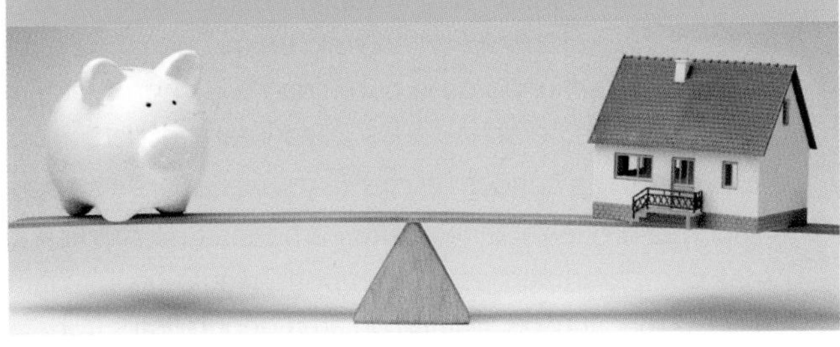

¿Comparas los precios en diferentes páginas web o tiendas antes de comprar?

3b Haz el cuestionario a los miembros de otros grupos y apunta sus respuestas.

3c Vuelve a tu grupo inicial para analizar los resultados y preparad una estadística con la información obtenida.

Los resultados de nuestra encuesta muestran que dos tercios de la clase compara precios antes de comprar; además...

B CONSUMISMO

Habla y lee

1a ¿Qué tipo de cosas compras por internet? Coméntalo con tu compañero.

- *Yo siempre reservo los billetes de avión y los hoteles por internet, pero no suelo comprar muchas cosas.*
- *Pues yo normalmente hago la compra por internet. Me parece muy cómodo y rápido.*

1b Lee el siguiente artículo sobre la publicidad en internet. ¿Te sientes identificado? ¿Estás de acuerdo con alguno de los comentarios que han publicado los lectores?

NOTICIAS | MUNDO

Noticias | Internacional | Economía | Tecnología | Ciencia

Cómo las marcas te espían por internet

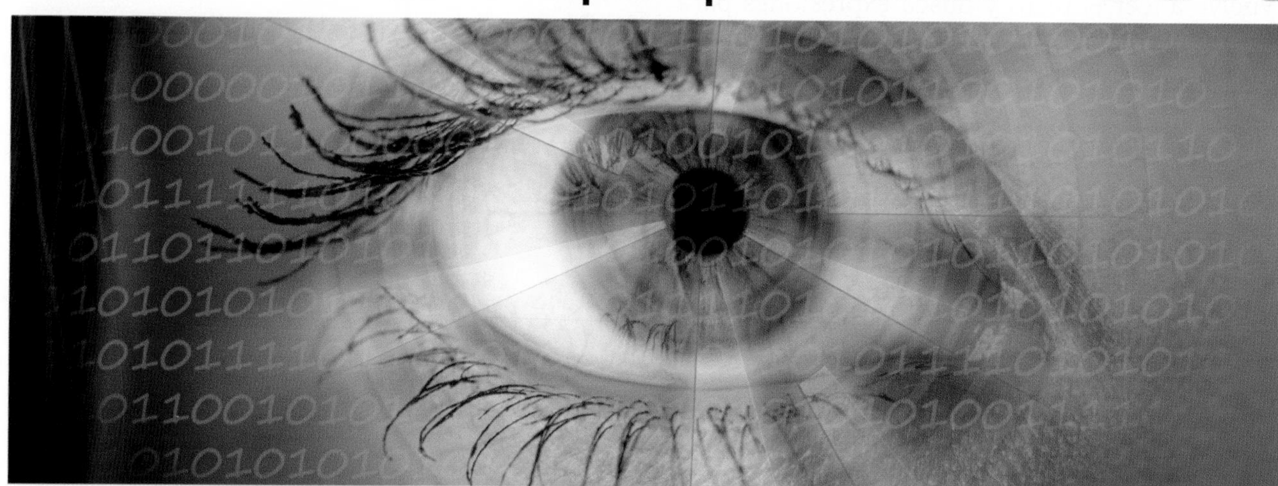

Hace algunos días, compré un billete de avión por internet. Poco después, cuando entré en mi cuenta de Facebook, me sorprendí al comprobar cómo la red social me mostraba anuncios sobre el lugar al que voy a viajar. Pero eso no fue todo, YouTube también me sugirió varios vídeos sobre mi nuevo destino vacacional. Y, cuando reservé el alojamiento a través de una página web, recibí un anuncio en mi cuenta de Gmail con promociones exclusivas para ese mismo viaje.

Vivimos en el mundo de la publicidad a la carta y las empresas lo justifican: "Los consumidores responden positivamente a los anuncios personalizados", aseguran desde el blog sobre medios digitales y publicidad Puro Marketing. [...]

"Es importante conocer al cliente y saber cuál es su comportamiento de compra *online*", explican. Pero, ¿cómo lo hacen? "Muchas organizaciones usan campañas de *marketing* dirigido en sitios como Google AdWords. Este tipo de plataformas comparan perfiles del comportamiento de los internautas que las empresas pueden usar para dirigir su publicidad a una audiencia específica en un área geográfica". [...]

Las tiendas *online* y los sitios web almacenan un registro de lo que compras en internet. Además, las redes sociales como Facebook tienen toda la información que incluyes en tu perfil, desde las cosas que te gustan hasta los grupos de los cuales eres miembro, tu localización geográfica y los anuncios o las páginas web en los que haces clic". [...]

COMENTARIOS

ANA_G - Para mí, **es estupendo** recibir anuncios personalizados; esto me ahorra mucho tiempo.

RICO2 - Personalmente, no me importa. Ya que tengo que ver anuncios al navegar por internet, **me parece bien** que sean de cosas que pueden interesarme.

PEDRO_RC - **Es una vergüenza** que nos rastreen cada vez que hacemos un clic. No nos engañemos: las empresas lo usan para su beneficio, no el tuyo.

CARLA_87 - A mí **me parece terrible** que la mayoría de la gente no sepa qué hacen con sus datos cuando se registran en una red social o una tienda *online*.

TRES29 - No merece la pena obsesionarse, pero **me parece sensato** tomar algunas medidas fáciles de aplicar, como no abrir enlaces sospechosos, cerrar sesiones, borrar historiales...

Vocabulario

1c Busca en el artículo anterior vocabulario relacionado con internet. Compara tu lista con la de tus compañeros.

Cuenta de Facebook,...

Gramática

2a Fíjate en estas dos frases y relaciónalas con su significado. Después, completa el cuadro.

1 Nos rastrean por internet. 2 Me parece terrible que nos rastreen por internet.	a Declaro mi valoración de algo. b Informo de algo.

Expresar valoración

Está / Me parece [bien / mal]

Es / Me parece + [lógico / increíble / estupendo / una vergüenza / terrible / sensato / ...]

*Para mí es estupendo **recibir** anuncios personalizados.* (yo)

*Es una vergüenza que **nos rastreen**.* (las empresas)

Usamos el modo (1) ______________ cuando en la oración subordinada hay un sujeto específico que no coincide con la persona que valora. Sin embargo, cuando coincide o hacemos una valoración general, usamos (2) ______________.

Ver más en pág. 157

2b Completa estas frases poniendo un verbo en el tiempo correcto. Luego, busca a personas en clase que estén de acuerdo con estas valoraciones.

abrir prohibir subir poder pagar

1 Es una vergüenza que no __________ votar los jóvenes de 16 años.
2 Es lógico que las tiendas __________ los domingos.
3 Me parece genial __________ la entrada de coches en el centro de las ciudades.
4 Me parece bien que los extranjeros __________ más que los locales en los museos.
5 Me parece terrible que los precios de los alojamientos __________ cuando hay eventos deportivos.

Pronunciación y ortografía

2c 27 Lee la información del cuadro sobre la diéresis y decide si las siguientes palabras la llevan o no. Luego, escucha y comprueba.

1 pinguino	6 Nicaragua
2 Guinea	7 paraguas
3 antiguo	8 paraguero
4 antiguedad	9 piraguismo
5 nicaraguense	10 piragua

La diéresis (¨)

Es un signo ortográfico para indicar que se debe pronunciar la vocal ***u*** en las sílabas ***gue / gui***. En mayúsculas también se escribe: *vergüenza, BILINGÜE.*

Hablar

3 Vais a participar en un debate. Tirad una moneda: si sale cara estáis a favor y, cruz, en contra. Preparad, por grupos, argumentos para defender vuestra postura. Recordad comenzar con una valoración.

- El manejo de dispositivos electrónicos por parte de menores.
- La manipulación genética.
- La adopción de niños por padres solteros.
- La experimentación con animales.
- El *boom* de los productos ecológicos.

- *A nosotros nos parece bien que se experimente con animales porque...*
- *Nosotros pensamos que es injusto que se haga, pues...*

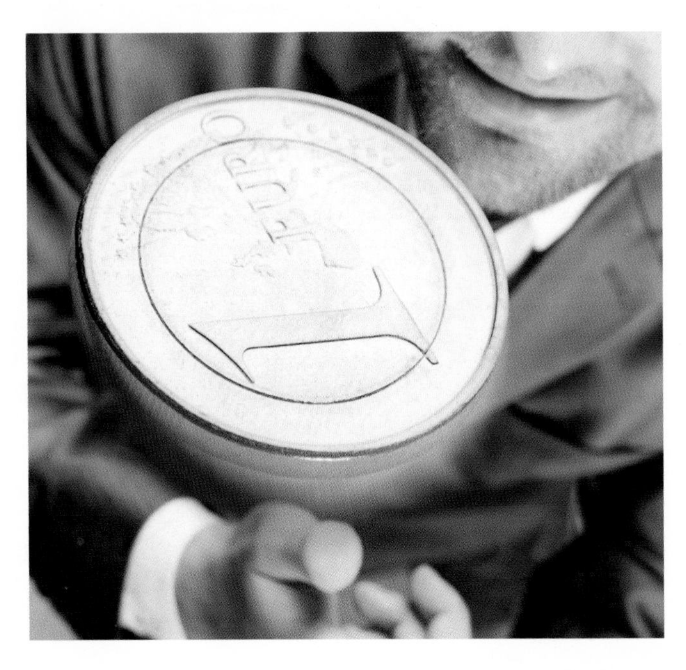

C PEQUEÑAS IDEAS, GRANDES INVENTOS

Habla y lee

1a Mira el título y las imágenes de la infografía: ¿qué objetos reconoces? Coméntalo con tu compañero.

- *Hay una imagen con una bicicleta de gimnasio, pero el lugar no parece un gimnasio, ¿no?*
- *Ya, es cierto. ¿Y qué lugar crees que es?*

1b Ahora, lee la infografía. ¿Qué invento te parece más interesante? Coméntalo con tu compañero.

INVENTOS PARA UN MUNDO MEJOR

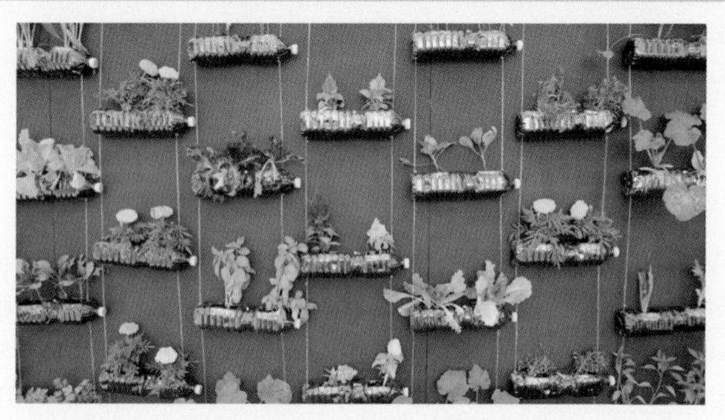

JARDÍN VERTICAL CREADO CON BOTELLAS DE PLÁSTICO
Las botellas se pueden colocar en diferentes posiciones creando formas cuadradas o rectangulares en tu pared.

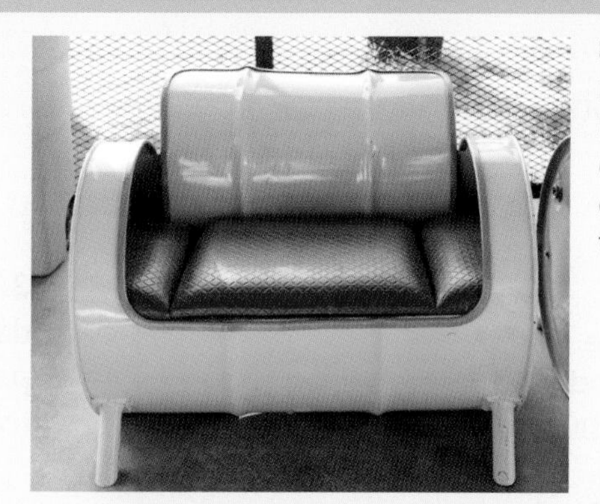

SILLÓN HECHO A PARTIR DE UN BARRIL DE METAL
El barril se combina con cojines hechos de cuero o tela donde poder sentarse cómodamente.

PAJITAS DE BAMBÚ PARA TUS BEBIDAS
Tienen la misma forma alargada que las de plástico, pero son mucho más ecológicas y resistentes.

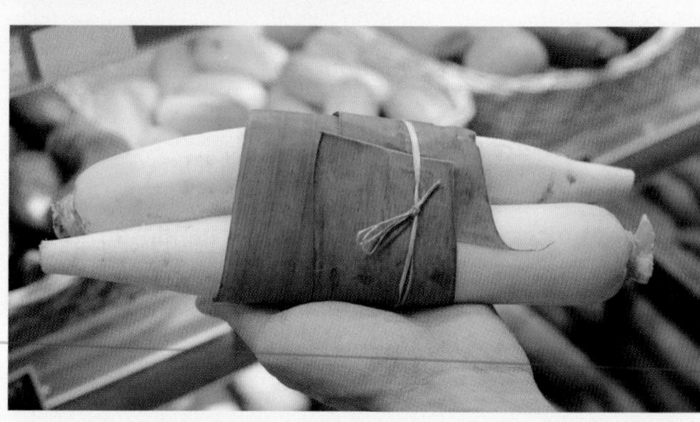

HOJAS DE PLÁTANO PARA ENVOLVER TUS VERDURAS
Estas hojas son muy elásticas y, por tanto, ideales para cubrir cualquier alimento.

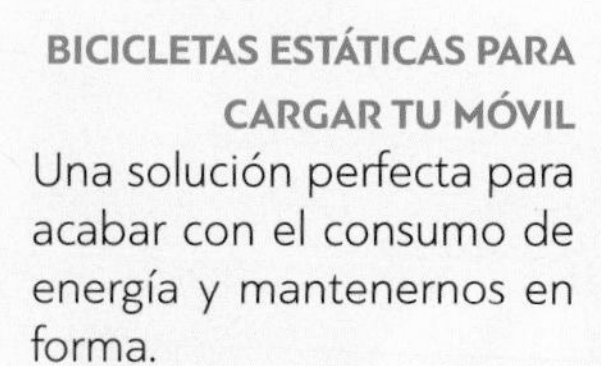

BICICLETAS ESTÁTICAS PARA CARGAR TU MÓVIL
Una solución perfecta para acabar con el consumo de energía y mantenernos en forma.

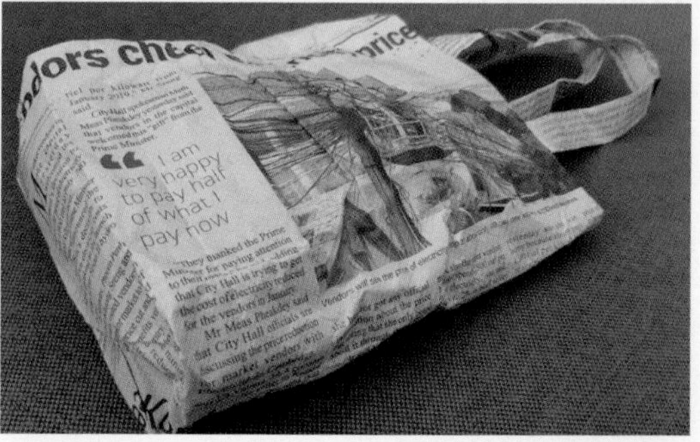

BOLSAS HECHAS CON PERIÓDICOS RECICLADOS
Como el papel es un material blando, se han pegado varios juntos para reforzarlo y poder transportar cualquier objeto.

Vocabulario

1c Busca en la infografía anterior vocabulario para describir objetos: forma (circular, triangular...), material (de algodón, de madera...) y otras características (suave, duro...).

1d Piensa ahora en un objeto que hay en clase. Tu compañero va a hacerte preguntas para adivinar qué es.

- *¿Qué forma tiene?*
- *Es alargado.*
- *¿De qué está hecho?*
- *De madera.*
- *¿Para qué sirve?*
- *Para...*

Escucha

2a Con motivo de la celebración de la Feria de los Inventos, en un programa de radio han pedido que los oyentes propongan ideas para crear nuevos inventos. ¿Cuál de ellos te parece que ya existe?

1. Un llavero con geolocalizador para poder encontrar las llaves.
2. Un aparato que nos diga por qué llora un bebé.
3. Una crema solar que cambie su nivel de protección según nuestra piel lo necesite.
4. Unas zapatillas que cambien de color.

2b 28 Ahora escucha el programa anterior y comprueba tus respuestas.

Gramática

3a Fíjate en estas dos frases extraídas del audio anterior. ¿En cuál de ellas habla de unas zapatillas que no sabe si existen todavía o no tiene identificadas? ¿Qué modo verbal se utiliza para expresarlo?

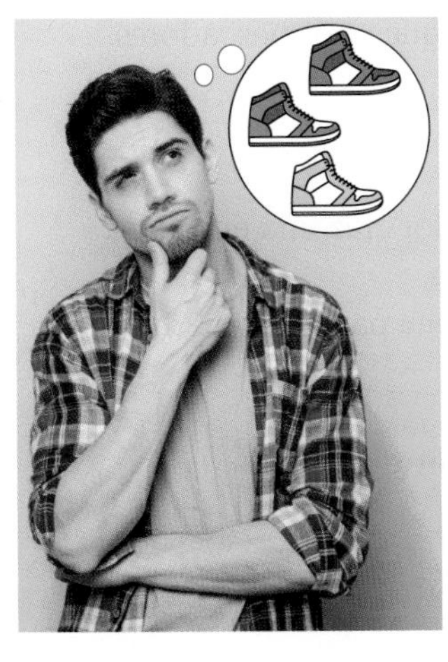

1 Pedro quiere unas zapatillas que **cambien** de color.

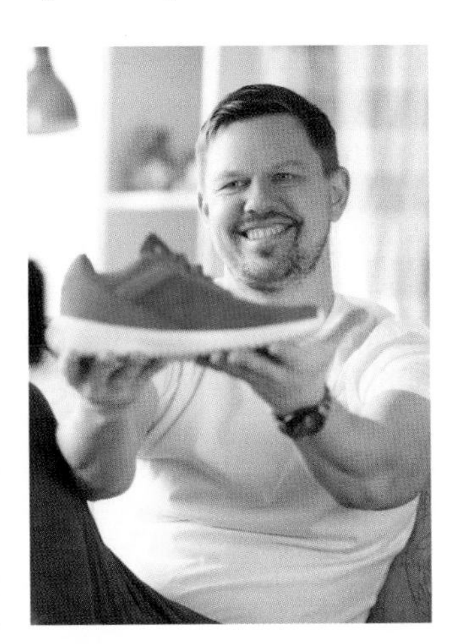

2 Yo tengo unas zapatillas que **cambian** de color dependiendo de la luz.

Identificar un objeto, un lugar o a una persona

Para identificar un objeto, un lugar o una persona podemos utilizar una oración de relativo:

Felipe es el chico que está hablando con Eva.

- En las oraciones de relativo usamos el **indicativo** cuando hablamos de algo que conocemos, que tenemos identificado:
  Busco un móvil que está ahora de oferta; ¿lo tienen? (Sé que hay un móvil de oferta).
- Usamos el **subjuntivo** cuando hablamos de algo que no conocemos o que todavía no tenemos identificado:
  Busco un móvil que esté de oferta, ¿tienen alguno? (No sé si hay alguno de oferta).

Ver más en pág. 158

3b Elige el verbo correcto.

1. ¿Qué gafas me compro?
   Aunque son más caras, cómprate mejor estas que **protegen / protejan** de los rayos del sol.
2. ¿En qué puedo ayudarla?
   Busco un abrigo que **es / sea** impermeable, ¿tienen alguno?
3. ¿Te has cambiado ya de piso?
   Todavía no, busco uno que **tiene / tenga** terraza, pero en esta zona no encuentro nada.
4. ¿Conoces a Adrián?
   ¿Adrián? Sí, claro, el chico que **trabaja / trabaje** en recepción, ¿no?
5. ¿Qué estás haciendo?
   Arreglando una lámpara, pero necesito a alguien que **sabe / sepa** de electricidad.

Investiga y habla

4a En parejas, vais a imaginar un nuevo invento. Pensad en su utilidad, su forma, el material... Preparad una presentación para vuestros compañeros y explicadles por qué pensáis que debe existir. ¿Alguien conoce algo parecido?

- *Nosotros queremos tener un robot que pueda llevarnos a la cama todas las mañanas el café. Podría estar hecho de metal y conectarse por las noches a un cargador de energía. Además de preparar y llevar el café, también podría...*
- *Pero ya hay robots que sirven en casas, ¿no?, y que hacen compañía...*

4b ¿Qué invento os ha gustado más? ¿Por qué?

EN ACCIÓN

1 **Lee estas frases y comenta su significado con tu compañero. ¿Estáis de acuerdo?**

- Un poco de dinero evita las preocupaciones; mucho, las atrae.
- La riqueza es como el agua salada: cuánto más se bebe, más sed da.

2a **DELE** **Vas a leer un cuento popular sobre un rico empresario y un pescador. Después, debes contestar a las preguntas (1-4). Selecciona la respuesta correcta (a / b / c).**

EL EMPRESARIO Y EL PESCADOR

Un hombre rico, vestido con ropas caras y espíritu derrochador, iba paseando por el puerto, cuando se encontró con un modesto pescador. El pescador trabajaba en sus redes y en su pequeña barca, y tenía un cubo lleno de peces recién cogidos. El rico empresario le preguntó:

–Oiga, ¡parece un pescador muy bueno! Usted solo y con esta pequeña barca ha pescado un montón de peces. ¿Cuánto tiempo dedica a la pesca?

El pescador respondió:

–Pues mire usted, yo la verdad es que nunca me levanto antes de las 8:00. Desayuno con mis hijos y mi mujer, acompaño a mis hijos al cole y al trabajo, luego voy tranquilamente hasta el puerto, donde cojo mi barca para ir a pescar. Estoy una hora u hora y media, y vuelvo con los peces que necesito, ni más ni menos. Luego, voy a preparar la comida a casa, y paso la tarde tranquilo, hasta que vuelve mi familia y disfrutamos haciendo juntos los deberes, paseando, jugando. Algunas tardes las paso con mis amigos tocando la guitarra.

–¿Entonces me dice que en solo una hora ha pescado todos estos peces? ¡Entonces usted es un pescador extraordinario! ¿Ha pensado en dedicar más horas al día a la pesca?

–¿Para qué?

–Pues porque si invierte más tiempo en pescar, ocho horas, por ejemplo, usted tendría ocho veces más capturas, y así podría reinvertir en una barca más grande, o incluso contratar a pescadores para que salgan a faenar con usted, y así tener más capturas.

–¿Para qué?

–Pues con este incremento de facturación, ¡su beneficio neto sería seguro envidiable! Podría llegar a tener una pequeña flota de barcos, y así, hacer crecer una empresa de pesqueros que le harían a usted muy, muy rico.

–¿Para qué?

–¿Pero no lo entiende? Con este pequeño imperio de pesca, usted solo se tendría que preocupar de gestionarlo todo. Usted tendría todo el tiempo del mundo para hacer lo que le venga en gana.

–¿Y no es eso lo que estoy haciendo ahora mismo? –concluyó el pescador.

1 Según el texto, el pescador...
- **a** volvía de pescar.
- **b** estaba pescando.
- **c** preparaba las redes para salir a pescar.

2 ¿Cuánto tiempo dedicaba a pescar cada día?
- **a** Una hora y media.
- **b** Más de una hora y media.
- **c** No más de una hora y media.

3 El empresario está sorprendido porque el pescador...
- **a** había pescado ocho veces más que otros pescadores.
- **b** podría ganar mucho dinero.
- **c** había trabajado muchas horas.

4 El empresario cree que si el pescador crea una empresa...
- **a** podrá invertir su dinero en bolsa.
- **b** necesitará contratar a una persona para gestionarla.
- **c** trabajará menos.

2b **¿Cuál es la moraleja de este cuento? ¿Con qué personaje te identificas más: con el pescador o con el empresario? ¿Por qué? Coméntalo con tu compañero.**

- *Yo tengo una forma de pensar más parecida a la del pescador, porque me parece que es importante...*
- *Pues yo soy más parecido al empresario, porque...*

2c **Piensa o busca en internet un cuento popular en tu cultura con moraleja y preséntaselo a tus compañeros. ¿Lo conocían? ¿Existe algo similar en sus culturas?**

INSTRUCCIONES DEL JUEGO

- Dividid la clase en tríos.
- Por turnos, tira el dado y avanza desde la SALIDA hasta la LLEGADA. Tienes que completar la frase de la casilla. Si caes en una casilla con flecha, te mueves en la dirección marcada.
- Tira una moneda: si sale "cara", dices la verdad; si sale "cruz", dices una mentira. Tus compañeros no pueden verlo y tienen que adivinar si es verdad o mentira. Si lo adivinan, pasa el turno a otro compañero; si no, continúas.
- El primero en llegar a la meta, gana.

Vocabulario para jugar

- ¿Quién empieza?
- Me toca / Te toca / Vuelvo a tirar
- Seguro que es verdad
- No creo que sea verdad
- ¡He ganado!

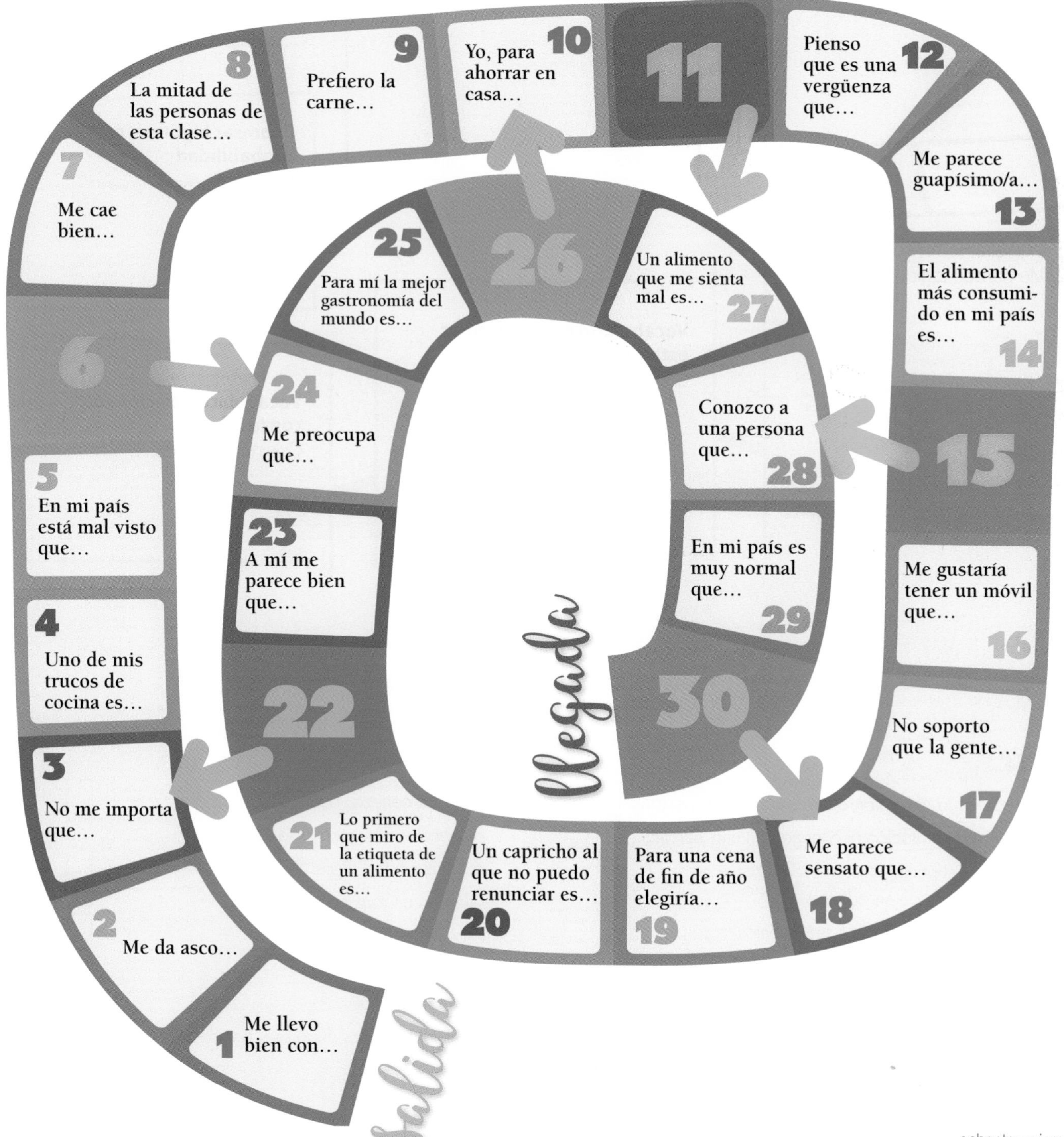

AHORA SÉ...

Completa el cuadro con palabras y expresiones que quieres recordar.

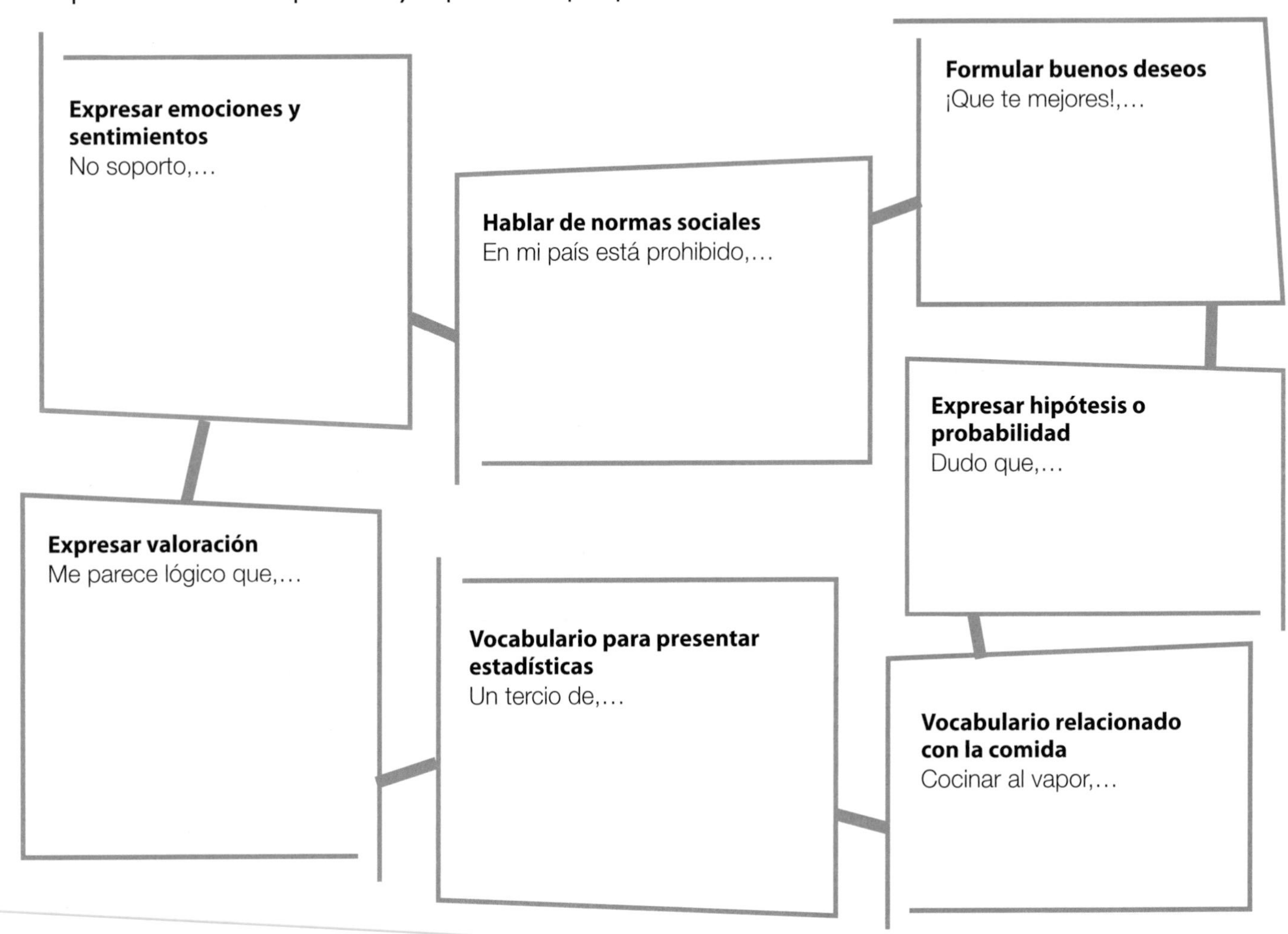

VALORA TU PROGRESO

Sé...

- valorar la impresión que me causa una persona ☐ ☐
- valorar la relación que tengo con una persona ☐ ☐
- usar el superlativo para intensificar el significado de un adjetivo ☐ ☐
- expresar emociones y sentimientos ☐ ☐
- hablar de normas sociales ☐ ☐
- formular buenos deseos ☐ ☐
- expresar finalidad ☐ ☐
- expresar hipótesis o probabilidad ☐ ☐
- expresar certeza, duda o falsedad ☐ ☐
- pronunciar dos vocales iguales ☐ ☐
- presentar estadísticas ☐ ☐
- situar en un *ranking* ☐ ☐
- expresar valoración ☐ ☐
- usar la diéresis ☐ ☐
- describir objetos ☐ ☐
- identificar objetos, lugares y personas ☐ ☐

10 CUERPO Y MENTE

TEMAS

- **¿Cómo llevar una vida sana?:** hábitos saludables
- **Salud emocional:** hablar de emociones
- **El deporte en la vida:** biografías de deportistas

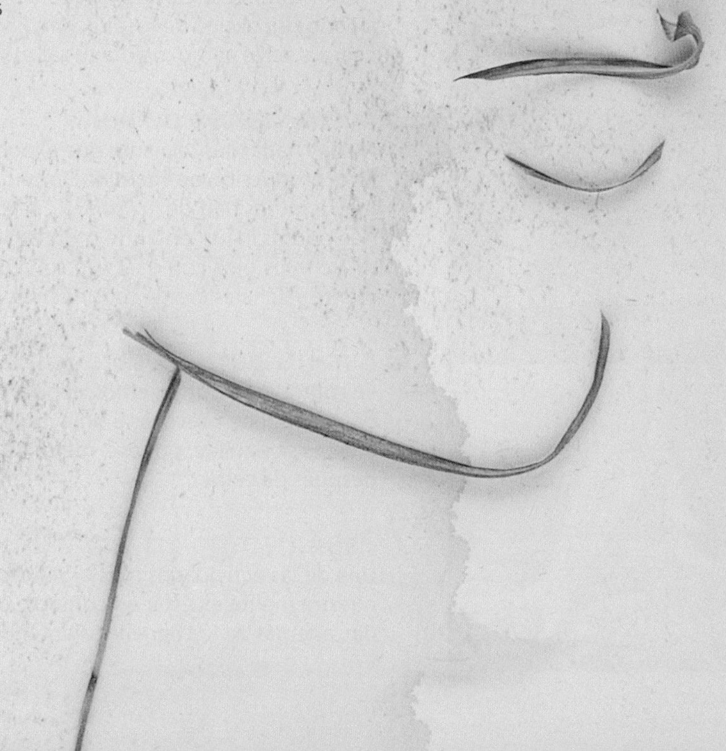

- ¿Crees que llevas una vida sana?
- ¿Conoces a alguien con buena salud emocional? ¿Quién es?
- ¿Eres aficionado/a al deporte? ¿A cuál?
- ¿Qué te sugiere la foto?

A ¿CÓMO LLEVAR UNA VIDA SANA?

Lee y habla

1a ¿Qué significa para ti llevar una vida sana? Discútelo con tus compañeros. ¿Tenéis diferentes opiniones?

- *A mí me parece que hacer deporte es importantísimo para tener una vida sana.*
- *Sí, y también...*

1b Observa las imágenes: ¿qué hábito saludable puede representar cada una? Luego, lee el texto y comprueba. ¿Te sorprende alguno de los hábitos que menciona el texto? Coméntalo con tus compañeros.

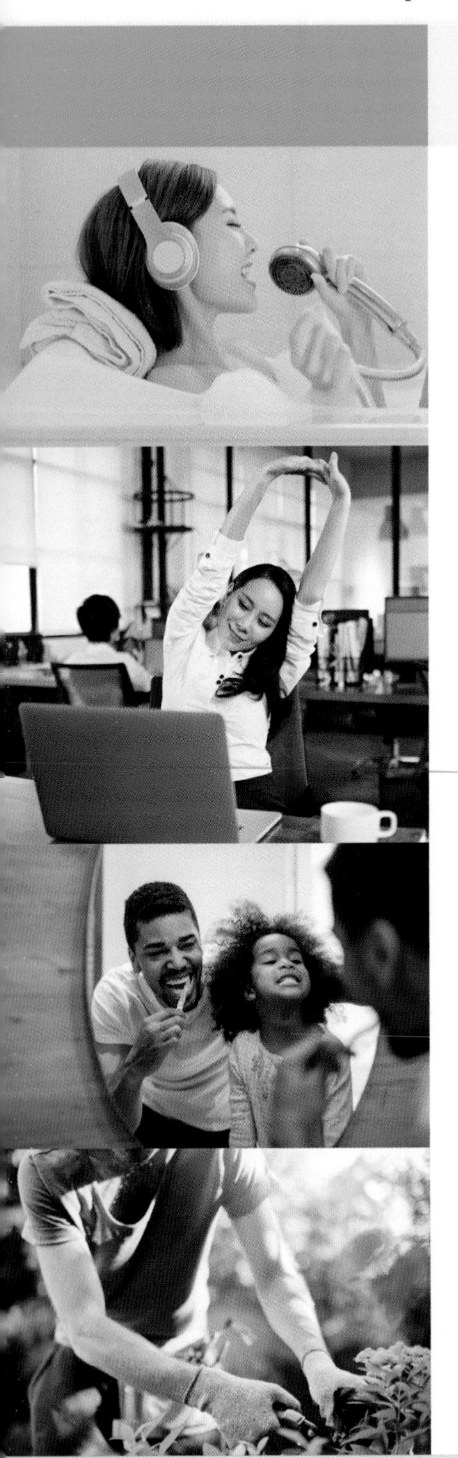

7 HÁBITOS SALUDABLES QUE PUEDE QUE NO CONOZCAS

1 Duerme desnudo
Muchos expertos coinciden en que, mientras no haga demasiado frío, dormir sin ropa es una costumbre muy beneficiosa porque permite regular mejor la temperatura, lo que ayuda a conseguir un sueño más profundo y reparador. Así que ya sabes: olvídate de tu camisón o tu pijama.

2 Canta en la ducha
Una práctica fácil de seguir es cantar mientras te duchas: aporta beneficios físicos y psicológicos y reduce el estrés, mejora nuestra autoestima y estimula el sistema inmunológico.

3 Mejora tu postura
Muchos dolores de cabeza o pies y gran parte de las lesiones de cuello y espalda se deben a una mala postura al sentarnos, pues a menudo nos encorvamos o llevamos nuestro peso hacia atrás. Debemos mejorar nuestra postura y fortalecer los músculos de nuestra espalda con ejercicios adecuados y buenas almohadas. El yoga, el pilates o la natación son excelentes opciones para conseguirlo.

4 Respira correctamente
El estrés nos lleva a respirar deprisa y mal. Para mejorar la oxigenación del organismo tenemos que reeducarnos y aprender a respirar de forma más profunda. Pon en práctica algunos ejercicios de respiración diarios para favorecer la relajación y la oxigenación del cuerpo: verás cómo mejora tu salud y metabolismo.

5 Toma baños de sol
No hay nada más relajante que exponerse al sol de forma controlada a la vez que estimulas la producción de vitamina D, aunque has de tener cuidado y evitar las horas del día con mayor intensidad de luz solar. Te recomendamos que empieces por baños de sol cortos, que podrás ir aumentando progresivamente hasta un máximo de 50 minutos. Protege el rostro y los ojos con gafas de sol apropiadas y, si estás con niños, pónselas obligatoriamente y échales crema continuamente.

6 Espera para lavarte los dientes
En contra de lo que creemos, cepillar los dientes inmediatamente después de haber comido algo puede provocar un mayor desgaste de los mismos y hacer que el esmalte de los dientes se debilite: por eso, mejor espera un rato y lávatelos entre 30 minutos y una hora después de comer.

7 Pasa tiempo en tu jardín
Una de las actividades más gratificantes y más saludables para reducir el estrés y relajar nuestra mente es estar en contacto con la naturaleza. Cultivar un huerto o cuidar un jardín, además de los beneficios anteriores, te ayudará a tener los huesos más sanos.

Gramática

2a Lee estos consejos extraídos de la infografía anterior y comenta a qué hacen referencia los pronombres subrayados. Luego, observa el cuadro para recordar cómo debes usarlos.

1 Lávate**los** entre 30 minutos y una hora después de comer.
2 Écha**les** crema continuamente.
3 Pón**selas** obligatoriamente.

Posición de los pronombres con el imperativo

Los pronombres siempre se colocan detrás del imperativo afirmativo formando una sola palabra. Cuando nos referimos a terceras personas, el pronombre de objeto indirecto *(le / les)* cambia a **se** si aparece antes de otro pronombre de objeto directo *(lo / la / los / las)*:

*Pon**le** crema al niño.*

*Écha**se**la media hora antes de tomar el sol. (~~échalela~~)*

Ver más en pág. 159

Pronunciación y ortografía

2b Mira la información del cuadro y completa estos consejos sobre salud y nutrición con el verbo y el pronombre correspondiente. Pon tilde si es necesario. ¿Estás de acuerdo con ellos?

1 ¿Te gusta comer fruta? _______________ (tomar la fruta) mejor antes de comer, no después.
2 ¿A tu hijo no le gusta la verdura? _______________ (preparar la verdura a tu hijo) en forma de pastel: seguro que le gusta más.
3 ¿Por qué no regalar un curso de cocina saludable a un amigo que tiene malos hábitos alimenticios? _______________ (regalar el curso a tu amigo) por su cumpleaños: le sorprenderá.
4 La práctica de ejercicio regular genera bienestar: busca un deporte que te guste e _______________ (introducir el deporte) en tu rutina diaria.

La tilde en los imperativos

Al añadir pronombres al imperativo afirmativo el acento de la palabra no cambia de lugar, pero si la sílaba acentuada pasa a la tercera posición *(pónselos)* o a la cuarta *(coméntaselo)*, es necesario escribir la tilde.

Ver más en pág. 159

Escucha y habla

3a 29 En una entrevista al médico y psiquiatra Rafael Casas, le preguntan qué representa la regla de los cuatro números "5210" para llevar una vida saludable en familia. Comenta con tu compañero a qué crees que se refiere cada número. Después, escucha el audio para verificarlo.

a Horas máximas de uso de pantallas
b Raciones de fruta y verdura diarias
c Azúcares añadidos
d Tiempo de actividad física

3b ¿Tú sigues alguno de estos hábitos? Coméntalo con tu compañero.

Yo generalmente como fruta y verdura, pero no sé si llego a tantas raciones. ¿Y tú?

Escribe y habla

4a Dividid la clase en dos grupos. En un papel escribe tres cosas que te cuesta hacer para llevar una vida saludable. Cada miembro de tu grupo debe escribir en tu papel consejos para superar tus dificultades.

- Me cuesta mucho...
- Me resulta muy duro...
- Me parece muy estresante...
- No consigo...

Me cuesta mucho prepararme la comida por la mañana; por eso suelo comer bocadillos en el trabajo.

4b Recoge tu papel y selecciona los dos consejos más útiles. Léeselos a los miembros del otro grupo para que adivinen cuál era el problema.

- *Me han dicho: "cocina más cantidad para la cena y las sobras llévatelas en un táper para el día siguiente: así comerás mejor y más barato".*
- *¿Es porque te cuesta prepararte la comida por la mañana?*

B SALUD EMOCIONAL

Habla y lee

1a Mira las fotos y comenta con tu compañero qué les pasa a estos niños. Después, relaciona las siguientes emociones con la imagen correspondiente. Puede haber varias opciones.

- *Rafael está alegre, ¿no?*
- *Sí, sí, parece muy contento. Y Sandra yo creo que está…*

la ira | el miedo | el asco | la tristeza | la alegría | la preocupación | la rabia | la felicidad | la pena

Sandra | Lucas | Rafael | Gonzalo | Paula

1b ¿Sabes qué es la "inteligencia emocional"? Lee la siguiente entrevista a Elsa Punset, especialista en ella, y compruébalo.

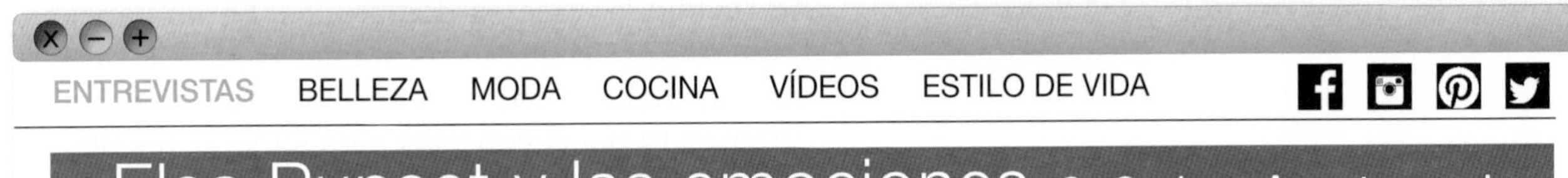

Elsa Punset y las emociones: 3, 2, 1... ¡A entrenar!

[1] **"No llores", "no te enfades", "estate tranquilo"... ¡eso es "gestión" emocional!**
Pues no. Durante mucho tiempo hemos despreciado las emociones, porque no las entendíamos: las enfrentábamos a la razón, creíamos que eran irracionales, que se podían ignorar y reprimir. Ahora sabemos que no es así, que tenemos un cerebro emocional, ¡y además hemos descubierto que podemos entrenarlas! ¡Esta es una llave de libertad enorme para las personas! Podemos aprender desde que nacemos a gestionarlas: a calmarlas, filtrarlas y transformarlas. Y si lo aprendes de niño, ¡tienes tanto ganado!

[2] **Pero, ¿se puede ayudar a un hijo cuando el inmaduro emocional es uno mismo?**
Si aún tienes, como tenemos todos, cosas por aprender y desaprender, los hijos ofrecen una oportunidad magnífica para revisar tu infancia, crecer y madurar. Educar es una aventura, un camino de ida y vuelta entre todos los que conviven. [...]

[3] **Pues la tentación de muchos padres es la de proteger, evitar los sentimientos "negativos". Mejor que no sufran...**
¡Eso no es posible! Hasta el niño más feliz o afortunado va a tener que enfrentarse a situaciones difíciles: la muerte de un ser querido, burlas de compañeros, una mudanza, la pérdida de una mascota, un divorcio. Es mejor prepararlo para que sepa gestionar esas emociones difíciles, que no son negativas ni positivas, son útiles o perjudiciales. ¡Cada emoción tiene un sentido evolutivo! La ira bien utilizada sirve para defender una causa justa, el miedo es la señal de alarma que te protege, la tristeza te dice que estás perdiendo algo que valoras, el asco te avisa de que algo puede envenenarte. Enseñándoles a poner nombre y a gestionar sus emociones, aprenderán a ser sus dueños y no sus esclavos. [...]

[4] **Y sin apenas minutos para hablar, ¿cómo vamos a saber qué sienten nuestros hijos...?**
Si eres padre o madre, casi seguro que empleas muchas energías en asegurar la supervivencia física de tus hijos. Pero, ¿cuánto tiempo dedicas a saber qué le interesa, qué le importa, cómo se lleva con los demás, cómo resuelve conflictos? Y hay que saber preguntar. Las preguntas abiertas, esas que no se contestan con un sí o un no, son la puerta de entrada a las conversaciones.

Extraído de *https://www.telva.com*

1c Vuelve a leer la entrevista y resume cada párrafo en una frase. Luego, en tríos, comparad vuestros resúmenes y mirad si las ideas son diferentes. Negociad cuál pensáis que es mejor.

Vocabulario

1d Elige la opción adecuada. Luego, busca en la entrevista de la activdad **1b** otras palabras y prepara dos definiciones más para tus compañeros.

1 No permitir que un sentimiento se exprese abiertamente es...
  a exteriorizarlo **b** reprimirlo
2 Cuando alguien no ha alcanzado el grado de desarrollo mental de la edad que tiene, decimos que es...
  a maduro **b** inmaduro
3 Las acciones o palabras con las que muchos jóvenes intentan poner en ridículo a un compañero son...
  a burlas **b** chistes
4 Cuando una persona controla sus emociones, decimos que...
  a sabe gestionarlas **b** sabe organizarlas
5 "Hacer una mudanza" significa cambiar de...
  a casa **b** vida

Gramática

2a Piensa qué persona reacciona con más inteligencia emocional a los problemas de estos niños. Después, compáralo con tu compañero.

1 Su mascota ha muerto.
  a No llores, nos vamos a comer una *pizza* para olvidarlo.
  b Es bueno llorar y es normal sentirse así. Lo vamos a echar mucho de menos.
2 Su mejor amiga no la ha invitado a su cumpleaños.
  a Es normal sentirse así. ¿Pero os habéis peleado por algo?
  b No te enfades: no la vamos a invitar al tuyo tampoco.
3 Con seis años tiene miedo a la oscuridad.
  a Apaga la luz y no tengas miedo, que eres mayor.
  b No apagues la luz y cuéntame qué crees que pasa si nos quedamos a oscuras.
4 Le da asco una comida y se pone a llorar.
  a No te lo comas si no te gusta, pero pruébalo primero.
  b No te pongas así y no te levantes hasta que termines todo el plato.

2b En el ejercicio anterior se emplea el imperativo negativo. Fíjate en los ejemplos y completa el cuadro.

Aconsejar y dar ánimo: imperativo negativo

	Regulares			Irregulares	
	llorar	comer	vivir	tener	ponerse
tú			no vivas		
usted	no llore	no coma	no viva	no tenga	no se ponga

El imperativo negativo tiene la misma forma que el presente de **(1) indicativo / subjuntivo.** Los pronombres se colocan **(2) delante / detrás** y separados del verbo: *No te lo comas.*

Ver más en pág. 160

2c En pequeños grupos, en círculo, uno dice uno de estos imperativos, tira una pelota y la persona que la recibe lo dice en negativo. Si es correcto, gana un punto.

dámelo dímelo házselo tómatelo
coméosla póntelo sujétamela

dámelo → no me lo des

2d Comentad en pequeños grupos en qué situación usaríais los verbos anteriores.

Pues "dámelo", por ejemplo, lo diría si mi hermano me coge un jersey y no quiero dejárselo.

2e Practica con tu compañero. El alumno A abre el libro por la página 118 y el alumno B, por la página 124.

Escribe y habla

3a En parejas, preparad respuestas con o sin inteligencia emocional. Para ello usad una moneda: cara con inteligencia emocional y cruz sin inteligencia emocional.

1 Tu compañero de piso te ha preparado la cena, pero está horrible: ¿qué haces?
2 A tu compañero de piso no le funciona el ordenador y ha entrado sin permiso en tu habitación para usar tu portátil: ¿cómo reaccionas?
3 Tu compañero te ha invitado a su fiesta de cumpleaños, pero tú no quieres ir: ¿qué le dices?

"No me prepares más la cena, cocinas fatal" podría ser una respuesta sin inteligencia emocional, ¿no?

3b Dramatizad la escena. Los compañeros dicen si muestra o no inteligencia emocional. Después, votad la mejor representación y la más original.

C EL DEPORTE EN LA VIDA

Habla y lee

1a ¿En tu país hay mucha fascinación por los deportistas? ¿Por cuáles? ¿Crees que es bueno que exista esta admiración?

- *A mí me parece bien, porque dan un buen ejemplo a la gente, especialmente a los más jóvenes.*
- *Sí, pero en algunos casos...*

1b ¿Conoces a Carlos Tévez? ¿Qué puedes decir de él por la imagen del texto? Ahora lee su biografía y señala si las frases son verdaderas (V) o falsas (F). Justifica tu respuesta con frases del texto.

1 ☐ Las heridas de Carlos empeoraron después del accidente con el agua hirviendo.
2 ☐ Su madre cuidó de él durante toda su infancia.
3 ☐ No conoció a su padre biológico.
4 ☐ Tenía muy buenas cualidades, pero no entrenaba mucho.
5 ☐ Después de jugar en China, se retiró.
6 ☐ Se casó con su novia de toda la vida.

Gramática

1c Subraya las frases del texto de Carlos Tévez que has usado en las justificaciones de tus respuestas anteriores y decide si se usa un infinitivo o un gerundio en cada caso del cuadro.

Expresar el estado de desarrollo de una acción

Para expresar el estado de desarrollo de una acción usamos una perífrasis, es decir un verbo conjugado seguido de otro verbo sin conjugar, formando una unidad. Algunas de estas perífrasis necesitan una preposición entre los dos verbos:

1 Expresa la proximidad de una acción: ***estar a punto de*** + ________.
2 Expresa el principio de una acción: ***ponerse a*** + ________.
3 Expresa que la acción continua: ***seguir*** + ________.
4 Expresa que la acción se repite: ***volver a*** + ________.
5 Expresa la duración de la acción: ***llevar*** + ________.
6 Expresa el final o la interrupción de una acción: ***dejar de*** + ________.

Me he puesto a dieta y he vuelto a hacer deporte.

Ver más en pág. 161

BIOGRAFÍA

Carlos Tévez, un modelo a seguir

Carlos Tévez nació en Ciudadela, Argentina, en el barrio de Ejército de Los Andes, conocido como el "Fuerte Apache" por ser una zona con mucha criminalidad y violencia.

A los 10 meses, le cayó agua hirviendo sobre su cuerpo. Su familia lo llevó al hospital, pero pusieron sobre él una manta y sus heridas siguieron creciendo. A día de hoy, Carlos está orgulloso de estas cicatrices, ya que para él significan un pasado que no se debe olvidar.

Cuando salió del hospital, su madre dejó de cuidar a Carlos y fueron sus tíos los que se ocuparon de él. Tévez los considera sus verdaderos padres porque fueron ellos quienes estuvieron con él durante toda su infancia. Con su padre biológico no tuvo relación, ya que murió cuando él estaba a punto de nacer, lo que hizo que su madre enloqueciera.

Desde pequeño, Carlos mostró una gran habilidad para jugar al fútbol y, aunque sabía que era difícil para un chico del barrio de Fuerte Apache llegar a ser un profesional del fútbol, él se puso a entrenar a diario para conseguir su sueño.

Pronto llamó la atención de un cazatalentos, que le propuso jugar en el club All Boys, y de ahí pasó al Boca y debutó como jugador profesional obteniendo cuatro títulos.

Tévez ha jugado para algunos de los más grandes equipos del mundo, como el Corinthians, el Manchester City y el United o la Juventus. Consiguió ser el jugador mejor pagado al firmar un contrato de dos años con el equipo chino Shangay Shehua, pero pronto decidió regresar a Argentina para volver a jugar con el Boca.

1d Lee estas preguntas y añade dos más usando una de las perífrasis del cuadro de la página anterior. Después, pregunta a tu compañero.

1 ¿Hay algo que te gustaría dejar de hacer?
2 ¿Llevas mucho tiempo pensando que quieres hacer algo, pero todavía no lo has hecho?
3 ¿Qué momento de tu vida te gustaría volver a vivir?
4 ______
5 ______

Escucha

2a 30 Lydia Valentín es medalla de oro de halterofilia. Escucha sus respuestas en una entrevista y ordena las siguientes preguntas. Vuelve a escuchar si lo necesitas y toma nota de sus respuestas.

a ☐ ¿Qué opinas de las deportistas femeninas en la actualidad?
b ☐ ¿Estás contenta con el tipo de vida que has elegido?
c ☐ ¿Crees que se sigue valorando poco el deporte femenino?
d ☐ ¿Te preocupa que llegue el momento de dejar de competir?

2b Lee estos comentarios que hace en su entrevista. ¿Estás de acuerdo con ella? Coméntalo con tu compañero.

1 El deporte no es cuestión de sexos y, al final, cada uno tiene que practicar lo que le gusta.

2 El deporte tiene una fecha de caducidad.

Yo no estoy totalmente de acuerdo con que el deporte tenga fecha de caducidad, porque creo que...

Escribe y habla

3a En parejas, pensad en un deportista que destaque por sus valores o su influencia en otras personas. Preparad una presentación sobre su vida: podéis ilustrarla con alguna imagen o vídeo.

3b Escucha las presentaciones de otros grupos. ¿Está bien presentada?; ¿se entiende bien?; ¿es interesante?; ¿han usado correctamente las perífrasis verbales?

Nosotros hemos elegido a... porque nos parece que, además de ser un gran deportista, ha demostrado ser una persona muy altruista. Nació en...

Es un gran jugador que ha conseguido el éxito, no solo en su vida profesional, sino también en la personal, ya que está casado y tiene tres hijos con Vanesa, la chica con la que llevaba años saliendo desde que era muy joven. Carlos ha conseguido convertirse en un modelo a seguir para mucha gente de su barrio, donde han hecho un gigantesco grafiti de él en uno de los bloques, y Netflix ha creado una serie sobre su vida.

Carlos Tévez, de "Fuerte Apache" al fútbol internacional.

EN ACCIÓN

1a DELE En parejas, cada uno elige uno de estos dos temas para hacer una exposición oral de dos o tres minutos de duración. Prepara de forma individual un esquema que te ayude a organizar tu exposición.

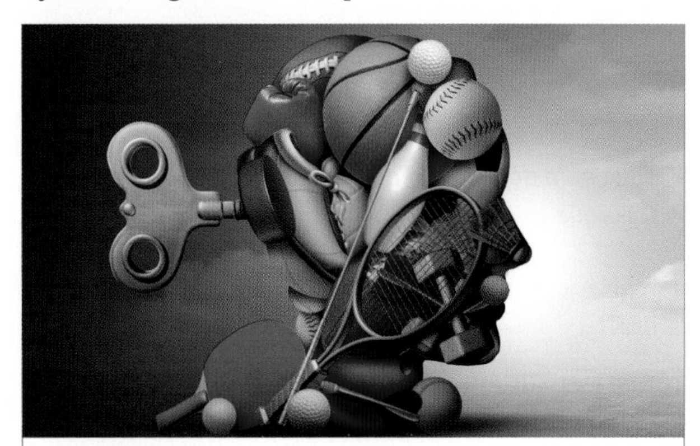

TEMA 1 Habla de los beneficios de practicar actividad física

Incluye información sobre:

- Cuál es la actividad física que más te gusta.
- ¿Haces deporte regularmente?, ¿al aire libre?
- ¿Te gustaría dedicar más tiempo a hacer ejercicio?
- Relación entre deporte y emociones.
- Otras ideas para mantenerse en forma.

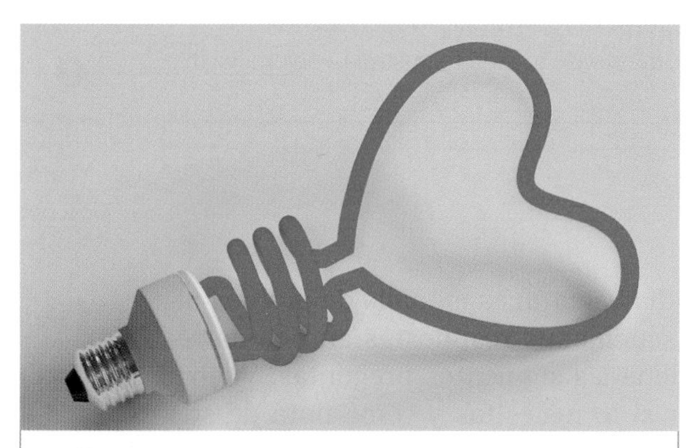

TEMA 2 Habla de la relación entre salud e inteligencia emocional

Incluye información sobre:

- Cómo afecta el carácter en la salud.
- ¿Te resulta fácil expresar cómo te sientes?
- El carácter y las relaciones sociales y laborales.
- ¿Qué podemos hacer para sentirnos mejor?
- Otras ideas para llevar una vida saludable.

AYUDAS PARA HACER UNA BUENA EXPOSICIÓN ORAL

- **Introducir el tema**
  - *El tema que he elegido es...*
  - *Voy a hablar de...*
- **Ordenar las ideas**
  - *En primer lugar, me gustaría comentar que...*
  - *En segundo lugar,...*
  - *Por una parte,...*
  - *Por otra parte,...*
  - *Además,....*
  - *Respecto a...*
  - *Por último,...*
- **Para justificar opiniones y sentimientos**
  - *Mi opinión sobre este tema es que..., porque...*
  - *A mí me parece que...*
  - *Lo que yo pienso es que...*
  - *Está claro que...*
- **Poner un ejemplo**
  - *Por ejemplo,...*
- **Para hacer una conclusión final**
  - *Para terminar, diría que...*
  - *En resumen, podemos decir que...*
  - *En conclusión,...*

NO OLVIDES

- Diferenciar las partes de tu exposición: introducción, desarrollo y conclusión.
- Ordenar y relacionar bien las ideas.
- Justificar las opiniones y sentimientos.

1b Haz una presentación delante de tu compañero, que tomará nota de las ideas principales. Puedes consultar tu esquema, pero no puedes leerlo.

2 Ahora dialoga con tu compañero durante tres o cuatro minutos sobre el tema anterior con ayuda de las siguientes preguntas.

TEMA 1

- ¿Qué puede hacer una persona con poco tiempo para mantenerse en forma?
- ¿Puede tener una vida saludable alguien que no hace deporte?
- Deporte dentro o al aire libre: ventajas y desventajas.
- ¿No crees que actualmente hay demasiado culto al cuerpo?

TEMA 2

- ¿Cómo es tu carácter?
- Se nace con un carácter, ¿se puede cambiar?
- Pon algún ejemplo de personas a tu alrededor con buen y mal carácter y cómo crees que influye en su vida.
- ¿Es bueno decir todo lo que se piensa? Ventajas y desventajas.

11 EXPRESIÓN ARTÍSTICA

TEMAS

- **El arte en la vida:** consejos y recomendaciones
- **El placer de la música:** preferencias y gustos
- **Pero, ¿esto es arte?:** expresar conocimiento

- ¿Te gusta el arte?
- ¿Sueles visitar museos cuando viajas?
- ¿Qué tipo de música escuchas más a menudo?
- ¿Qué te sugiere la foto?

A EL ARTE EN LA VIDA

Habla y lee

1a ¿Crees que es importante el arte en la vida? ¿Por qué? Coméntalo con tu compañero.

- *Para mí sí es importante, porque el arte es una forma de expresión...*
- *Sí, y además...*

1b Ordena las siguientes razones en el texto. ¿Coinciden con las vuestras?

a Sirve para dar magia y encanto a muchos lugares.
b Puede ayudar como terapia.
c Permite conocer la historia del mundo.
d Inspira a innovar.
e Ofrece un lenguaje universal.

Razones por las que necesitamos
EL ARTE EN NUESTRA VIDA

Mucho se ha hablado sobre la verdadera utilidad del arte, pero los siguientes puntos que compartimos contigo te ayudarán a saber para qué nos sirve. [...]

El 3 de mayo en Madrid, Francisco de Goya

1 ____________________

No es fácil recordar todos los sucesos históricos que han influido en la humanidad, pero una buena forma de hacerlo es a través de ciertas obras. [...]

Convergence, Jackson Pollock

2 ____________________

Jackson Pollock fue un artista del expresionismo abstracto que poseía un estilo único e inigualable. Pocos saben el problema de alcoholismo que tenía el pintor. En repetidas entrevistas, Pollock declaró que la única forma de olvidarse de su necesidad de alcohol era a través de la pintura.

Colección años 80, Yves Saint Laurent

3 ____________________

La obra *La blusa rumana*, creada en 1940 por Henri Matisse, inspiró al diseñador Yves Saint Laurent a crear su famosa colección otoño-invierno en 1981, y resultó un éxito en el mundo de la moda. Además, otros diseñadores reconocidos aún se inspiran en la obra de Matisse, lo cual demuestra que el arte genera más arte. [...]

Taj Mahal, Agra (India)

4 ____________________

Las ciudades más famosas del mundo son reconocidas por su arquitectura u obras maestras que les otorgan un estilo y personalidad. ¿Qué sería de Sídney sin la Opera House?, ¿de París sin la Torre Eiffel? o ¿de Agra sin el Taj Mahal? [...]

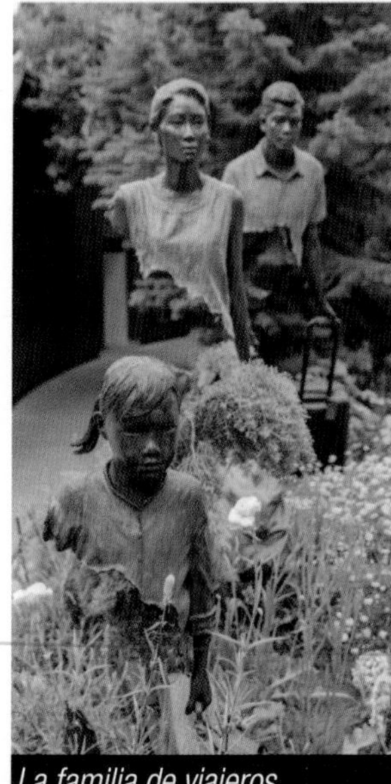

La familia de viajeros, Singapur. Bruno Catalano

5 ____________________

La familia de viajeros es una escultura de bronce creada en 2014 por el artista italiano Bruno Catalano. Es visitada por miles de turistas que hablan diferentes idiomas; sin embargo, esto no resulta ser un problema para entender la obra artística, ya que el mensaje se transmite a través de un lenguaje visual que se convierte en universal. [...]

Vocabulario

2a En parejas, relacionad el siguiente vocabulario con cada tipo de arte. Puede haber varias posibilidades. Añade más palabras que consideres relevantes en estas categorías.

FOTOGRAFÍA | ARQUITECTURA | ESCULTURA | PINTURA | MODA

- Una obra de arte
- Una cámara digital
- Pintar un cuadro / retrato
- Fotografiar
- Un(a) diseñador(a)
- Una galería de arte
- Esculpir
- Un(a) fotógrafo/a
- Un(a) escultor(a)
- Diseñar una colección
- Hacer o tomar una foto
- Un(a) pintor(a)
- Un(a) arquitecto/a
- Un desfile
- Un(a) artista

2b Practica con tu compañero. El alumno A abre el libro por la página 119 y el alumno B, por la página 125.

Escucha y habla

3a 31 En un programa de radio, Soraya, una oyente, deja un mensaje para contar un problema. Toma nota de cuál es.

3b 32 Escucha a otros dos oyentes del programa anterior que llaman para darle consejo a Soraya. ¿Qué le recomienda cada uno? ¿Estás de acuerdo con ellos? ¿Por qué? Coméntalo con tu compañero.

1 El hombre le recomienda que...
2 La mujer le recomienda que...

Gramática

4a Busca en la transcripción del audio anterior (página 185) ejemplos de consejos como los que aparecen en este cuadro.

Dar consejo y recomendaciones

Podemos hacer recomendaciones con expresiones como:

- ***Yo en tu lugar / Yo que tú* + condicional**
- ***Te recomiendo / Te aconsejo / Lo mejor es...***

Te recomiendo *que **visites** la catedral de Sevilla.*

En este ejemplo usamos el subjuntivo en la oración subordinada porque no declaramos que "visitas la catedral de Sevilla", sino que recomendamos hacerlo.

Ver más en pág. 162

4b Relaciona el principio de cada consejo con el final correspondiente. ¿Crees que son buenos consejos? Piensa en otras recomendaciones en cada caso.

1 Si te falta creatividad, podrías...
2 Si quieres comprender el arte contemporáneo, te recomiendo que...
3 Si queréis disfrutar plenamente de una catedral, os recomiendo que...
4 Para reducir el estrés, yo en tu lugar...
5 Cuando vayáis a Madrid, ...
6 Para que los niños quieran ir a los museos, lo mejor es...

a ☐ no olvidéis visitar el Museo del Prado, es uno de los mejores museos del mundo.
b ☐ consultar las obras de otros artistas y aprender de ellos.
c ☐ reservéis una visita guiada donde un experto podrá daros toda la información.
d ☐ organizar talleres prácticos donde los pequeños puedan participar.
e ☐ estudies primero la historia del arte y puedas ver su evolución.
f ☐ me apuntaría a un curso de escultura o pintura, te ayudará a desconectar de tus problemas.

Investiga y habla

5 En parejas, buscad en una guía del ocio de la ciudad donde estáis un evento artístico interesante para visitar. Tomad notas para presentárselo al resto del grupo. Después, comentad qué propuesta os ha llamado más la atención. ¿Por qué?

- Nombre y lugar
- Tipo y características del evento
- Por qué lo recomendáis

La propuesta de Mike y Choi tiene buena pinta porque...

B EL PLACER DE LA MÚSICA

Escucha, habla y lee

1 33 Escucha estos seis extractos musicales. ¿Sabes qué estilo representa cada uno?

2a ¿Qué tipo de música eliges para cada momento? Coméntalo con tu compañero.

- Necesitas concentrarte.
- Vas a hacer deporte.
- Has tenido un mal día en el trabajo.
- Has organizado una fiesta en casa.

- *Cuando tengo que concentrarme, me gusta escuchar música clásica.*
- *Pues, yo prefiero…*

2b Lee este artículo sobre cómo afecta la música a nuestro estado de ánimo. ¿Crees que el estilo de música que has elegido en la actividad anterior es el adecuado? ¿Hay información del artículo que te llama la atención? Coméntalo con tus compañeros.

¿QUÉ PROVOCAN LOS DISTINTOS GÉNEROS MUSICALES EN LAS PERSONAS?

Seguro que ya te ha sucedido que al escuchar una canción en particular se te han estimulado los sentidos, los recuerdos, la imaginación o tu estado de ánimo. Es probable que ante las notas de una melodía hayas experimentado una alegría desbordante o, caso contrario, tristeza, melancolía o añoranza. Y es que, como dijo Platón, "la música da alma al universo, alas a la mente, vuelos a la imaginación, consuelo a la tristeza y vida y alegría a todas las cosas". […]

Música clásica

Muchas personas están convencidas de que este tipo de música nos hace más inteligentes. Pero no es así. Lo que sí es cierto es que escucharla por lo menos media hora al día proporciona al cerebro un mejor ambiente para desarrollar ideas y restablecer conexiones neuronales que ayudan a estar alerta, a concentrarse mejor y a optimizar los procesos de aprendizaje. […]

Música tropical

"Salsa, cumbia, merengue, bachata y otros géneros musicales, tan cadenciosos y alegres, producen en el cerebro una combinación de dopamina y adrenalina, que relaja y activa al mismo tiempo", señala el terapeuta español Felipe Gutiérrez.
Como generadores de movimientos, la salsa y otros géneros tropicales, producen numerosos beneficios físicos, emocionales y mentales, pues liberan del estrés, aumentan la capacidad cardiorrespiratoria y mejoran la coordinación y el equilibrio. […]

Rock

Esta música en general destaca por tener la capacidad de inyectar de cierta manera adrenalina en el cerebro. Según la CNN, algunos estudios han relacionado a este género musical con un incremento en la resistencia física a la hora de hacer ejercicio.
Varios investigadores indican que escuchar *rock* o cualquiera de sus variantes, aumenta la capacidad de recepción, haciendo que se retenga mayor información. […]

Reguetón

Este es uno de los géneros musicales más controvertidos del momento. Muchos aseguran que este ritmo y las letras de sus canciones (en la mayoría de casos ofensivas) no aportan absolutamente nada. Sin embargo, se ha demostrado que en muchos casos sus ritmos repetitivos y rápidos permiten mantener a raya el estrés, la ansiedad y la depresión. […]

Vocabulario

2c Busca en el texto de la página anterior vocabulario relacionado con la música.

Escuchar una canción,...

Lee y habla

3a Lee los comentarios de dos personas, Celia y Alejandro, en una encuesta sobre gustos musicales. ¿Con cuál de ellos coincides más? Coméntalo con tu compañero.

Celia
22 años. Costa Rica.

¿Qué es lo que más te interesa de una canción?
Lo que más me gusta es la melodía, oír cómo se combinan los instrumentos para crear ese sonido.
¿Prefieres estudiar o trabajar con música?
Me gusta más que haya música. Me ayuda a estar más relajada y estudiar mejor, por eso siempre llevo auriculares.
¿Cómo te gusta escuchar la música: alta o baja?
Prefiero escuchar la música alta. Me da más energía.

Alejandro
52 años. Venezuela.

¿Qué es lo que más te interesa de una canción?
Me interesa que tenga una buena letra: creo que hoy en día las canciones no dicen nada y repiten todo el tiempo lo mismo.
¿Prefieres estudiar o trabajar con música?
No, prefiero que esté todo en silencio. Siempre tengo mucho estrés y lo que menos me interesa es que me desconcentren.
¿Cómo te gusta escuchar la música: alta o baja?
Me gusta más escuchar la música baja: los ruidos me molestan mucho.

Gramática

3b Observa los ejemplos de este cuadro y selecciona la opción correcta.

Expresar preferencias, gustos e intereses

Podemos usar expresiones como:
- ***Prefiero / Me gusta (más) / Me interesa (más)...***
- ***Lo que más / menos me gusta / interesa es...***

Estudio con música.

Prefiero *que **esté** todo en silencio.*

Usamos el subjuntivo cuando la intención del hablante es:

a ☐ declarar o afirmar algo.

b ☐ expresar su preferencia, gusto o interés por algo.

Ver más en pág. 163

Investiga y habla

4a En parejas, vais a crear una lista de música para un compañero teniendo en cuenta sus preferencias musicales. Preparad algunas preguntas para conocer sus gustos y hábitos.

- ¿Cuándo sueles escuchar música y dónde?
- ¿Cuál es tu género musical favorito?
- ¿Qué es lo que más te gusta cuando escuchas música?
- ...

4b Decidid qué cinco canciones vais a incluir para vuestro compañero. Después, buscadlas en el móvil para que escuche un fragmento y explicadle el mejor momento para hacerlo.

Hans, hemos creado esta lista de música para ti. Como pasas mucho tiempo en el coche, hemos seleccionado en primer lugar una canción que tiene un ritmo muy alegre y que te va a animar si estás en un atasco. El cantante es...

4c ¿Te ha gustado la lista que te han hecho tus compañeros? ¿Conocías todas las canciones?

C PERO, ¿ESTO ES ARTE?

Habla y lee

1a Mira las fotos de estas obras de arte contemporáneo. ¿Cuál te gusta más? ¿Conocías a estos artistas?

- *A mí me encantan los grafitis de Banksy.*
- *Pues yo no conocía a ninguno, pero me gusta…*

1b Lee las siguientes noticias sobre los artistas anteriores. ¿Cuál es tu opinión? Coméntalo con tu compañero.

1

Banksy y el valor de la destrucción

Niña con globo, del artista británico, se autodestruyó en plena subasta tras ser adjudicada por 1,2 millones. En pocos segundos, la mitad inferior de la obra fue triturada por un mecanismo situado dentro del marco.

3

Yayoi Kusama, la reina de Instagram

Arte pop con lunares, puntos, colores, espejos, luces... Es el universo de la artista y escritora japonesa que ha usado en su vida el arte como terapia. En los últimos años más de cinco millones de personas han hecho largas colas en el mundo para disfrutar solo unos minutos de sus obras y poder hacerse un *selfie* con ellas: ¿arte o exhibición?

2

Nuevo récord mundial en la casa de subastas Christie's

La obra *Rabbit* (Conejo) de Jeff Koons supera los 91 millones de dólares y lo convierte en el artista vivo más caro del mundo. El célebre conejo de Koons forma parte de una serie de tres esculturas que creó en 1986 y ha sido interpretado como un chiste fácil que habla de las ironías del arte mientras se come una zanahoria.

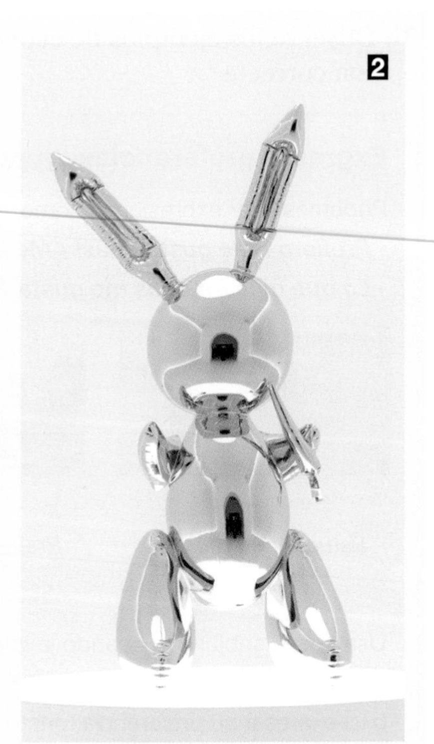

Escucha, escribe y habla

2a 34 Escucha dos diálogos donde unos amigos comentan dos de las noticias anteriores. ¿Cuáles?

2b 34 Vuelve a escuchar y toma notas para completar las dos noticias. ¿Qué opinas tú?

Gramática

2c Fíjate en estas frases extraídas de los diálogos anteriores y relaciónalas con su significado.

Preguntar por el conocimiento de algo

Para preguntar si alguien conoce una información podemos usar las expresiones que aparecen en negrita en estas frases:

1 ¿**Has oído lo de** su obra *Niña con globo*?
2 ¿**Has visto lo que** le han pagado a Jeff Koons por una obra de arte?
3 ¿**Sabías que** fue un regalo de Francia a los americanos?

a En la frase ___ se pregunta por el conocimiento de algo y se da una información que creemos que es nueva para el oyente.
b En las frases ___ y ___ se pregunta por el conocimiento de algo que creemos que puede ser conocido por el oyente.

Ver más en pág. 163

Pronunciación y ortografía

2d 35 Escucha a una persona de Madrid y a otra de Buenos Aires pronunciar la misma pregunta y fíjate en los cambios de entonación en el siguiente cuadro.

Entonación al preguntar por el conocimiento de algo

1 *¿Sabías que fue un regalo de Francia a los america**nos**?*
En Madrid la entonación final es ascendente.

2 *¿Sabías que fue un regalo de Francia a los ameri**ca**nos?*
En Buenos Aires la entonación final es descendente.

La entonación puede variar dependiendo de la región de habla hispana, como ocurre en este tipo de preguntas de respuesta cerrada (SÍ / NO).

Ver más en pág. 164

Investiga, escribe y habla

2e Busca alguna noticia interesante sobre la actualidad o el mundo del arte. Escríbela con tus palabras y cuéntasela a tus compañeros.

- *¿Sabéis lo que han pagado en una exposición por un plátano pegado con una cinta adhesiva?*
- *No tengo ni idea, ¿cuánto?*
- *Pues...*

¡Fíjate!

Recuerda que para reaccionar ante una noticia curiosa podemos usar estas expresiones:

- ¡Qué fuerte!
- ¡No me lo puedo creer!
- ¡Qué me dices!
- ¡Anda!
- ¿En serio?
- ¿De verdad?
- No tenía ni idea...

3 Mira el listado de artistas contemporáneos. En parejas, elegid uno, u otro que os interese, y presentad una obra suya a la clase. ¿Cuál es tu favorita?

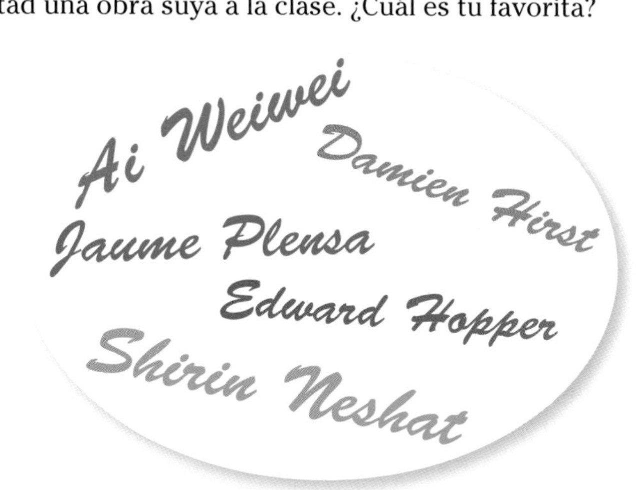

- *¿Habéis oído hablar de Jaume Plensa?*
- *No tenemos ni idea de quién es.*
- *Pues es un famoso artista español. Esta escultura se llama* Le Nomade *y está en Francia. La hemos elegido porque...*

EN ACCIÓN

1 Observa estas imágenes. ¿Conoces a estas cantantes? Una de ellas actuó al comienzo de un concierto de la otra: ¿imaginas quién fue?

Hombre, yo sí conozco a Lady Gaga, pero no tengo ni idea de quién es Hatsune Miku: ¿te suena de algo?

Lady Gaga

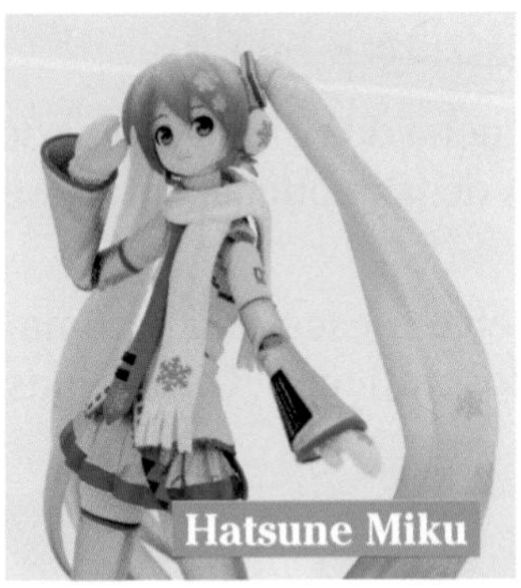

Hatsune Miku

2 **DELE** Lee la siguiente carta al director de un periódico digital y rellena los huecos con la opción correcta (a / b / c).

La tecnología en el arte o el arte de la tecnología

Soy una gran apasionada del arte contemporáneo, y por eso, me molesta que mucha gente solo **(1)** ________ arte la pintura, la escultura, la fotografía... ignorando otros formatos que son más representativos de nuestro presente. **(2)** ________, la revolución tecnológica ha abierto infinitas posibilidades de expresión para los artistas. Las proyecciones digitales, el uso de *apps*, la tecnología 3D, el videoarte... son ejemplos de la incorporación de la tecnología al mundo artístico.

Recientemente **(3)** ________ una noticia fascinante sobre la creación del fenómeno pop japonés, Hatsune Miku, una niña de pelo verde de 16 años que, **(4)** ________, es una aplicación de un banco de voz que da conciertos multitudinarios y es considerada una de las grandes estrellas del país. Incluso ha sido telonera en un concierto de Lady Gaga, aunque en realidad no es ella quien compone sus canciones, **(5)** ________ que son sus seguidores los que lo hacen. ¿No es fascinante? Es un buen ejemplo del nuevo arte actual.

Manuela Soto, Vigo, España

1 **a** consideran / **b** considere / **c** consideraba
2 **a** Yo creo / **b** En mi opinión / **c** Yo pienso
3 **a** he oído / **b** oigo / **c** oiré
4 **a** sin embargo / **b** pero / **c** entonces
5 **a** pero / **b** también / **c** sino

3 Vais a formar dos grupos: unos a favor y otros en contra del arte contemporáneo. Seguid la guía del siguiente esquema para hacer un debate que podéis grabar. Al final decidid qué grupo lo ha defendido mejor.

PARA DEBATIR

1. Elegir un tema de interés que genere polémica.
2. Formar un grupo a favor y otro en contra.
3. Elegir a un moderador para coordinar y elaborar preguntas para cada grupo.
4. Dejar tiempo para organizar las ideas.
5. Elegir a un secretario que tome notas de las ideas principales.
6. Comenzar el debate, dando turnos de habla alternativos a cada grupo.
7. Al final del debate, el secretario presenta un resumen con las ideas expuestas.
8. Evaluar el desarrollo del debate.

12 MUNDO NATURAL

TEMAS

- **Curiosidades de la naturaleza:** compartir información
- **Basuraleza:** expresar involuntariedad
- **Rutas inolvidables:** secuenciar acciones futuras

- ¿Qué lugar del mundo te gustaría visitar? ¿Por qué?
- ¿Cuál es el lugar más bonito que has visitado?
- ¿Qué tipo de paisaje te gusta más?
- ¿Qué te sugiere la foto?

A CURIOSIDADES DE LA NATURALEZA

Vocabulario

1a Observa las siguientes imágenes de un reportaje fotográfico sobre curiosidades de la naturaleza: ¿qué palabras asocias con cada una de ellas? Puedes buscar en un diccionario si lo necesitas. Luego, ponlo en común con tus compañeros.

1 Arrecife de coral, Queensland, Australia

2 Selva amazónica Yasuní, Ecuador

3 Reserva natural, Etosha, Namibia

4 Parque nacional Banff, Alberta, Canadá

5 Playa de las Catedrales, Ribadeo, Galicia

6 Desierto de Gobi, Mongolia

1b Relaciona las siguientes palabras con las imágenes anteriores. Puede haber varias posibilidades. ¿Coinciden con las que habíais dicho antes?

- valle
- océano
- peces
- dunas
- arena
- lapas
- mamíferos
- animales salvajes
- fondo marino
- hierba
- lago
- aves
- reptiles
- sabana
- rocas

- *Yo creo que puede haber animales salvajes en la selva.*
- *Sí, pero también en los parques naturales.*

1c Busca una fotografía de un paisaje increíble que conozcas y enséñasela a tus compañeros: explícales dónde está y qué tiene de especial.

Habla y escucha

2a En parejas, comentad las respuestas a estas preguntas sobre curiosidades de la naturaleza.

1. ¿De dónde proviene la mayoría del oxígeno que se genera en la Tierra?
2. ¿Cuál es el animal más resistente del planeta?
3. ¿Cuál es el único mamífero sin cuerdas vocales?
4. ¿Cuál es el material natural más duro?
5. ¿Dónde están las montañas más antiguas del mundo?

2b 36 Ahora escucha una conversación entre dos amigos y comprueba tus respuestas anteriores.

Gramática

3a Lee estos extractos de la conversación anterior y clasifica las frases en el cuadro de la columna derecha.

1
- ¿Sabes de dónde procede la mayoría del oxígeno que se genera en la Tierra?
- Pues de la selva.
- **¿Seguro que es la selva?**
- **Claro que sí.**

2
- ¿Sabes cuáles son los únicos mamíferos que no tienen cuerdas vocales?
- Déjame pensar… Deben ser los koalas, ¿no?
- **No, no son los koalas, sino las jirafas.**

3
- ¿Sabes cuál es el material natural más duro de la Tierra?
- El material natural más duro…, pues…, puede ser… ¿el diamante?
- **¿Estás seguro de que son los diamantes?**

4
- Puede ser el Everest, en la frontera de Nepal y la India.
- **El Everest está en la frontera de Nepal y China.**
- **¡Qué va!**, no está en China.
- **¡Que sí está en China!**

Recursos para reaccionar ante información

Cuestionar	*¿Seguro que es la selva?* (1) ________
Confirmar	(2) ________
Corregir	(3) ________ *No, no son los Koalas sino las jirafas.* Cuando el enunciado previo es negativo: *¡Que sí está en China!*
Negar	(4) ________

Ver más en pág. 165

Pronunciación y ortografía

3b 37 Escucha los extractos anteriores y presta atención a la entonación.

Entonación enfática

- Cuando cuestionamos, negamos o corregimos una información, la entonación ayuda a intensificar nuestra intención:
  ***¡Qué va!** Tenerife está en el **AT-LÁN-TI-CO**.*
- También podemos intensificar con la doble negación:
  ***No, no** está en el Mediterráneo, **sino** en el Atlántico.*

Escribe y lee

4 Practica con tu compañero. El alumno A abre el libro por la página 119 y el alumno B, por la página 125.

Investiga y habla

5a Vais a realizar un concurso de geografía y naturaleza. En dos grupos, pensad en preguntas curiosas. Podéis buscar en internet.

- *Una pregunta podría ser: "¿cuál es la montaña más alta del planeta?".*
- *Sí, esa es buena.*

5b Pasad vuestras preguntas al equipo contrario. Entre los miembros del grupo debéis poneros de acuerdo en las respuestas. Al final los compañeros del otro grupo os dirán si habéis acertado.

- *Yo creo que es el Everest.*
- *¿Estás seguro de eso?*

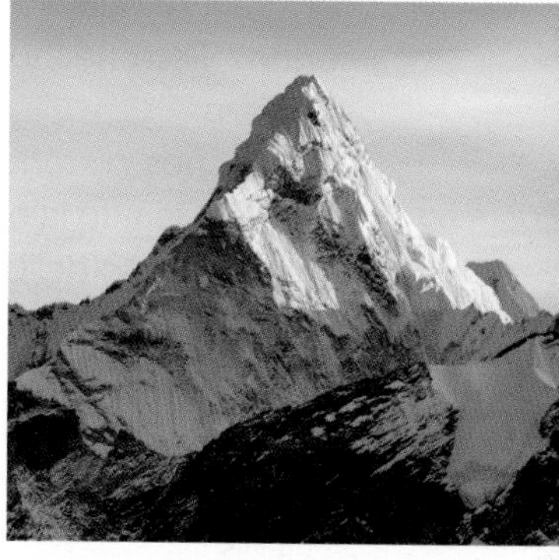

B BASURALEZA

Habla y lee

1a ¿Te preocupa el medioambiente? ¿Qué cosas haces para cuidarlo? Habla con tu compañero.

- *A mí, sí me preocupa, por eso nunca tiro cosas en la calle o cuando voy al campo.*
- *Pues, yo…*

1b Libera, un proyecto de una ONG ecologista, ha creado la palabra "basuraleza". ¿Qué crees que significa? Coméntalo con tu compañero. Después, lee el artículo y comprueba tu respuesta. ¿Qué te parece a ti esta iniciativa?

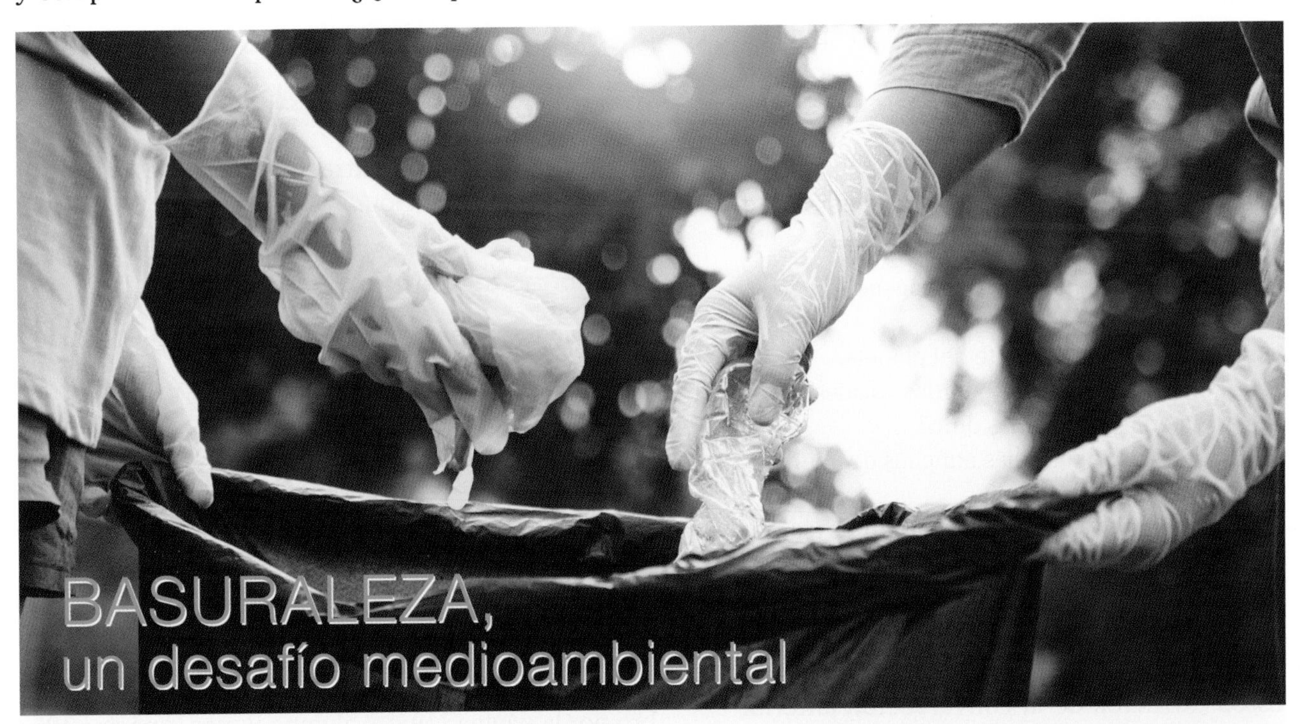

La educación medioambiental abre sus puertas a un nuevo término: "basuraleza". Un concepto, sobre el que se basa la última campaña de sensibilización del proyecto LIBERA, que busca crear conciencia sobre la huella que dejan nuestras acciones en el entorno. ¡Te contamos de qué se trata!

¿Te has parado a pensar que detrás de una foto familiar o con amigos en una playa, bosque o río hay basura que ensucia y transforma el paisaje de fondo? Este hecho tiene nombre y se llama "basuraleza".

Los hechos históricos demuestran que el ser humano ha tenido la habilidad de transformar y ensuciar el entorno deliberadamente, sin medir las consecuencias. Es tan grande su dimensión que hoy en día nos enfrentamos a realidades como el cambio climático, la extinción de especies o la acumulación de deshechos a cada paso que damos.

Una serie de fenómenos actuales, motivados por una actitud irresponsable de las actividades humanas, que están alterando los ciclos de vida de nuestros ecosistemas y afectando a la supervivencia de la fauna, hasta el punto de poderlo denominar "catástrofe ambiental". La pregunta es: ¿podemos solucionarlo?

Las cifras alertan. En la campaña "1 m^2 por el campo, los bosques y el monte", organizada por LIBERA, se analizaron más de 12 000 objetos abandonados a lo largo de casi 5 hectáreas. Tras su análisis se apreció que el 32 % de los residuos era de origen plástico (envoltorios de caramelos, palos de golosinas, bolsas de plástico…), mientras que el 18 % eran residuos metálicos. Papel y cartón representaban el 16 % y los residuos higiénicos sanitarios un 10 %. Unos datos que acusan a la actividad humana como responsable de esta situación y que invitan a reflexionar.

Adaptado de www.amarilloverdeyazul.com

INSTRUCCIONES DEL JUEGO

- En grupos de tres. Por turnos tira una moneda: si sale "cara", avanza una casilla; si sale "cruz", avanza dos casillas.
- El objetivo es realizar correctamente las pruebas que el profesor pide en cada color para conseguir las cinco copas.
  casilla azul: hacer mímica; **casilla verde:** responder preguntas; **casilla naranja:** dibujar; **casilla rosa:** vocabulario.

Vocabulario para jugar

- Me toca / Te toca
- ¡Venga!, tira
- Ya tengo una copa...
- ¡Qué suerte!
- ¡He ganado!

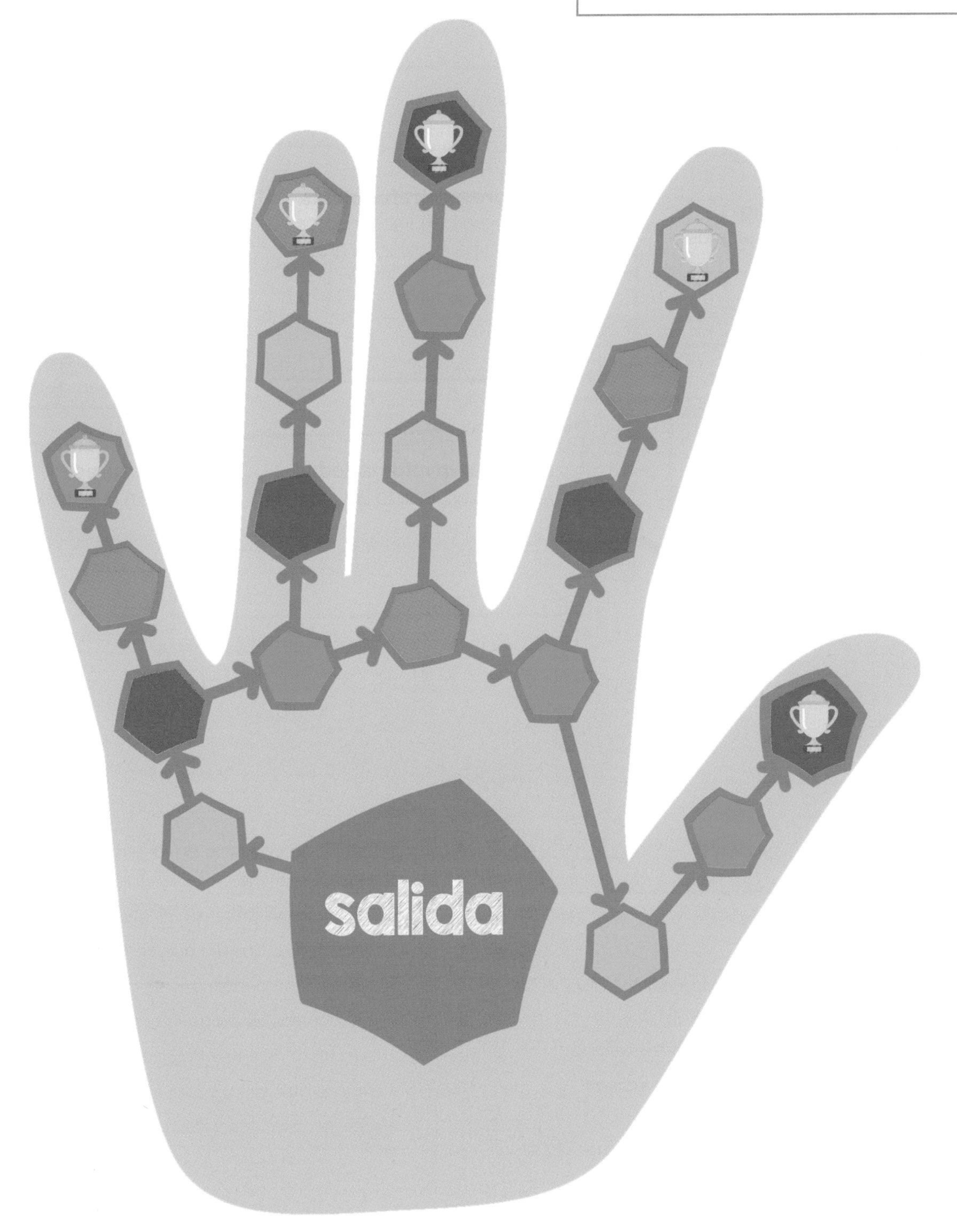

Las fichas para el profesor están en la página 188.

AHORA SÉ...

Completa el cuadro con palabras y expresiones que quieres recordar.

Hablar de hábitos saludables
Dormir sin ropa es muy beneficioso para regular la temperatura.

Expresar emociones y dar ánimo
Sentir rabia, asco, ira...

Expresar el estado en desarrollo de una acción
Estoy a punto de irme a vivir a Polonia.

Preguntar por el conocimiento de algo
¿De verdad no sabes nada de la vida de Picasso?

Expresar preferencias
Prefiero que escuchemos otro tipo de música ahora.

Dar consejos y recomendaciones
Te aconsejo que leas algo sobre historia del arte para disfrutarlo más.

Reaccionar ante una información
Claro que sí.

Expresar involuntariedad
¿Se te han perdido las gafas?

Secuenciar acciones futuras
En cuanto llegues, avísame.

VALORA TU PROGRESO

Sé...

- hablar de hábitos saludables ☐ ☐
- usar los pronombres complemento con el imperativo ☐ ☐
- hablar de emociones ☐ ☐
- aconsejar y dar ánimo usando el imperativo afirmativo y negativo ☐ ☐
- hablar de mi vida usando perífrasis verbales ☐ ☐
- conocer razones por las que necesitamos el arte en nuestra vida ☐ ☐
- hablar de problemas y dar recomendaciones ☐ ☐
- conocer la influencia de la música en nuestro estado de ánimo ☐ ☐
- hablar de mis preferencias musicales ☐ ☐
- contar anécdotas del arte contemporáneo ☐ ☐
- organizar un debate ☐ ☐
- conocer más léxico de la naturaleza ☐ ☐
- reaccionar ante una información ☐ ☐
- expresar involuntariedad ☐ ☐
- secuenciar acciones futuras y hablar de planes ☐ ☐

APÉNDICE

1 VOLVER A VERNOS

C SOLO SE VIVE UNA VEZ PÁG. 15, EJ. 4

1 Observa las imágenes y prepara preguntas sobre experiencias. Luego, pregunta a tu compañero para saber si las ha hecho y cuándo.

A *¿Has visitado alguna vez las pirámides de Egipto?*
B *Sí, fui a Egipto en mi viaje de fin de curso de la universidad. ¡Son increíbles!*

1 ¿Cuándo? ______________________

2 ¿Cuándo? ______________________

3 ¿Cuándo? ______________________

4 ¿Cuándo? ______________________

5 ¿Cuándo? ______________________

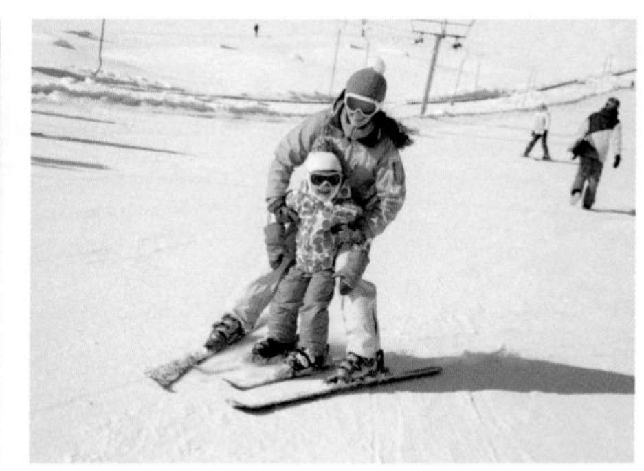

6 ¿Cuándo? ______________________

2 RECUERDOS

C MOMENTOS INOLVIDABLES PÁG. 23, EJ. 5

1 Pregunta a tu compañero cuándo fue la última vez que hizo una de estas cosas y cómo fue.

1. Ir a una fiesta.
2. Perder algo de valor.
3. Dormir durante mucho tiempo.
4. Hablar por teléfono durante mucho tiempo.
5. Llegar tarde a una cita.
6. Ir a un concierto.

A *¿Cuándo fue la última vez que fuiste a una fiesta?*
B *Hace dos semanas: era el cumpleaños de mi hermano y le organizamos una fiesta sorpresa. ¡Fue divertidísimo!*

3 EL MUNDO DEL FUTURO

A ¿HACIA DÓNDE VAMOS? PÁG. 27, EJ. 2B

EL JUEGO DE LOS BARCOS
Tu flota:
☆ 2 barcos de una casilla
☆☆ 1 barco de dos casillas
☆☆☆ 1 barco de tres casillas

PARA COMUNICAR:
AGUA – **No hay barco**
TOCADO – **Se descubre una parte de un barco**
TOCADO Y HUNDIDO – **Se descubre todo el barco**

1 Coloca tus barcos estratégicamente en esta tabla, en horizontal o vertical.

	tener	salir	poner	saber	poder	venir	decir	querer	hacer
yo									
tú									
él / ella									
nosotros/as									
vosotros/as									
ellos/as									

2 El objetivo es descubrir dónde están los barcos de tu compañero. Por turnos, elige una casilla y conjuga el verbo de esa columna en la persona correspondiente en futuro simple (no puedes decir el pronombre). Utiliza esta tabla para marcar los barcos de tu compañero. Gana quien descubre antes dónde están los barcos.

	tener	salir	poner	saber	poder	venir	decir	querer	hacer
yo									
tú									
él / ella									
nosotros/as									
vosotros/as									
ellos/as									

4 TRABAJO

C MI TRABAJO IDEAL PÁG. 41, EJ. 2B

1 Observa estas imágenes: ¿qué habilidad representan? Pregunta a tu compañero para descubrir si se le dan bien o no.

A *Flavia, ¿se te da bien cantar?*
B *Bueno, no se me da mal del todo, ¿y a ti?*
A *A mí se me da fatal.*

5 BUEN VIAJE

A COSAS QUE NOS ALEGRAN LA VIDA PÁG. 45, EJ. 2B

1a Usa las expresiones aprendidas para expresar tus sentimientos sobre estas fotografías. Escríbelo.

1 ____________________

2 ____________________

3 ____________________

4 ____________________

5 ____________________

1b Dile el tema de tus fotos a tu compañero: tiene que adivinar qué has escrito sobre ellas. ¿Lo ha averiguado? Después, pregúntale para ver si coincide en sus gustos y sentimientos contigo. ¿Tenéis mucho en común?

A *Los vaqueros rotos.*
B *¿Los odias?*
A *Pues no: la verdad es que me gustan, ¿y a ti?*
B *Pues a mí no mucho: prefiero un vaquero viejo, pero no roto.*

6 VIVIENDA

C TU CASA HABLA DE TI PÁG. 57, EJ. 2C

1a Observa este salón, habla con tu compañero y encuentra las seis diferencias.

A *En mi salón las paredes son de color blanco.*
B *En el mío son verdes.*

1b Ahora describe la habitación favorita de tu casa con el mayor número de detalles: tu compañero tiene que dibujarla.

7 RELACIONES HUMANAS

B NO LO SOPORTO PÁG. 65, EJ. 2E

1 Lee la siguiente lista y piensa qué sentimientos te producen. Después, pregunta a tu compañero y comprueba si os produce la misma emoción.

1 Perder el tiempo en un atasco.
2 Aparecer unos amigos en casa de forma imprevista.
3 Olvidarse el móvil en casa.
4 Las noticias sobre el cambio climático.
5 Pasar un fin de semana sin salir de casa.
6 Llenarme el buzón de publicidad.

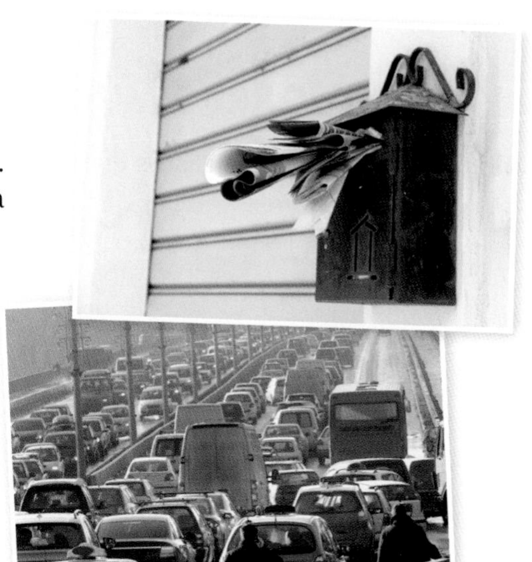

A *Yo estoy harto de perder el tiempo en los atascos, ¿y tú?*
B *Yo no, porque no tengo coche, pero me imagino que es terrible.*

8 ¡QUE APROVECHE!

A CULTURA GASTRONÓMICA PÁG. 71, EJ. 3C

1a ¿Conoces algún truco para estas situaciones? Pregunta a tu compañero.

A - Para pelar ajos fácilmente.
B - Para que no se oxiden las sartenes.
C - Para que no se peguen los alimentos en el cuchillo.
D - Para que no se derrame el agua hervida.

A *¿Sabes qué se puede hacer para pelar ajos fácilmente?*
B *Sí, hay que...*

1b Tu compañero te va a preguntar por algunos trucos de cocina: lee los siguientes y dale la respuesta correcta.

1 Frotarlas con un limón antes de lavarlas.
2 Meter un pequeño vaso de agua dentro del microondas.
3 Poner vinagre en la olla y dejarlo durante 15 minutos.
4 Ponerlas en agua caliente durante unos minutos.

9 ECONOMÍA Y CONSUMO

A Y TÚ, ¿AHORRAS MUCHO? PÁG. 79, EJ. 2B

1a Mira los datos sobre los gastos en los hogares argentinos y completa la estadística con ellos.

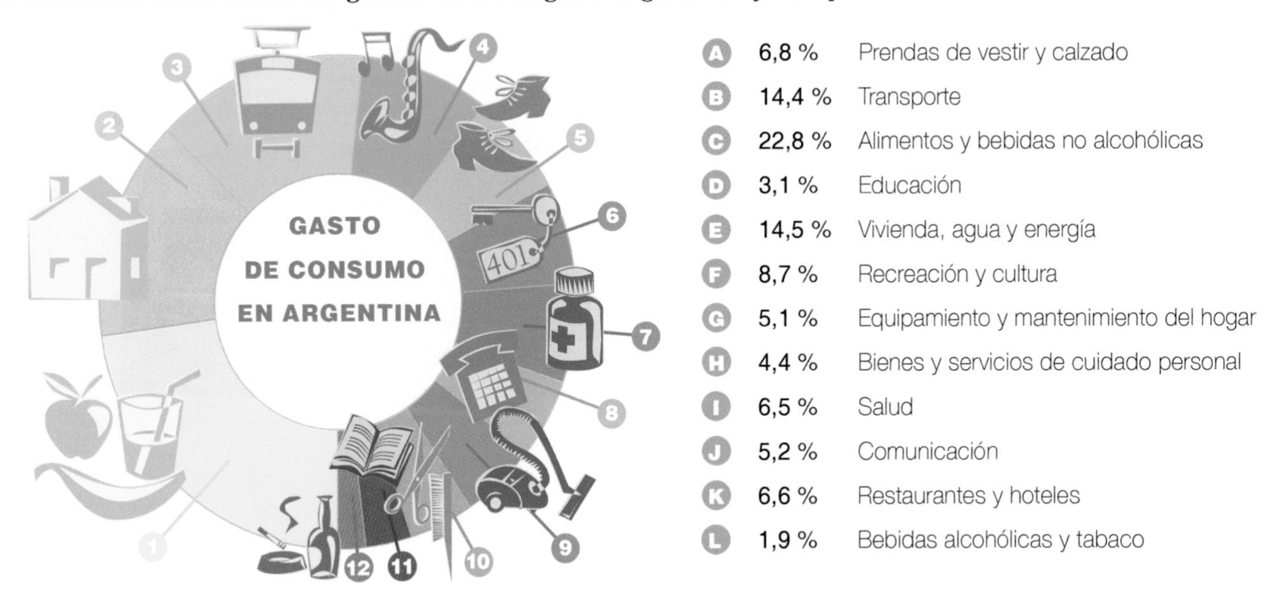

1b Compara los datos de tu estadística con la de tu compañero sobre Colombia: ¿es muy diferente?

A *Casi un cuarto del gasto de los argentinos es en alimentación, por delante de...*
B *Pues para los colombianos es...*

1c Busca en internet datos sobre el gasto en tu país y coméntalo con tu compañero.

10 CUERPO Y MENTE

B SALUD EMOCIONAL PÁG. 91, EJ. 2E

1a Completa la primera parte de este poema de Gabriel Celaya con los verbos en imperativo y piensa en su título.

Título: ______________________________

____________ (1. No coger, tú) *la cuchara con la mano izquierda.*
____________ (2. No poner, tú) *los codos en la mesa.*
____________ (3. Doblar, tú) *bien la servilleta.*
Eso, para empezar.
____________ (4. Extraer, usted) *la raíz cuadrada de tres mil trescientos trece.*
¿Dónde está Tanganika? ¿Qué año nació Cervantes?
Le pondré un cero en conducta si habla con su compañero.
Eso, para seguir.

1b Ensaya la pronunciación y lee estas dos estrofas a tu compañero, él te leerá el final del poema. Después, comentad con el resto de la clase qué os sugiere esta poesía.

11 EXPRESIÓN ARTÍSTICA

A EL ARTE EN LA VIDA PÁG. 97, EJ. 2B

1 Completa las preguntas con el siguiente vocabulario y piensa en tus propias respuestas.

arquitecto pintar retrato obras de arte galería de arte hace

1 ¿Cuándo fue la última vez que fuiste a una ______________?
2 ¿Alguna vez te han hecho un ______________?
3 ¿Conoces a algún ______________ famoso de tu país?
4 ¿Se te da bien ______________?
5 ¿Cuál es para ti una de las mejores ______________ del mundo?
6 ¿Quién ______________ las mejores fotos en tu familia?

2 Haz las preguntas a tu compañero. ¿Coincide contigo?

12 MUNDO NATURAL

A CURIOSIDADES DE LA NATURALEZA PÁG. 105, EJ. 4

1a Completa estas frases: si no sabes qué poner, invéntatelo, pero no busques la respuesta en internet. Luego, léeselas a tu compañero para confirmar si la información es correcta o no: él tiene la respuesta. ¿Has acertado mucho?

1 ______________ es el único alimento que no se pudre.
2 ______________ duermen con un ojo abierto.
3 El mar ______________ es el más frío del planeta.
4 ______________ es el animal que menos horas duerme al día.

1b Lee la siguiente información sobre algunas curiosidades de la naturaleza y corrige a tu compañero si es necesario. Recuerda usar alguno de los recursos vistos en esta unidad.

A Excluyendo el período de hibernación de algunas especies, el animal que duerme más horas al día es el koala. Puede llegar a dormir hasta veintidós horas en un día, y las dos horas restantes que está despierto, las dedica a comer y a su aseo.

B El elefante es el animal con el período de gestación más largo de la fauna terrestre, con una duración de noventa y seis semanas. Este largo espacio en el vientre de la madre les permite nacer con un desarrollo cerebral muy avanzado.

C El mar más cálido del planeta es el mar Rojo. Está rodeado por Arabia Saudita y Yemen al este y Egipto y Sudán del Sur al oeste. Puede alcanzar hasta los 30 grados centígrados en verano y entre 18 y 22 grados centígrados durante el invierno.

D El mar Muerto está situado a más de cuatrocientos metros bajo el nivel del mar, entre Israel, Cisjordania y Jordania. Es aproximadamente diez veces más salado que los océanos. La salinidad en el resto de los mares es de 35 gramos por litro, mientras que en el mar Muerto es de 350 gramos por litro, por lo que no hay ningún ser vivo, salvo algunos microbios, que pueden vivir en él.

1 VOLVER A VERNOS

C SOLO SE VIVE UNA VEZ PÁG. 15, EJ. 4

1 Observa las imágenes y prepara preguntas sobre experiencias. Luego, pregunta a tu compañero para saber si las ha hecho y cuándo..

B *¿Has visitado alguna vez la muralla China?*
A *No, nunca, pero me encantaría hacerlo.*

1 ¿Cuándo? ____________

2 ¿Cuándo? ____________

3 ¿Cuándo? ____________

4 ¿Cuándo? ____________

5 ¿Cuándo? ____________

6 ¿Cuándo? ____________

2 RECUERDOS

C MOMENTOS INOLVIDABLES PÁG. 23, EJ. 5

1 Pregunta a tu compañero cuándo fue la última vez que hizo una de estas cosas y cómo fue.

1. Estar todo el fin de semana sin salir de casa.
2. Encontrarse algo en la calle.
3. Ir a una boda.
4. Quedar con los amigos de la infancia.
5. Recibir un regalo.
6. Ir a la playa.

B *¿Cuándo fue la última vez que estuviste todo el fin de semana sin salir de casa?*
A *El fin de semana pasado: estaba cansado y, además, hacía mal tiempo, así que decidí quedarme en casa y no hacer nada. Fue muy relajante.*

3 EL MUNDO DEL FUTURO

A ¿HACIA DÓNDE VAMOS? PÁG. 27, EJ. 2B

EL JUEGO DE LOS BARCOS
Tu flota:
☆ 2 barcos de una casilla
☆☆ 1 barco de dos casillas
☆☆☆ 1 barco de tres casillas

PARA COMUNICAR:
AGUA – **No hay barco**
TOCADO – **Se descubre una parte de un barco**
TOCADO Y HUNDIDO – **Se descubre todo el barco**

1 Coloca tus barcos estratégicamente en esta tabla, en horizontal o vertical.

	tener	salir	poner	saber	poder	venir	decir	querer	hacer
yo									
tú									
él / ella									
nosotros/as									
vosotros/as									
ellos/as									

2 El objetivo es descubrir dónde están los barcos de tu compañero. Por turnos, elige una casilla y conjuga el verbo de esa columna en la persona correspondiente en futuro simple (no puedes decir el pronombre). Utiliza esta tabla para marcar los barcos de tu compañero. Gana quien descubre antes dónde están los barcos.

	tener	salir	poner	saber	poder	venir	decir	querer	hacer
yo									
tú									
él / ella									
nosotros/as									
vosotros/as									
ellos/as									

4 TRABAJO

C MI TRABAJO IDEAL PÁG. 41, EJ. 2B

1 Observa estas imágenes: ¿qué habilidad representan? Pregunta a tu compañero para descubrir si se le dan bien o no.

B *Marco, ¿se te da bien nadar?*
A *Bueno, no se me da mal del todo, ¿y a ti?*
B *A mí se me da fatal.*

5 BUEN VIAJE

A COSAS QUE NOS ALEGRAN LA VIDA

PÁG. 45, EJ. 2B

1a Usa las expresiones aprendidas para expresar tus sentimientos sobre estas fotografías. Escríbelo.

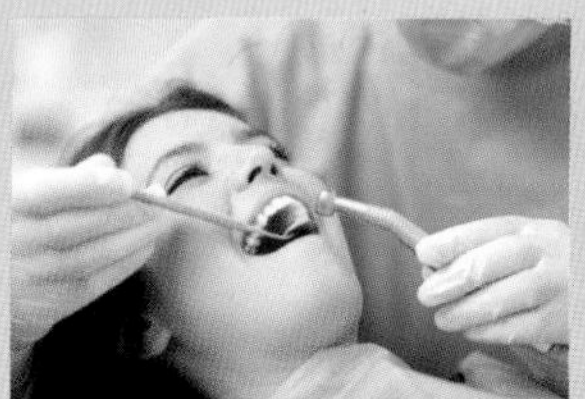

1 ______________ 2 ______________ 3 ______________ 4 ______________ 5 ______________

1b Dile el tema de tus fotos a tu compañero: tiene que adivinar qué has escrito sobre ellas. ¿Lo ha averiguado? Después, pregúntale para ver si coincide en sus gustos y sentimientos contigo. ¿Tenéis mucho en común?

B *Los gatos.*
A *¿Te encantan?*
B *Pues no: me dan un poco igual. La verdad es que prefiero los perros, ¿y tú?*
A *Pues a mí me apasionan: tengo tres que se llaman Nala, Nao y Naly.*

6 VIVIENDA

C TU CASA HABLA DE TI

PÁG. 57, EJ. 2C

1a Observa este salón, habla con tu compañero y encuentra las seis diferencias.

B *En mi salón las paredes son de color verde.*
A *En el mío son blancas.*

1b Ahora describe la habitación favorita de tu casa con el mayor número de detalles: tu compañero tiene que dibujarla.

- Recuerda que en español se escriben dos signos de interrogación en las preguntas, uno al principio **(¿)** y otro al final **(?)**. Las mismas palabras tienen uso exclamativo y también se escriben con tilde:

¡Qué bueno!
¡Quién lo diría!
¡Cómo pasa el tiempo!

ACTIVIDADES

1 Relaciona elementos para formar preguntas. Puede haber varias posibilidades. Luego, haz las preguntas a tu compañero.

1 ¿Cuánto tiempo…
2 ¿A qué hora…
3 ¿En qué barrio…
4 ¿Quién…
5 ¿Cuál…
6 ¿Qué…
7 ¿A cuántos profesores…
8 ¿Cuáles…

a ☐ son los mejores lugares para salir en tu ciudad?
b ☐ has hecho el fin de semana pasado?
c ☐ te levantas normalmente?
d ☐ tardas en llegar a la escuela?
e ☐ es la estación del año que prefieres para ir de vacaciones?
f ☐ vives?
g ☐ es la persona que más tiempo lleva estudiando español?
h ☐ conoces en esta escuela?

2 Completa los siguientes diálogos con el interrogativo necesario. En algunos casos necesitas también una preposición.

1 • ¿______ te dedicas?
- Ahora no trabajo, pero estudié Turismo.

2 • ¿______ vives?
- Con mi pareja.

3 • ¿______ vienes a la escuela?
- Normalmente a pie, pero a veces, en autobús.

4 • ¿______ países de habla hispana has estado?
- En Costa Rica y en España.

5 • ¿______ quieres ir en tus próximas vacaciones?
- No lo sé todavía, pero probablemente a un lugar con playa.

6 • ¿______ es tu serie favorita en español?
- Pues ahora estoy viendo *La casa de papel*, está muy bien.

7 • ¿______ estás aprendiendo español?
- Porque lo necesito para mi trabajo.

8 • ¿______ empezaste a estudiar español?
- Hace dos años.

9 • ¿______ tipo de actividades prefieres hacer en clase?
- A mí me gustan mucho las actividades que me permiten hablar con los compañeros.

10 • ¿______ es lo que más te cuesta del español?
- Para mí, lo más difícil es recordar todo el vocabulario y conjugar los verbos correctamente.

3 Ahora piensa en tus propias respuestas a las preguntas anteriores. Coméntalas con tu compañero.

EXPRESAR UNA ACCIÓN RECÍPROCA

- Una acción recíproca es cuando dos o más sujetos realizan la misma acción y a la vez la reciben del otro: *Yuzu y Lucas se dan un beso siempre que se ven* (Yuzu le da un beso a Lucas y este, a Yuzu, y ambos lo reciben). Por ello la reciprocidad se expresa habitualmente con pronombres y verbos en plural *(nos queremos, os lleváis bien, se besan)*:

***Lucía** da un beso a su **perro**.*

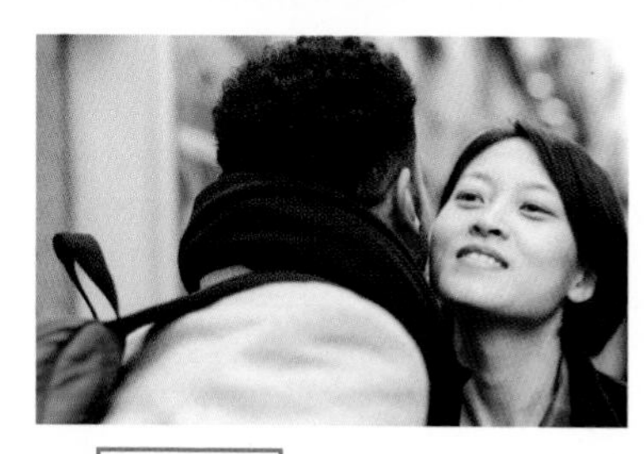

***Yuzu** y **Lucas** se dan un beso.*

- Algunos verbos que tienen usos recíprocos son *besarse, saludarse, despedirse, comunicarse, pelearse, encontrarse…*:

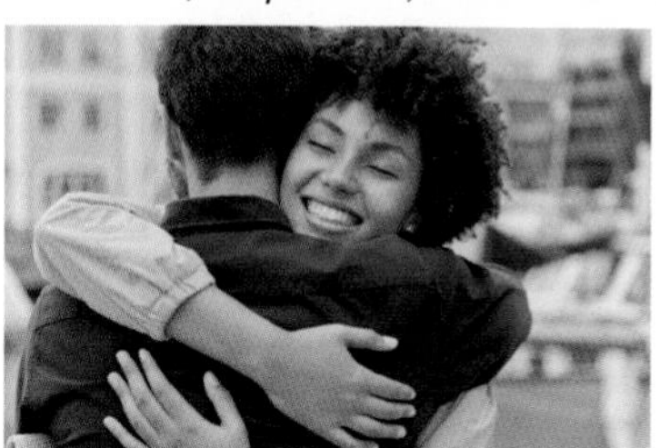

Luisa y Marco se encontraron ayer por la calle, les hizo mucha ilusión verse.

ACTIVIDADES

4 Comenta con tu compañero si estos verbos funcionan normalmente como reflexivos (A) o como recíprocos (B). Justifica tu respuesta.

	A	B
1 acostarse	☐	☐
2 darse la mano	☐	☐
3 peinarse	☐	☐
4 escribirse	☐	☐
5 afeitarse	☐	☐
6 vestirse	☐	☐
7 pintarse los labios	☐	☐
8 reunirse con	☐	☐
9 despertarse	☐	☐
10 llamarse por teléfono	☐	☐
11 abrazarse	☐	☐
12 verse	☐	☐

5 Marca la mejor opción.

1 Julián y Luca siempre **se saludan / saludan** con dos besos cuando se ven.
2 Emma y Enrique siempre **se saludan / saludan** a Eva con un fuerte abrazo.
3 Nuria **se viste / viste** a sus hijas cada día antes de ir al colegio.
4 Los hijos de Juanma son gemelos y **se ayudan / ayudan** con los deberes cada día.
5 Malena y su abuela todavía **se escriben / escriben** cartas a menudo entre ellas.

6 Lee el siguiente diálogo donde dos amigos se están saludando y complétalo con las siguientes expresiones.

tengo prisa	así así	¡Cuánto tiempo!	Venga

- ¡Hombre, Carlos! **(1)** ______________ ¿Cómo te va?
- Bien, como siempre. Y tú, ¿qué tal? ¿Qué tal todo?
- Bueno, **(2)** ______________.
- ¿Y eso?
- Pues nada, que he estado enfermo casi un mes, pero bueno... ¿Tienes un rato y nos tomamos algo?
- Sí, sí, fenomenal, no **(3)** ______________. Vamos y así nos ponemos al día.
- ¡Qué bien! **(4)** ______________, vamos.

HABLAR DE EXPERIENCIAS

- El pretérito perfecto y el pretérito indefinido son dos tiempos de pasado que pueden referirse a un mismo hecho, pero el hablante muestra una perspectiva diferente respecto al momento presente.
- Con el **pretérito perfecto** hablamos de hechos terminados, pero que conectamos con el momento actual:

Hoy

*Hoy **he visto** a Marta en el barrio, por eso estoy tan contenta.*

- Con el **pretérito indefinido** hablamos de hechos pasados que no relacionamos con el momento presente:

Hoy

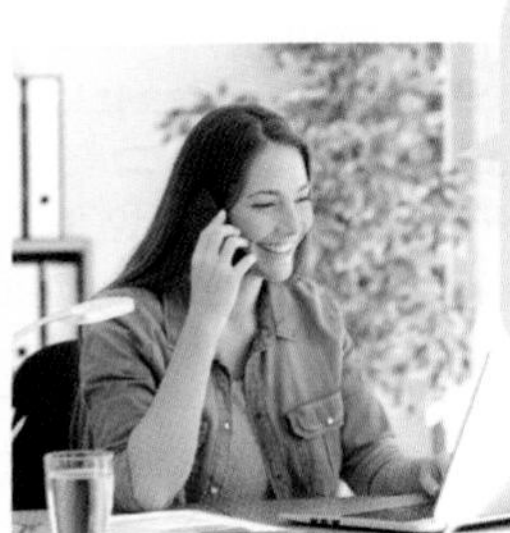

*Por cierto, hoy **vi** a Marta en el barrio. Me hizo mucha ilusión.*

- Incluso con marcadores que indican un momento muy cercano *(hace un rato, hace unos minutos, hace un momento...)* pueden utilizarse ambos tiempos dependiendo de si el hablante relaciona o no la acción realizada con el momento actual.

En la mayor parte del mundo hispanoamericano y en algunas regiones de España, como Galicia, Asturias o Canarias, se usa más el pretérito indefinido.

- En otros casos, pueden aparecer marcadores explícitos *(nunca, todavía no...)* con otros marcadores implícitos *(en mi vida, en aquel momento...)*, que el hablante no incluye porque la elección del tiempo verbal ya aporta ese significado:

Nunca he ido a Japón.

Ahora

EN MI VIDA

Nunca fui a Japón.

Ahora

CUANDO VIVÍA EN ASIA

Pretérito indefinido

Hay que añadir a la raíz las siguientes terminaciones:

	trabajar	comer	vivir
yo	trabaj**é**	com**í**	viv**í**
tú	trabaj**aste**	com**iste**	viv**iste**
él / ella / usted	trabaj**ó**	com**ió**	viv**ió**
nosotros/as	trabaj**amos**	com**imos**	viv**imos**
vosotros/as	trabaj**asteis**	com**isteis**	viv**isteis**
ellos / ellas / ustedes	trabaj**aron**	com**ieron**	viv**ieron**

Formas irregulares del pretérito indefinido

- Los verbos *ser* e *ir* tienen la misma forma en el indefinido ***(fui, fuiste, fue, fuimos, fuisteis, fueron)***. Es fácil saber por el contexto qué verbo es.
- Los siguientes verbos tienen raíz irregular en pretérito indefinido y comparten terminación y acentuación diferente, por eso no llevan tilde en la primera y tercera personas del singular:

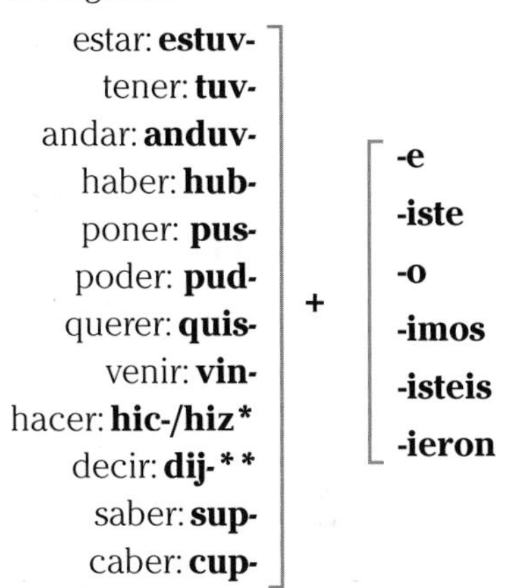

estar: **estuv-**
tener: **tuv-**
andar: **anduv-**
haber: **hub-**
poner: **pus-**
poder: **pud-**
querer: **quis-**
venir: **vin-**
hacer: **hic-/hiz***
decir: **dij-****
saber: **sup-**
caber: **cup-**

\+ **-e**, **-iste**, **-o**, **-imos**, **-isteis**, **-ieron**

* La 3.ª persona del singular se escribe *hizo* para mantener la pronunciación.
** Los verbos con raíz terminada en *j* pierden la *i* en 3.ª persona del plural: *(ellos) di**jeron*** ~~dijieron~~.

- Algunos verbos terminados en ***-ir*** como *seguir, pedir, sentir, morir, dormir...* cambian la vocal de la raíz en 3.ª persona del singular y plural:

	pedir (e>i)	dormir (o>u)
yo	ped**í**	dorm**í**
tú	ped**iste**	dorm**iste**
él / ella / usted	pid**ió**	durm**ió**
nosotros/as	ped**imos**	dorm**imos**
vosotros/as	ped**isteis**	dorm**isteis**
ellos / ellas / ustedes	pid**ieron**	durm**ieron**

- En los verbos con raíz terminada en vocal *(leer, creer, caer, construir...)* la ***i*** (vocal) pasa a ***y*** (consonante) en la 3.ª persona del singular y plural: *leyó* / *leyeron (leer)*, *oyó* / o*yeron (oír)*, *construyó* / constru*yeron (construir)*.
- Los verbos terminados en ***-ducir*** *(conducir, traducir, producir...)* cambian a ***-duj-*** en indefinido. Y recuerda que la terminación de la 3.ª persona del plural ***(-ieron)*** pierde la ***i*** en los verbos donde la raíz cambia a ***j***: *tradujeron*.

Pretérito perfecto

Se forma con el presente de indicativo de ***haber*** + **participio** del verbo:

	Presente HABER	PARTICIPIO -AR (termina en *-ado*)	PARTICIPIO -ER / -IR (termina en *-ido*)
yo	he		
tú	has	dado	podido
él / ella / usted	ha	comprado	tenido
nosotros/as	hemos	escuchado	ido
vosotros/as	habéis	quedado	salido
ellos/as / ustedes	han		

Formas irregulares de los participios

- Participios irregulares más comunes:

ver: **visto**
escribir: **escrito**
volver: **vuelto**
poner: **puesto**
morir: **muerto**
hacer: **hecho**
decir: **dicho**
abrir: **abierto**
descubrir: **descubierto**
romper: **roto**

- Esta irregularidad también se da en los verbos que tienen una forma derivada de los infinitivos anteriores:

posponer: **pospuesto**
deshacer: **deshecho**
devolver: **devuelto**
reabrir: **reabierto**

ACTIVIDADES

7 Selecciona el tiempo verbal más adecuado en cada caso y justifica por qué.

1. ¿**Ha venido / Vino** María el año pasado a tu cumpleaños? Porque no lo recuerdo...
2. **He vivido / Viví** en Colombia en 2010 durante ocho meses.
3. - ¿Alguna vez **has comido / comiste** carne de tiburón?
   - Claro, muchas veces: en mi país es algo muy común.
4. Mi abuela **ha competido / compitió** en las olimpiadas de 1964.
5. Nunca **he tenido / tuve** la ocasión de aprender idiomas cuando estaba en el colegio.
6. ¿**Has visto / Viste** mis gafas por aquí? Llevo un rato buscándolas, pero no las encuentro.
7. Mi madre nada muy bien porque **ha aprendido / aprendió** cuando era pequeña.
8. Estoy muy cansado porque **he tenido / tuve** mucho trabajo.
9. ¿Todavía no **he visto / vi** el último episodio de la serie, así que no me cuentes el final.
10. **Conocí / He conocido** a mi pareja en la universidad: llevamos veinte años juntos.

8a Neus Segura ha sido una gran actriz. Mira la información y escribe su biografía.

- **En sus inicios** - Actriz secundaria en películas de bajo presupuesto
- **Durante toda su carrera** - Diferentes papeles en el cine: ama de casa, abogada, revolucionaria, ministra
- **A lo largo de su carrera** - Más de veinte premios
- **En los años noventa** - Óscar
- **El año después** - Boda con Luis Mozos
- **A lo largo de su vida** - Tres bodas y cuatro hijos
- **En la última década** - Tres películas
- **En el 2019** - Retirarse

8b Busca un personaje famoso y escribe una pequeña biografía.

UNIDAD 2

TODAVÍA Y YA NO

- Para contrastar hábitos y situaciones del pasado con el presente podemos usar ***todavía*** y ***ya no***.
- Usamos ***todavía*** para expresar que algo se hacía en el pasado y que también se hace en el presente:

  *Actualmente **todavía** usamos las bibliotecas.*
- Usamos ***ya no*** para expresar que algo que se hacía en el pasado, no se hace en el presente:

  *Antes usaba las enciclopedias, pero **ya no**.*
- Pero si la primera frase es negativa, para expresar este cambio usamos ***ahora sí***:

  *Antes no viajábamos mucho, pero **ahora sí**.*
- Con los verbos ***ser, estar*** y ***parecer*** es necesario poner el pronombre ***lo*** antes del verbo en presente:

  *Antes era muy tímido, y todavía **lo** soy.*

  *Antes la gente no estaba concienciada, y ahora (sí) **lo** está.*

PRETÉRITO IMPERFECTO

- Este tiempo tiene los mismos usos que el presente, pero en este caso nos situamos en un momento del pasado y describimos lo que pasa o lo que hacemos en ese momento.

Presente	Pretérito imperfecto
A Hablar de acciones habituales	
 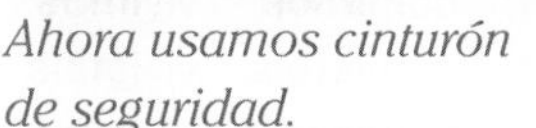 *Ahora usamos cinturón de seguridad.*	 *Antes no usábamos cinturón de seguridad.*
B Describir lugares, personas y cosas	
 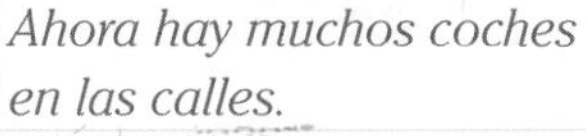 *Ahora hay muchos coches en las calles.*	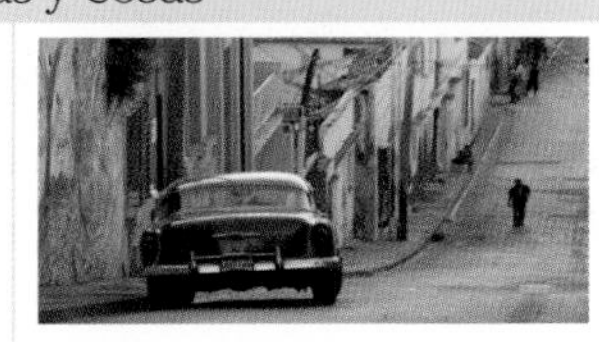 *Antes no había muchos coches en la calle.*

- Para expresar una acción habitual podemos usar el verbo ***soler*** + **infinitivo**:

  Cuando era pequeño, solía ir todos los domingos al campo.

Verbos regulares

	estudiar	tener	escribir
yo	estudi**aba**	ten**ía**	escrib**ía**
tú	estudi**abas**	ten**ías**	escrib**ías**
él / ella / usted	estudi**aba**	ten**ía**	escrib**ía**
nosotros/as	estudi**ábamos**	ten**íamos**	escrib**íamos**
vosotros/as	estudi**abais**	ten**íais**	escrib**íais**
ellos/as / ustedes	estudi**aban**	ten**ían**	escrib**ían**

Recuerda: todas las terminaciones de los verbos en ***-er/-ir*** llevan tilde; pero en los verbos en ***-ar***, solo en la forma de *nosotros/as*.

Verbos irregulares

	ser	ir	ver
yo	era	iba	veía
tú	eras	ibas	veías
él / ella / usted	era	iba	veía
nosotros/as	éramos	íbamos	veíamos
vosotros/as	erais	ibais	veíais
ellos / ellas / ustedes	eran	iban	veían

Algunas expresiones que se usan frecuentemente para hablar de recuerdos son:

- ***De pequeño/a*** *quería ser astronauta.*
- ***Cuando era más joven,*** *me gustaba la música pop.*
- ***Cuando tenía 10*** *años, vivía con mis abuelos.*
- ***A los 12 años*** *iba a clases de piano.*
- ***En el colegio*** *sacaba muy buenas notas.*
- ***Entonces*** *no había mucho tráfico en las carreteras.*
- ***En aquella época*** *jugábamos todo el tiempo en la calle.*

ACTIVIDADES

1 Completa estas frases poniendo el verbo adecuado.

1. Cuando estaba en la escuela, ___ mucho al tenis de mesa: era mi pasión.
2. De pequeña ___ un perro que se llamaba Pulguitas.
3. Antes ___ mucha carne, pero ahora no porque soy vegetariano.
4. Cuando estaba en el colegio, era muy estudiosa: siempre ___ buenas notas.
5. Antiguamente no ___ nada de deporte, pero ahora voy al gimnasio cuatro veces por semana.
6. Cuando era pequeño, ___ mucho la televisión; y ahora todavía la veo mucho.

2 Recuerda tu pasado y completa estas frases. Luego, coméntalo con tus compañeros. ¿Con quién compartes más recuerdos de tu infancia?

1. Yo era un(a) chico/a…
2. Vivía en un barrio…
3. En mi habitación había…
4. Lo que más me gustaba de mi colegio…
5. Mi comida favorita…
6. En mi tiempo libre…

3 Relaciona cada principio de frase con su final.

1 Antes vivía con mis padres, ahora no,… 2 Antes vivía con mis padres y ahora todavía…	a vivo solo. b vivo con ellos.
3 De pequeño me gustaba coleccionar cromos de futbolistas, y actualmente todavía… 4 De pequeño me gustaba coleccionar cromos de futbolistas, pero actualmente ya…	a no los tengo. b los tengo.
5 Cuando era pequeña, solía ir de vacaciones a la playa, y ahora todavía… 6 Cuando era pequeña, solía ir de vacaciones a la playa, pero ahora ya no,…	a prefiero ir a la montaña. b voy al mismo lugar.
7 Antes no podía viajar sola, y ahora sí,… 8 Antes no podía viajar sola, y todavía…	a viajo por todo el mundo. b me cuesta hacerlo.

CONECTORES

Los conectores son palabras que utilizamos para unir frases y pueden tener diferentes objetivos: expresar causa, consecuencia, contrastar ideas, etcétera.

Expresar causa

- ***Porque*** introduce una causa para explicar una situación (normalmente se sitúa después), mientras que ***como*** presenta una causa que hay que considerar para entender la situación (normalmente se sitúa al principio):

Ahora es peligroso jugar en la calle (SITUACIÓN) *porque hay muchos coches.* (CAUSA)

Como hay muchos coches, (CAUSA) *ahora es peligroso jugar en la calle.* (SITUACIÓN)

- ***Es que*** introduce una causa para justificarse (es más común en el lenguaje oral):

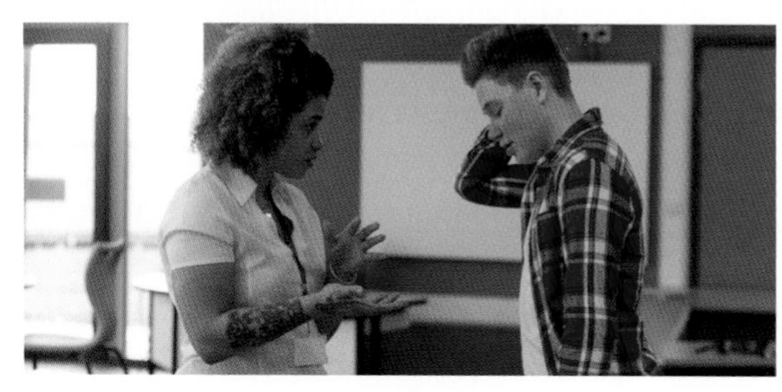

- *¿Otra vez llegas tarde a clase?*
- *Perdona, es que he dormido mal.*

Expresar consecuencia

Por eso y ***así que*** expresan una consecuencia a una situación determinada. Normalmente se sitúan después, separados por una coma en la lengua escrita:

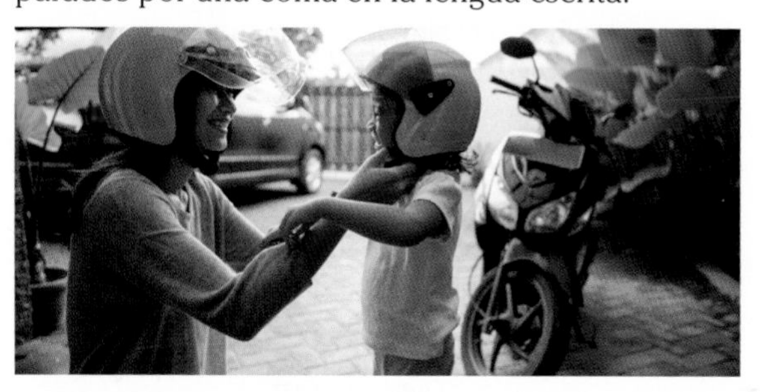

Ahora hay leyes que obligan al uso del casco, (SITUACIÓN) *por eso los motoristas siempre lo llevan.* (CONSECUENCIA)

Está lloviendo, así que me quedo en casa.
SITUACIÓN CONSECUENCIA

Contrastar ideas

- ***Pero***, ***sin embargo*** y ***aunque*** presentan una información que contrasta con otra anterior. Normalmente se escriben después de una coma en el lenguaje escrito. ***Pero*** es el conector más habitual:

Me gusta hacer deporte, pero ahora estoy lesionado.
SITUACIÓN CONTRASTE

- Cuando la primera situación es negativa, utilizamos ***sino*** para introducir la frase que contrasta con la anterior:

*Yo **no** vivía en una ciudad, sino en un pueblo pequeño.*
SITUACIÓN CONTRASTE

- ***Aunque*** también puede presentar una situación como un obstáculo que no impide la realización de otra situación:

Aunque estoy muy cansada, voy a salir.
OBSTÁCULO ACCIÓN

En el ejemplo anterior, el obstáculo introducido por ***aunque*** se sitúa al principio, pero también puede ir al final:

Voy a salir aunque estoy muy cansada.

ACTIVIDADES

4 Identifica qué parte expresa la causa y escribe las frases usando ***como*** o ***porque***. Escribe las dos opciones si es posible.

1. Hacía calor / puse el aire acondicionado
   Como hacía calor, puse el aire acondicionado.
   CAUSA
   Puse el aire acondicionado porque hacía calor.
   CAUSA
2. Me hice un bocadillo / tenía mucha hambre
3. Empezó a llover / volví corriendo a casa
4. Llegué tarde a clase / no sonó el despertador
5. Me dolía la cabeza / me tomé una aspirina
6. No te llamé anoche / se me olvidó
7. Estaba muy cansado / me quedé en casa
8. Pasé por el supermercado / compré el pan

5 Completa estos diálogos con el conector más apropiado: ***porque*** o ***es que***.

1. • ¿Quieres tarta?
   ▪ No, gracias, ______ estoy a dieta y no puedo tomar dulces.
2. • ¿Hacemos la barbacoa este fin de semana?
   ▪ Sí, ______ parece que va a hacer buen tiempo.
3. • Llevo toda la tarde preocupado por ti, ¿por qué no me has llamado?
   ▪ Lo siento, ______ me he quedado sin batería.
4. • ¡Qué chaqueta más bonita! ¿Es nueva?
   ▪ ¡Qué va! Era de mi hermana, me la dio ______ ya no la usaba.
5. • Deberías tomar más fruta ______ es bueno para la salud.
   ▪ Sí, ya lo sé.
6. • Hola, ¿puedo cambiar la cita para otro día? ______ tengo mucho trabajo y no voy a llegar.
   ▪ Sí, claro, ¿qué día prefiere?
7. • ¿Te gusta este piso?
   ▪ Sí, ______ tiene mucha luz y está bien comunicado.

6 Relaciona elementos de cada columna para formar frases.

1 No tengo mucho dinero, por eso… 2 No tengo mucho dinero porque…	a todavía no he cobrado. b no me lo compro.
3 Aunque no hace buen tiempo,… 4 Como no hace buen tiempo,…	a podemos comer en el jardín. b mejor comemos dentro de casa.
5 Llegamos tarde, así que… 6 Llegamos tarde porque…	a date prisa. b hay mucho tráfico.
7 Yo no estudié alemán, sino… 8 Yo no estudié alemán, pero…	a lo entiendo. b francés.
9 Aunque no me gusta conducir,… 10 Como no me gusta conducir,…	a prefiero que lleves tu coche. b si quieres, llevo mi coche.
11 No soy médico, sino… 12 No soy médico, pero…	a enfermero. b me gustaría.
13 Tengo mucho sueño, así que… 14 Tengo mucho sueño porque…	a no he dormido bien. b me voy a la cama.

NARRAR HISTORIAS (I)

- Cuando contamos historias, combinamos el uso del **pretérito indefinido** y del **pretérito imperfecto**.
- Con el indefinido hacemos que la acción principal avance hasta una nueva situación:

Un joven okupa se instaló en la casa de una anciana, la mujer no se dio cuenta, el hijo oyó ruidos, lo encontró durmiendo, llamó a la policía y lo detuvieron. (este sería un buen resumen de los hechos)

- Utilizamos el imperfecto para describir el contexto en el que se desarrolla la historia:

Una mujer de 90 años vivía sola.

Estaban comiendo tranquilamente.

La casa era grande.

ACTIVIDADES

7 Completa esta historia con los verbos conjugados en imperfecto o indefinido. Justifica tus respuestas. ¿Te ha pasado algo igual alguna vez?

El otro día Elvira **(1)** ________ (levantarse) tarde: **(2)** ________ (estar) muy cansada, pero cuando **(3)** ________ (mirar) la hora, **(4)** ________ (coger) el bolso y **(5)** ________ (salir) corriendo de casa. **(6)** ________ (haber) mucho tráfico, pero afortunadamente el autobús **(7)** ________ (llegar) puntual. Aunque en la oficina no **(8)** ________ (haber) mucha gente, Elvira **(9)** ________ (darse) cuenta de que, al entrar, sus compañeros la **(10)** ________ (mirar) mucho, hasta que una compañera le **(11)** ________ (decir): "¿Llevas un nuevo traje o vienes en pijama?". Entonces, Elvira **(12)** ________ (ver), horrorizada, que **(13)** ________ (llevar) el pijama: ¡qué vergüenza! Menos mal que una amiga la **(14)** ________ (llevar) en coche a casa para cambiarse de ropa. Lo mejor de todo es que todavía se ríe cada vez que recuerda esta anécdota.

8a En parejas, leed esta noticia e imaginad la descripción de los personajes y del contexto que rodea la historia con ayuda de las preguntas de la actividad **8b**. Escribidla de nuevo y comparad vuestra versión con la de vuestros compañeros.

Una pareja mexicana olvidó a su bebé recién nacido en un taxi. El coche paró delante de su casa, la pareja se bajó, pagaron, se despidieron del taxista y ¡olvidaron al bebé en el asienteo de atrás! El padre del pequeño se dio cuenta de su olvido cuando el coche se fue y corrió detrás gritando sin éxito. El taxista llegó a parar para comer y después continuó trabajando, pero fue otro cliente el que descubrió al bebé en el taxi. Inmediatamente, el conductor avisó a la policía y a una ambulancia. Finalmente, el niño fue devuelto a sus padres.

8b Responde a las siguientes preguntas.

1. ¿Por qué estaban en el taxi?
2. ¿Cómo era el conductor? ¿Y el taxi?
3. ¿En qué ciudad vivían?
4. ¿Cómo eran los padres? ¿Cuántos años tenía la madre del bebé?
5. ¿Cómo estaban los padres cuando se dieron cuenta de lo que pasó?
6. ¿Cómo estaba el bebé cuando llegó la ambulancia?
7. ¿Cómo se sentían los padres al final de la historia?

8c ¿Conoces alguna otra historia parecida? Coméntalo con la clase.

RECURSOS PARA ORDENAR UN RELATO Y REACCIONAR

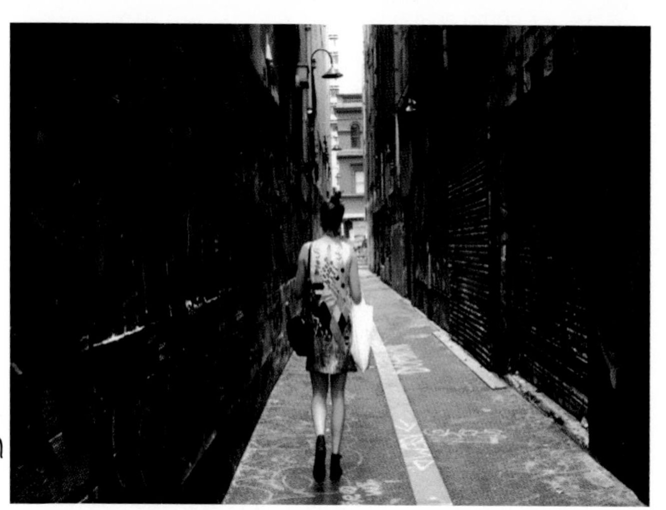

- *¡No te imaginas lo que me pasó el otro día!*
- *No, dime, ¿qué te pasó?*
- *Pues resulta que iba por la calle tan tranquila y, de repente…*

- Cuando contamos una anécdota o una historia curiosa, interesante o increíble, es frecuente seguir este esquema que ordena el relato y usar expresiones para:
  - **Empezar el relato:** *¿Sabes lo que pasó…? / ¡No te imaginas lo que me ocurrió…! / Pues resulta que, un día, en… / Pues una vez…*
  - **Introducir una situación inesperada:** *De repente… / De pronto… / ¡Y no te imaginas lo que pasó…!*
  - **Marcar el final del relato:** *Bueno, el caso es que al final… / Total, que… / ¿A que es increíble?*
- Y el oyente, durante el relato, usa expresiones para:
  - **Mostrar interés por lo que se está contando:** *(No,) Cuéntame. / (No,) Dime. / ¿Qué (le) hicieron? / ¿Y?*
  - **Reaccionar durante y al final de la historia:** *¿En serio? / ¡De verdad! / ¡No me lo puedo creer! / ¡Madre mía!*

ACTIVIDADES

9 Mira estas expresiones que se usan para contar anécdotas y relaciónalas con el esquema de la página anterior.

1 ¡Qué desastre!
2 ¡Qué gracia!
3 ¿Qué te pasó?
4 ¡Qué rollo!
5 ¿Sabes lo que le pasó a mi hermano en El Cairo?
6 ¡Anda!
7 Total, que nos fuimos.
8 ¡Menos mal!
9 ¿De verdad?
10 Una vez estaba en mi casa y...
11 ¡No me digas!
12 ¡Qué suerte!
13 ¿A que parece mentira?
14 ¿Y cómo acabó la cosa?
15 ¡Qué casualidad!
16 De pronto...

10 38 Lee esta anécdota y completa el texto con tus reacciones (hay más de una opción). Luego, escucha y comprueba si has coincidido con el audio.

- Susana, ¿te he contado lo que me pasó una vez en Nueva York?
- (1) ______________________
- Pues resulta que estaba en el museo Guggenheim viendo una exposición, y un chico no paraba de mirarme.
- (2) ______________________
- Pues nada, que se acercó a mí y me preguntó en español si yo tenía un hermano en Sevilla que se llamaba Antonio.
- (3) ______________________
- Sí, el caso es que era un compañero suyo que estaba de viaje de trabajo. Y al final quedamos para cenar y lo pasamos genial. ¿A que es increíble?
- Sí, cierto, ¡(4) ______________________!

11 Reconstruye la siguiente historia: para ello primero piensa en el orden de las frases, luego decide qué tiempo de pasado necesitas en cada caso y únelas con conectores para contarla.

YO
ESTAR LEYENDO UN LIBRO
DEJAR UN MOMENTO EL BOCADILLO EN EL BANCO
UN PERRO ACERCARSE
SACAR DEL BOLSO UN BOCADILLO DE CHORIZO
ROBARME EL BOCADILLO
SALIR CORRIENDO
ESTAR SENTADO EN UN BANCO DEL PARQUE
HACER UN BUEN DÍA

12 Vamos a hacer un concurso de anécdotas. Piensa si has vivido alguna relacionada con un malentendido cultural o con otros temas y escríbela. Formad tríos, contad las anécdotas y elegid la mejor. Después, cada grupo saldrá al centro de la clase a contar la anécdota seleccionada. Al final, entre todos, decidiréis cuál es la más divertida.

- *¿Sabéis lo que le pasó a Ahmed una vez en El Cairo?*
- *No, cuéntanos, ¿qué le pasó?*
- *Pues resulta que estaba cerca de las Pirámides y...*

ENTONACIÓN DE PREGUNTAS CON ALTERNATIVA

- Las frases interrogativas que proponen una alternativa excluyente, es decir, una elección entre dos elementos, tienen una entonación ascendente en el primer elemento y descendente en el segundo:

¿Se lo pidió, o lo cogió sin permiso?

- Para diferenciar la entonación, ponemos una coma delante de la ***o*** en las preguntas donde hay una elección excluyente, mientras que no ponemos la coma si la elección no es excluyente:

¿El okupa estaba solo, o acompañado? (una cosa o la otra – elección excluyente)

¿El hombre tenía hambre o sueño? (pueden ser las dos cosas – elección no excluyente)

ACTIVIDAD

13 39 Escucha estas preguntas y marca la opción correcta: para ello tienes que prestar atención a la entonación.

1 ¿Estás casado o soltero? / ¿Estás casado, o soltero?
2 ¿Te gusta cantar o bailar? / ¿Te gusta cantar, o bailar?
3 ¿Lucas habla italiano o portugués? / ¿Lucas habla italiano, o portugués?
4 ¿Vives en el centro o a las afueras? / ¿Vives en el centro, o a las afueras?
5 ¿Sabés tocar el piano o la guitarra? / ¿Sabés tocar el piano, o la guitarra?
6 ¿Estudias inglés o francés? / ¿Estudias inglés, o francés?

NARRAR HISTORIAS (II)

- Cuando contamos historias que recordamos, combinamos el uso del pretérito indefinido y del pretérito imperfecto.
- Con el **pretérito indefinido** mostramos hechos terminados, es decir, nos situamos fuera de la acción y contamos un hecho completo:

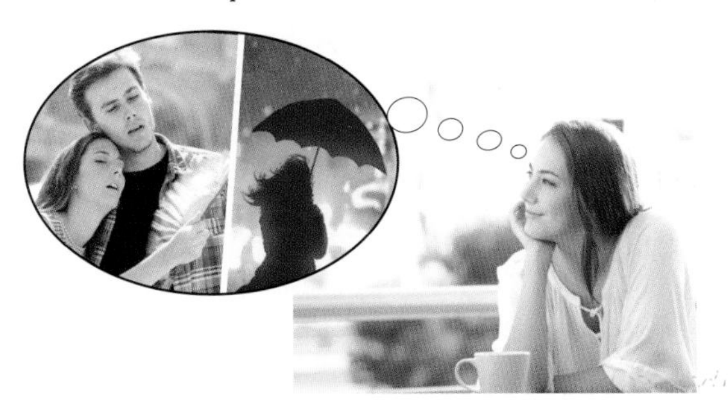

*Recuerdo que **hizo** mucho calor, pero por la noche llovió.*

Nos situamos fuera de la historia y mostramos la acción completa como terminada.

- Con el **pretérito imperfecto** contamos hechos no terminados en ese momento de la historia que estamos narrando porque nos situamos dentro de ella y describimos la situación mientras sucede, al igual que se usa el presente para contar acciones en el momento actual:

Hace calor (en este momento presente) → *Hacía calor* (en ese momento pasado)

*Recuerdo que **hacía** mucho calor...*

Nos situamos dentro de la historia. y presentamos la acción en desarrollo como no terminada.

- Si especificamos el tiempo que dura una acción, entonces la presentamos como un hecho terminado en ese punto y tenemos que usar el pretérito indefinido:

La última vez que fui a París, llovió toda la semana / ~~llovía toda la semana~~.

- Pero si lo presentamos como una acción habitual en el pasado, entonces usamos el pretérito imperfecto:

En París, comíamos casi siempre en restaurantes.

Algunas expresiones utilizadas en estos casos son: *siempre, normalmente, a veces, dos veces por semana, nunca...*

ACTIVIDADES

14 Completa las frases usando el verbo en indefinido o imperfecto.

1	a En aquella época yo ______ en un restaurante cerca de la playa. b ______ en ese restaurante durante cinco años.	**trabajar**
2	a ______ a Carmen todos los días en la universidad. b Después de la universidad, no ______ nunca más a Carmen. ¡Qué pena!	**ver**
3	a Antes ______ el pelo mucho más largo, pero a mis padres no les gustaba. b ______ el pelo más largo durante una temporada, pero a mis padres no les gustaba.	**llevar**
4	a Las vacaciones pasadas ______ por América: me encanta viajar. b Antes siempre ______ por mi trabajo, pero ahora solo viajo por placer.	**viajar**
5	a Cuando ______ a casa, me encontré con Pedro en la calle. b Cuando ______ a casa, preparé la cena y me acosté.	**volver**
6	a Ayer ______ en el médico toda la mañana. b ______ en el médico cuando me llamaste.	**estar**

15 ¿Indefinido o imperfecto? Elige la forma adecuada.

- Por fin hablo contigo, ayer te (1) **llamé / llamaba** varias veces.
- Sí, es que (2) **fue / era** un día terrible. (3) **Fui / Iba** a visitar unos clientes y no (4) **llegué / llegaba** a casa hasta muy tarde. Cuando (5) **estuve / estaba** en casa, (6) **vi / veía** que tenía varias llamadas perdidas tuyas, pero (7) **estuve / estaba** muy cansado y me (8) **fui / iba** a la cama.
- Tranquilo, lo entiendo. Solo (9) **quise / quería** decirte que el sábado celebro mi cumpleaños en casa. ¿Puedes venir?
- Pues, no sé, porque María (10) **compró / compraba** hace unos días unas entradas para el teatro. Pero quizás podemos pasar después.
- Sí, claro: estaremos aquí hasta tarde.

16 Completa la historia con los verbos en el tiempo adecuado de indefinido o imperfecto.

Después de pasar un invierno sentada en el sofá viendo series de televisión, **(1)** __________ (decidir) que **(2)** __________ (ser) hora de apuntarme a un gimnasio. Todas las personas allí **(3)** __________ (parecer) modelos de televisión y yo, allí, con ropa ajustada, marcando todas mis imperfecciones. El entrenador me **(4)** __________ (explicar) los ejercicios y, mientras los **(5)** __________ (hacer), él me **(6)** __________ (gritar): "Vamos, que tú puedes, campeona", "un poco más". ¡Qué vergüenza! La gente nos **(7)** __________ (mirar) y **(8)** __________ (sonreír) al ver que mis pesas **(9)** __________ (ser) las más pequeñas. Pero lo peor fue el día siguiente: **(10)** __________ (estar) todo el día en casa sin moverme por las agujetas y no **(11)** __________ (levantarse) del sofá. **(12)** __________ (Ser) horrible.

17 Busca en la clase a una persona a la que le ha pasado una de estas cosas.

- Hizo el ridículo su primer día de trabajo porque estaba muy nervioso.
- No quería quedar con alguien, así que puso una excusa y lo descubrieron.
- Lo invitaron a una fiesta y llevaba ropa inadecuada.
- No fue a una cita porque tenía mucho sueño y se quedó dormido.
- Saludó a un desconocido porque pensaba que era otra persona.

- *¿Alguna vez has hecho el ridículo en el trabajo?*
- *Pues, sí. Mi primer día de trabajo estaba tan nervioso que empecé a sudar y pasé el día con la camisa mojada por el sudor. Me dio mucha vergüenza…*

UNIDAD 3

HACER PREDICCIONES: EL FUTURO SIMPLE

Un uso frecuente del futuro simple es hacer predicciones, es decir, imaginar el futuro.

La mayoría de las personas del mundo vivirán en áreas urbanas.

Verbos regulares

Se forman añadiendo al infinitivo estas terminaciones:

	estar	ser	vivir
yo	estar**é**	ser**é**	vivir**é**
tú	estar**ás**	ser**ás**	vivir**ás**
él / ella /usted	estar**á**	ser**á**	vivir**á**
nosotros/as	estar**emos**	ser**emos**	vivir**emos**
vosotros/as	estar**éis**	ser**éis**	vivir**éis**
ellos / ellas / ustedes	estar**án**	ser**án**	vivir**án**

No hay diferencias entre las tres conjugaciones *(-ar, -er, -ir)*.

Verbos irregulares

Tienen la irregularidad en la raíz del verbo. Las terminaciones del futuro son iguales para todos los verbos.

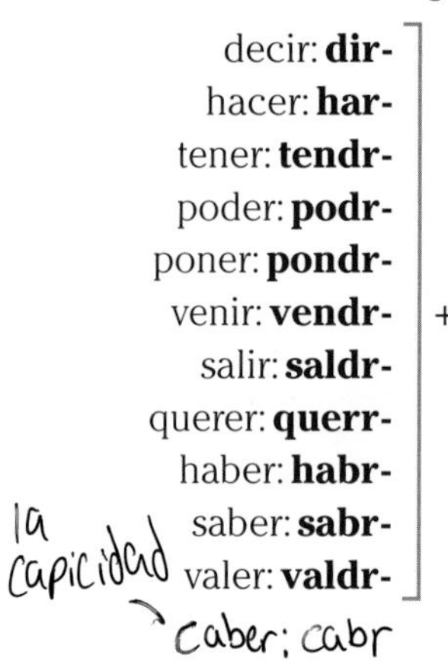

decir: **dir-**
hacer: **har-**
tener: **tendr-**
poder: **podr-**
poner: **pondr-**
venir: **vendr-**
salir: **saldr-**
querer: **querr-**
haber: **habr-**
saber: **sabr-**
valer: **valdr-**

\+ **-é** / **-ás** / **-á** / **-emos** / **-éis** / **-án**

ACTIVIDADES

1 Relaciona los enunciados para formar frases sobre predicciones de futuro. ¿Estás de acuerdo con ellas?

1 La contaminación del aire…
2 En las huellas dactilares…
3 Las compañías de cohetes…
4 Podremos recargar los móviles…
5 La lista de especies en peligro de extinción…
6 La tecnología resolverá…

a ☐ continuará elevándose como consecuencia del cambio climático.
b ☐ pondrán de moda el turismo espacial.
c ☐ se almacenará nuestro registro médico.
d ☐ muchos de los problemas ambientales y sociales actuales.
e ☐ con energía de las plantas.
f ☐ será la principal causa ambiental de mortalidad.

2 40 Eduardo ha ido a una vidente porque quiere saber cómo será su futuro. Fíjate en las imágenes que ha visto la adivina en su bola de cristal y escribe las predicciones que crees que ha hecho. Luego, escucha y comprueba.

A B C

D

F

E

EXPRESAR PROBABILIDAD EN EL FUTURO

Podemos imaginarnos el futuro expresando mayor o menor certeza, y para ello usamos expresiones de probabilidad como:

- ***seguro que*** (para expresar una mayor certeza): *Seguro que viviremos en grandes ciudades.*
- ***seguramente:*** *Seguramente los transportes serán más rápidos.*
- ***probablemente:*** *Probablemente tendremos mejor salud.*
- ***posiblemente:*** *Posiblemente habrá problemas por la escasez de recursos básicos.*
- ***tal vez:*** *Tal vez viviremos más de cien años.*
- ***quizás:*** *Quizás desaparecerán algunas islas debido al aumento del nivel del mar.*
- ***supongo que:*** *Supongo que la tecnología hará la vida más fácil.*

ACTIVIDADES

3 Piensa en tu futuro y completa estas frases.

- En un futuro seguro que viviré en...
- Seguramente...
- Probablemente...
- Supongo que...

4 En parejas, pensad en el futuro de algún compañero de clase y escribid algunas predicciones. Luego, comentádselas: ¿qué le parecen?

- *Vivirás en un país de habla hispana.*
- *Seguramente sí.*

HABLAR DE IDEAS Y PLANES DE FUTURO

Existen tres formas para referirse al futuro en español. Normalmente, estas formas pueden intercambiarse sin afectar al significado; sin embargo, el hablante toma una perspectiva diferente para referirse al hecho mencionado en cada una.

- **Futuro simple:** hablamos de un hecho futuro que no relacionamos con el presente. Por eso, normalmente lo utilizamos para hacer predicciones e hipótesis que no sabemos si se van a cumplir:

Tengo la idea de ir al cine, pero no está planificado (todavía no he comprado las entradas, o a lo mejor no he pensado qué película quiero ver, solo tengo la idea).

- ***Ir a* + infinitivo:** hablamos de un hecho futuro que relacionamos con el presente. Por eso, normalmente lo utilizamos para hablar de intenciones o planes que pensamos realizar:

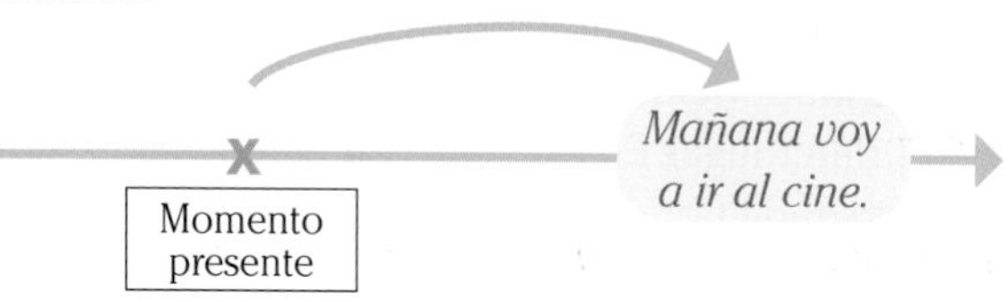

- **Presente:** hablamos de un hecho futuro, integrándolo en el presente. Por eso, normalmente lo utilizamos para referirnos a decisiones ya tomadas y a hechos futuros de los que estamos muy seguros:

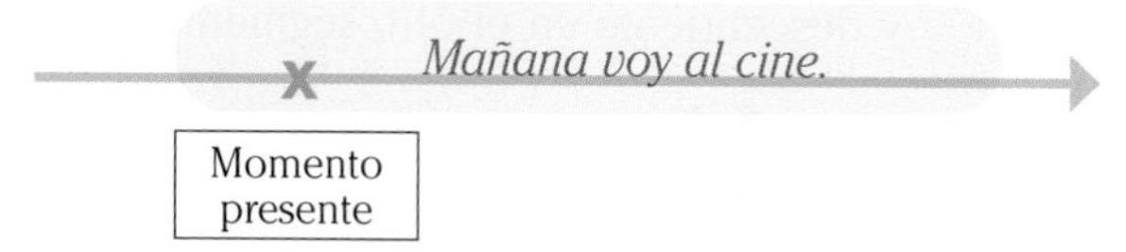

ACTIVIDADES

5 Señala si en estas frases el hablante expresa una predicción, una intención o una decisión.

1. Ahora no puedo hablar, pero por la tarde te llamo y quedamos para tomar algo.
2. El médico dice que es normal y que dentro de una o dos semanas estaré mejor.
3. El martes veo a Luis y le cuento lo que ha pasado.
4. Estoy muy cansado, así que voy a terminar esto y me voy a acostar.
5. Ahora estoy con mucho trabajo, pero pronto estaré de vacaciones en la playa descansando.
6. El próximo fin de semana vamos a ir al cumpleaños de Bea.

6 Escribe cinco frases sobre las intenciones que tiene tu profesor para el futuro. Después, pregúntale y comprueba. ¿Quién ha acertado más?

Yo creo que vas a ir al Sáhara en verano.

7 Cierra los ojos, respira hondo, relájate e imagina las respuestas a estas preguntas que te va a hacer tu profesor sobre tu futuro dentro de diez años.

1. ¿Con quién vivirás?
2. ¿Dónde vivirás?
3. ¿Qué puedes ver por la ventana?
4. ¿Se oye algo? ¿Qué?
5. ¿A qué huele?
6. ¿Qué temperatura hace?
7. ¿Cómo te sientes en ese lugar?

8 Comenta con tu compañero lo que te has imaginado: ¿coincidís en algo?

Yo me he imaginado viviendo con mi pareja en una zona de costa, y desde la ventana...

EXPRESAR HIPÓTESIS: ORACIONES CONDICIONALES

- Las oraciones condicionales están formadas por dos partes. Una parte da una información que se realiza solo cuando se cumple la condición de la otra parte. Esta condición está introducida por la conjunción ***si*** y suele aparecer en primer lugar. En este caso en el lenguaje escrito aparece separada por una coma.
- El verbo de la condición está en presente cuando consideramos que puede suceder:

Si piensas en positivo, las buenas cosas ocurrirán.

- Estas dos partes de la oración condicional tienen una línea melódica distinta: la entonación es ascendente en la condición y descendente en el otro segmento (resultado):

Si una puerta se cierra, otra puerta se abrirá.

CONDICIÓN RESULTADO

Esta entonación solo se produce cuando la condición va delante, pero no si va detrás:

Otra puerta se abrirá si una se cierra.

ACTIVIDADES

9 Ona ha alquilado un piso con su novio y estas son algunas de las condiciones que les ha puesto su casero. Completa las frases con estos verbos.

romper perder haber retrasarse ser estar tener solucionar

- Si pagáis el primer día de cada mes, no (1) ________ ningún problema. Pero si (2) ________ en los pagos, tendréis que pagar los intereses.
- Si tenéis algún problema con el agua o la luz, os lo (3) ________ pronto. Pero si vosotros (4) ________ algo, lo tendréis que pagar.
- Si la casa (5) ________ en malas condiciones, os subiré el alquiler del piso. Pero si la cuidáis bien, el precio (6) ________ el mismo.
- Si queréis mudaros a otro lugar, (7) ________ que avisarme con un mes de antelación. Si no me avisáis, (8) ________ vuestro depósito.

10 Escribe un nuevo final para las frases sobre pensamiento positivo de la actividad **4a** de la página 29.

1 Si una puerta se cierra,...
2 Si miras en dirección al sol,...
3 Si hoy te caes,...
4 Si siempre estás mirando hacia abajo,...
5 Si piensas en positivo,...

Si una puerta se cierra, tendrás que aprender a abrirla.

HACER SUPOSICIONES SOBRE EL PRESENTE

Usamos el futuro simple también para hacer suposiciones sobre algo que sucede en el momento presente:

Todo el día con el móvil, ¿no será perjudicial para nuestra salud?

¡Qué raro, no contesta Ana! Tendrá el móvil apagado.

ACTIVIDADES

11 Dos amigas están viendo fotos de un chico que les gusta, pero que no conocen: ¿qué preguntas se hacen? Complétalas.

1 ¿Cómo ________ (llamarse)?
2 ¿Cuántos años ________ (tener)?
3 ¿De dónde ________ (ser)?
4 ¿________ (tener) pareja?
5 ¿Qué ________ (gustarle) hacer?
6 ¿Qué ________ (pensar) si le escribimos?

12 Piensa en una persona que conoces. Imagina y escribe qué estará haciendo en estos momentos. Coméntaselo a tu compañero: tiene que adivinar quién es.

- *Son las 10.30 h, ¿verdad? Pues yo creo que esta persona estará comprando en el supermercado ahora o tomando un té en casa antes de ir a la compra.*
- *¿Es tu madre?*
- *No, mi madre estará trabajando en su oficina a estas horas.*
- *¿Es tu padre?*
- *Sí, sí, perfecto. Ya está jubilado, así que él hace la compra.*

UNIDAD 4

PEDIR UN FAVOR

- Para pedir un favor, podemos utilizar las siguientes expresiones:

- ***Necesito pedirte*** (una cosa / un favor)
- ***¿Puedes***
- ***¿(No) te importa*** **+ infinitivo**
- ***¿(Te) es posible***

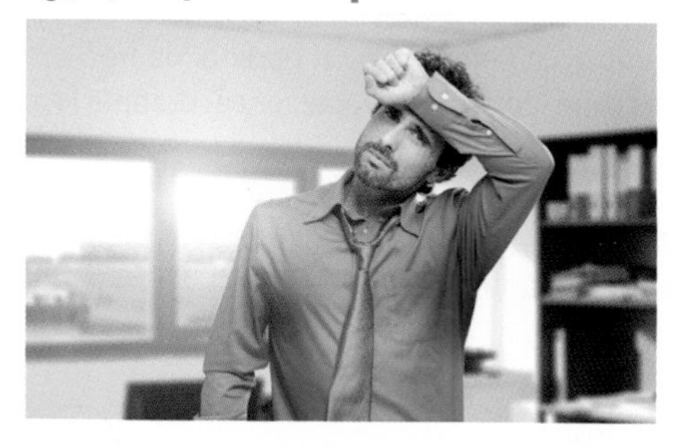

¿Puedes abrir la ventana? Es que hace mucho calor.

- En ocasiones, utilizamos un registro más **formal** o educado, porque no hay una relación tan cercana con la otra persona, o porque el favor es más difícil de realizar. En estos casos, usamos el condicional simple:

- ***Necesitaría pedirte*** (una cosa / un favor)
- ***¿Podrías***
- ***¿(No) te importaría***
- ***¿(Te) sería posible*** **+ infinitivo**
- ***¿Serías tan amable de***
- ***¿Me harías el favor de***

¿Podrías ayudarme a empujar el coche?

- Podemos reaccionar ante una petición de diferentes formas:

- ***Claro que sí / Por supuesto*** (aceptación total)
- ***Bueno, venga, pero... / Sí, pero...*** (aceptación con reservas)
- ***Bueno, no sé, es que... / No sé, no te lo puedo prometer / Depende...*** (sin compromiso)
- ***Lo siento, no puedo, es que... / Me encantaría, pero...*** (rechazo)
- ***No, no pienso hacerlo*** (rechazo absoluto)

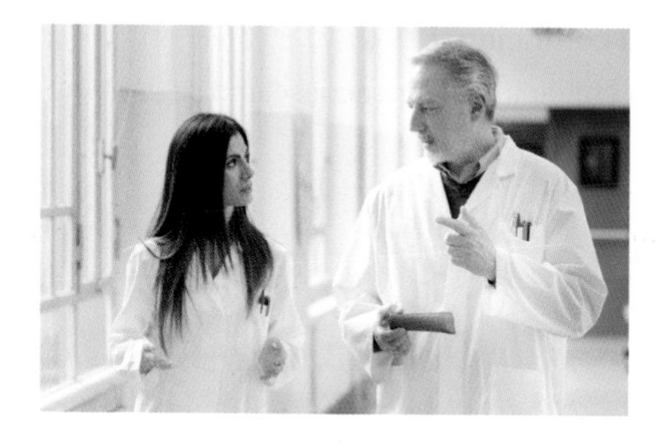

- *¿Podrías cambiarme la guardia del jueves? Es que es mi cumpleaños.*
- *Bueno, venga, pero solo porque es tu cumpleaños.*

Condicional simple

Verbos regulares

- Los verbos regulares se forman añadiendo al infinitivo las siguientes terminaciones:

	estar	ser	vivir
yo	estaría	sería	viviría
tú	estarías	serías	vivirías
él / ella / usted	estaría	sería	viviría
nosotros/as	estaríamos	seríamos	viviríamos
vosotros/as	estaríais	seríais	viviríais
ellos / ellas / ustedes	estarían	serían	vivirían

- No hay diferencias en las terminaciones entre las tres conjugaciones *(-ar, -er, -ir)*.
- Las terminaciones del condicional son iguales que las del pretérito imperfecto de indicativo de los verbos en *-er* y en *-ir*.

*De pequeña viv**ía** en el campo con mi familia.*

*Ahora no vivir**ía** en el campo, prefiero la ciudad.*

Fíjate que la diferencia está en la raíz del verbo: con el condicional se mantiene todo el infinitivo.

Verbos irregulares

Como el futuro, tienen las mismas irregularidades en la raíz del verbo y añaden la terminación del condicional (igual para todos los verbos: regulares e irregulares):

decir: **dir-**
hacer: **har-**
tener: **tendr-**
poder: **podr-**
poner: **pondr-**
venir: **vendr-**
salir: **saldr-**
querer: **querr-**
haber: **habr-**
saber: **sabr-**
valer: **valdr-**

\+ **-ía**, **-ías**, **-ía**, **-íamos**, **-íais**, **-ían**

Otros usos del condicional

- Utilizamos en condicional para aconsejar o sugerir:

- *Deberías*	
- *Podrías*	**+ infinitivo**
- *Tendrías que*	
- *Sería mejor*	

Para mejorar el ambiente entre los compañeros, se podrían organizar actividades de ocio después del trabajo.

- También usamos el condicional cuando queremos suavizar una afirmación o una opinión, y evitar el efecto negativo que puede causar en el oyente:

Yo diría que no está bien.

Me parecería mal no invitar a Juan.

ACTIVIDADES

1 Lee las situaciones y escribe una petición.

1 Estás viendo una película en casa con tu pareja. Recibes una llamada que tienes que responder y no quieres perderte la película.
2 Estás en casa de un amigo. Hace mucho calor y tienes mucha sed.
3 Tienes problemas con el ordenador. Tu compañero es un experto en informática.
4 No puedes recoger a tu hijo del colegio porque tienes que trabajar hasta tarde. Llamas a un amigo.

2 Cambia el emoticono de cada respuesta por una frase.

1 • ¿Puedes pasarme la sal?
 ▪ 

2 • ¿Te importaría ayudarme a mover este armario?
 ▪ 

3 • ¿Podrías apagar la música?
 ▪ 

4 • ¿Serías tan amable de ayudarme a completar este formulario?
 ▪ 

3 Tu jefe quiere cambiar algunas cosas en la empresa: tú no estás de acuerdo con ellas, pero no quieres enfadarle. Escribe tu respuesta a las propuestas de tu jefe utilizando una de estas estructuras.

- Yo diría que...
- Me parecería mal, porque...
- Yo diría que es injusto, porque...
- Yo no lo vería bien, porque...
- No me parecería adecuado, porque...
- Yo juraría que no es posible, porque...

PROPUESTAS:

1 En esta época del año tenemos mucho trabajo, así que vamos a tener que trabajar una hora más todos los días.
2 No hay suficiente espacio para tantos trabajadores en esta oficina. Creo que lo mejor es despedir a alguno.
3 Muchos trabajadores pasan mucho tiempo en la cafetería de la oficina, por eso vamos a cerrarla.
4 Durante el verano la oficina está vacía y no se hace el trabajo a tiempo. Voy a pedir a los trabajadores que cojan sus vacaciones durante los meses de invierno.

4 Escribe una sugerencia para solucionar cada uno de los problemas anteriores.

HIATOS Y DIPTONGOS

En español existen vocales abiertas ***(a, e, o)*** y cerradas ***(i, u)***. Cuando las vocales aparecen juntas, pueden producirse hiatos o diptongos.

Hiato

Un hiato se produce cuando aparecen dos vocales seguidas que se pronuncian en sílabas diferentes. Esto sucede cuando:

- hay una vocal cerrada en la sílaba acentuada *(í, ú)* y una vocal abierta no acentuada *(a, e, o)*, independientemente de su orden: *rí/o, Ra/úl.*
- hay dos vocales iguales: *po/se/er, chi/i/ta.*
- hay dos vocales abiertas *(a, e, o)* distintas: *te/a/tro, ca/ca/o.*

Diptongo

Un diptongo es la secuencia de dos vocales seguidas que se pronuncian en una misma sílaba. Esto sucede cuando:

- hay una vocal abierta *(a, e, o)* y una vocal cerrada no acentuada *(i, u)*, independientemente de su orden: *ai/re, via/je.*
- hay dos vocales cerradas diferentes *(i, u)*: *ciu/dad, cui/da/do.*

Te puede ayudar saber que desde el punto de vista de la norma (y, por ejemplo, para las reglas de la acentuación gráfica), la secuencia ***/ua/*** siempre es un diptongo *(ac/tuar)*. Sin embargo, en muchas variedades hispanohablantes, la pronunciación real corresponde a dos sílabas separadas, por un fenómeno llamado **diéresis**: *ac/tu/ar.*

ACTIVIDADES

5 Señala si en las siguientes palabras hay un diptongo o un hiato. Justifica tu respuesta.

1 periódico	4 comería	7 país
2 viernes	5 avión	8 héroe
3 paella	6 habría	9 marea

6 Escribe la vocal que falta en la palabra y divide las palabras en sílabas.

1 lín__a	5 tamb__én
2 d__ente	6 copiá__s
3 ace__te	7 tendrí__is
4 alegrí__	8 podrí__mos

EXPRESAR INDETERMINACIÓN O FALTA DE EXISTENCIA

Los indefinidos son palabras que nos permiten hablar de un número indeterminado de cosas o personas ***(alguno/a/os/as, alguien, algo)***, o bien de la no existencia ***(ninguno/a/os/as, nadie, nada)***.

- ***Alguien*** (alguna persona) y ***nadie*** (ninguna persona) se utilizan para hablar de personas, y ***algo*** y ***nada*** para hablar de cosas, sin concretar de quién o de qué cosa hablamos. Son pronombres invariables y concuerdan siempre en masculino singular:

- *¿Hay alguien ya en la oficina?*
- *No, todavía no ha llegado nadie.*

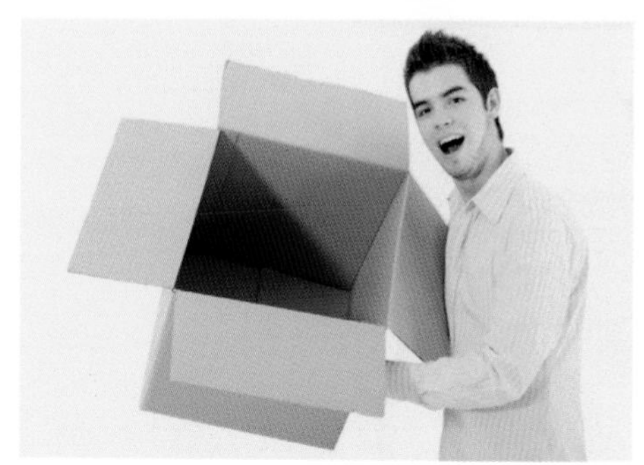

- *¿Hay algo en la caja?*
- *No hay nada, está vacía.*

- ***Alguno/a/os/as*** o ***ninguno/a/os/as*** sirven para hablar de un tipo concreto de personas o cosas. Pueden ser pronombres o determinantes:
  - Cuando son determinantes, concuerdan en género y número con el sustantivo al que hacen referencia:
    *Podemos poner algun**os** ordenador**es** más.*
    *¿No hay ningun**a** llamad**a** para mí?*
  - Delante de un sustantivo masculino ***alguno*** y ***ninguno*** cambian a ***algún*** y ***ningún***:
    - *¿Algún problema?*
    - *Sí, la pantalla se ha quedado en blanco.*
  - Usamos estas formas sin sustantivo (como pronombres) cuando ya se sabe de qué estamos hablando:
    - *¿Alguna duda?*
    - *No, ninguna. Ha quedado claro.*
  - Se usan con la preposición ***de*** **+ sustantivo** para indicar el conjunto al que pertenecen los objetos:
    Algunas de las empresas del sector están obteniendo grandes beneficios.
    Ninguno de mis compañeros tiene tiempo para ayudarme con el informe.*

**Ningún / ninguna / ningunos / ningunas:* con sustantivos que tienen singular y plural se usa siempre la forma singular *(ningún / ninguna). No hay ningún compañero* ~~*(ningunos compañeros)*~~. Solo se usa la forma plural *(ningunos / ningunas)* con sustantivos que solo tienen plural o se usan normalmente en plural *(pantalones, tijeras, gafas)*:
- *¿Tienes unas tijeras?*
- *No, no hay ningunas por aquí.*

- Cuando las formas negativas ***nadie, nada, ninguno/a/os/as*** van detrás del verbo, hay que usar la doble negación:
  Nadie ha venido todavía. = ***No*** *ha venido nadie todavía.*

ACTIVIDADES

7 Elige la opción correcta.

1 ¿Hay alguien de China en tu clase? 2 ¿Hay alguna persona de China en tu clase?	a alguna b alguien
3 Voy al supermercado, ¿quieres algo? 4 Voy al supermercado, ¿quieres alguna cosa?	c alguna d algo
5 ¿No hay nadie en casa? Pensé que estaba mi hija. 6 ¿No hay nada en la nevera? Tenemos que hacer la compra.	e nada f nadie
7 Tienes que comprarte algo de ropa. 8 Tienes que comprarte algún vestido.	g algún h algo

8 Completa las frases con estas palabras y, después, pregunta a tus compañeros para descubrir si la información es verdadera o falsa.

ningún · nada · algo · alguna · algunas · nadie

1 ______ persona de la clase trabaja los sábados.
2 Dos personas piensan que ______ difícil del español es la pronunciación.
3 Todos piensan que si no estudias ______, no mejoras mucho.
4 Un compañero hace fichas con dibujos para recordar ______ palabras.
5 La mayoría no ha tenido ______ problema con los verbos irregulares.
6 ______ hace los deberes.

- *¿Alguien trabaja los sábados?*
- *No, yo no.*
- *Pues entonces, nadie. La frase 1 es falsa.*

9a Completa las preguntas con el indefinido adecuado.

1 ¿Recuerdas el nombre de ______ político español?
2 ¿Sabes ______ sobre la historia de Argentina?
3 ¿Conoces ______ empresa hispana? ¿A qué se dedica?
4 ¿Has visitado ______ vez una capital hispana? ¿Cuál?
5 ¿No hay ______ ciudad en el mundo más grande que Ciudad de México?
6 ¿Puedes recordar ______ de los monumentos más importantes de España?
7 ¿Recomiendas ______ película de origen hispano? ¿Cuál?

9b En parejas, responded a las preguntas anteriores.

EXPRESAR HABILIDAD

Para expresar habilidad podemos usar diferentes estructuras:

Soy	bueno/a malo/a	en... / para... / verbo en gerundio
	un(a) genio un desastre	para... / verbo en gerundio

Soy buena en los deportes.

Somos un desastre cocinando.

(a mí) (a ti) (a él / ella / usted) (a nosotros/as) (a vosotros/as) (a ellos / ellas / ustedes)	me te le nos os les	resulta fácil / difícil / imposible... cuesta mucho / bastante / poco...	**Sustantivo singular / Infinitivo**
		resultan fáciles / difíciles / imposibles... cuestan mucho / bastante / poco...	**Sustantivo plural**

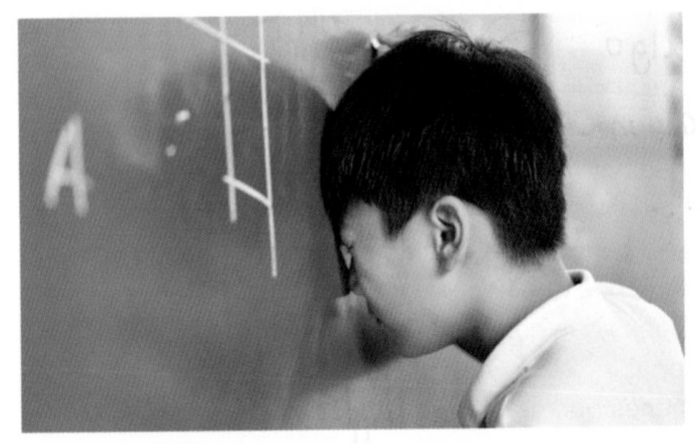

Me resultan difíciles las matemáticas.

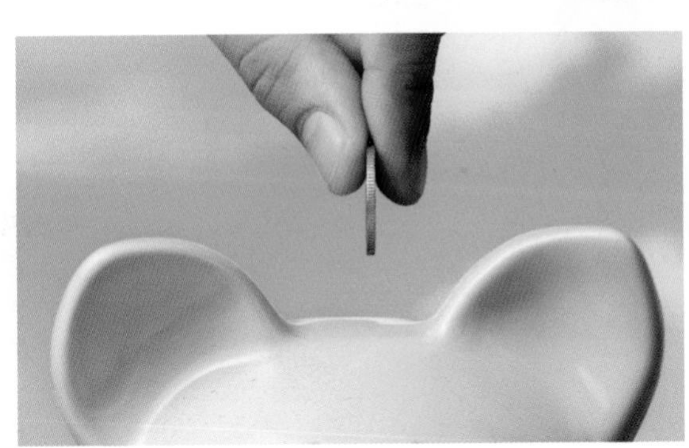

No me cuesta ahorrar.

(a mí)	se me	da dan	genial bien mal fatal	Sustantivo singular / Infinitivo Sustantivo plural
(a ti)	se te			
(a él / ella / usted)	se le			
(a nosotros/as)	se nos			
(a vosotros/as)	se os			
(a ellos / ellas / ustedes)	se les			

No se me da mal del todo es una forma muy habitual para expresar que tenemos la habilidad de hacer algo sin querer darle importancia:

- *¿Te gusta el bricolaje?*
- *Bueno, no se me da mal del todo.*

ACTIVIDADES

10 Selecciona la opción correcta en cada caso.

1 No se me dan mal...
 a hablar idiomas.
 b los idiomas.

2 A mi hermano le cuesta mucho...
 a madrugar.
 b las clases por la mañana temprano.

3 A mi familia...
 a se les da bien la cocina.
 b se le da bien cocinar.

4 A mí se...
 a me da bien patinar.
 b me resulta fácil patinar.

5 A mis compañeros de clase...
 a no les cuesta hacer los deberes.
 b no le cuestan los deberes.

6 A mi pareja...
 a le da bien el submarinismo.
 b le resultan fáciles los deportes acuáticos.

11 Selecciona elementos de las columnas para formar frases.

A mí A ti A mi profesor(a) A un(a) amigo/a mío/a A mi familia A un(a) compañero/a de clase A todos/as en clase ...	no	se	me te le nos os les	cuesta(n) resulta(n) da(n)	bien mal genial fatal fácil difícil mucho	las ciencias el deporte los idiomas cocinar las manualidades ahorrar contar chistes ...

12 Decide en cada caso si se le da bien o si se le da mal.

1 Estela es una genio para la física.
2 A Sandra no le cuesta aprender de memoria las letras de las canciones.
3 A Emma no le resulta fácil la gramática.
4 Lucas es un desastre para orientarse.
5 A Álvaro no se le da mal la repostería.
6 A mi amigo Víctor le cuesta mucho tomar decisiones.
7 A Mateo le resulta difícil adaptarse a nuevas situaciones.

13 Ahora piensa en tus propias habilidades sobre las frases anteriores y coméntalo con tu compañero.

- *Yo no soy un genio para la física, pero no se me da mal del todo, ¿y a ti?*
- *Uy, a mí se me da fatal.*

UNIDAD 5

EXPRESAR EMOCIONES Y SENTIMIENTOS (I)

- Algunas expresiones de emociones y sentimientos funcionan gramaticalmente como el verbo *gustar*:

(a mí)	me	apasiona(n)	+	infinitivo sustantivo singular sustantivo plural (verbo terminado en *-n*)
(a ti)	te	encanta(n)		
(a él / ella / usted)	le	gusta(n)		
(a nosotros/as)	nos	importa(n)		
(a vosotros/as)	os	da(n) igual		
(a ellos / ellas / ustedes)	les	molesta(n)		

Me encanta la lluvia, ¿y a ti?

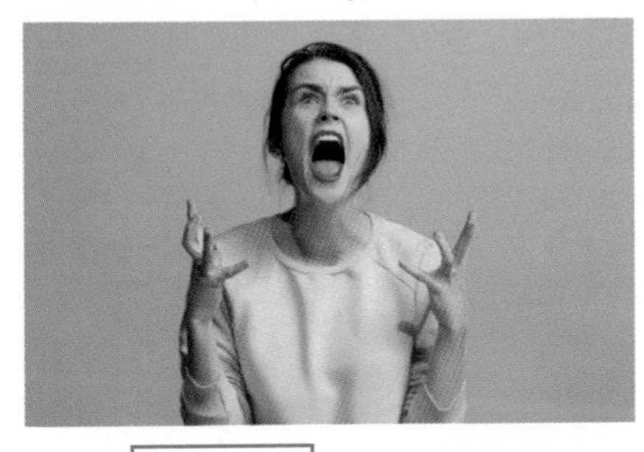

Me molestan los gritos de la gente.

- Otras expresiones tienen como sujeto a personas y utilizan verbos conjugados:

(Yo) ***Odio*** / (Nosotros) ***No soportamos*** + infinitivo / sustantivo singular / plural

Odio coger el coche por las mañanas.

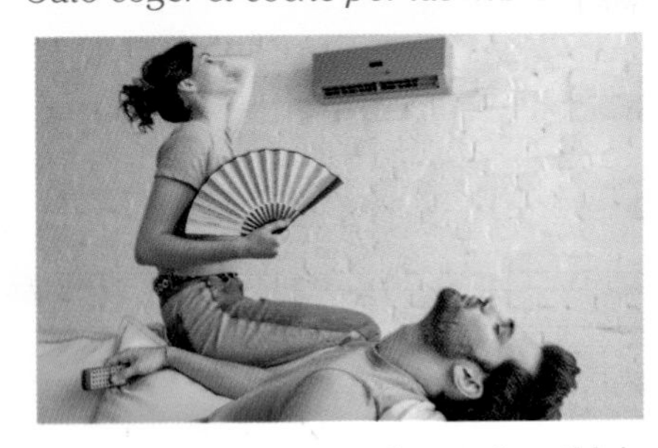

No soportamos este calor, ¡es horrible!

- Recuerda que para mostrar acuerdo y desacuerdo con los verbos que se conjugan usamos ***¿y tú?*** y con los verbos pronominales de tipo *gustar* usamos ***¿y a ti?***:

• *Me encantan las estaciones con escaleras mecánicas,* ***¿y a ti?***
▪ ***A mí*** *también.*

• *No soporto las esperas,* ***¿y tú?***
▪ ***Yo*** *tampoco.*

ACTIVIDADES

1a Elige la opción correcta.

1. **Me encanta / Me encantan** comer palomitas en el cine.
2. Nunca **me ha apasionado / me han apasionado** la moda.
3. ¿A ti también **te molesta / te molestan** las moscas en verano?
4. **Me da igual / Me dan igual** tener vacaciones en verano o en invierno.
5. **Me molesta / Me molestan** mucho dormir con las cortinas abiertas.
6. ¿**Te importa / Te importan** compartir el coche con desconocidos?

1b Comenta con tu compañero si las frases anteriores son verdaderas para ti.

• *A mí me encanta comer palomitas en el cine, ¿y a ti?*
▪ *A mí no. La verdad es que me molesta bastante el ruido que hace la gente al comerlas.*

2 Completa las frases con tus sentimientos y coméntalo con la clase (puedes usar también las formas en plural). ¿Con qué compañeros coincides?

1. En verano me encanta...
2. En invierno me gusta mucho...
3. Me apasiona...
4. No me importa mucho...
5. Me molesta un montón...
6. Me da un poco igual...
7. No soporto...
8. Odio...

PRETÉRITO PLUSCUAMPERFECTO

- Usamos el pretérito pluscuamperfecto para hablar de una acción en el pasado que es anterior a otro momento del pasado del que estamos hablando:

Mi avión ya había salido cuando llegué al aeropuerto.

- El pluscuamperfecto se forma con el verbo *haber* en la forma del imperfecto y un participio:

yo	había	trabajado comido vivido
tú	habías	
él / ella / usted	había	
nosotros/as	habíamos	
vosotros/as	habíais	
ellos / ellas / ustedes	habían	

ACTIVIDADES

3 Elige la opción más apropiada según el contexto.

1 Su hijo no nació en España.
  a Cuando volvieron a vivir a España, tuvieron un hijo.
  b Cuando volvieron a vivir a España, habían tenido un hijo.
2 El profesor llegó primero.
  a Cuando entramos en clase, el profesor ya había llegado.
  b Cuando entramos en clase, llegó el profesor.
3 El jefe ayudó a solucionar el problema.
  a Cuando vino el jefe, solucionamos el problema.
  b Cuando vino el jefe, habíamos solucionado el problema.
4 Aprendí italiano en Nápoles.
  a Cuando me mudé a Nápoles, había estudiado italiano.
  b Cuando me mudé a Nápoles, estudié italiano.

4 Sebastián y Raquel han salido de viaje pero, cuando llegaron al aeropuerto, vieron que habían olvidado hacer algunas cosas. Mira la lista y escribe qué cosas habían hecho y cuáles no.

1 Guardar el cargador del móvil ✗
2 Renovar el pasaporte ✓
3 Reservar un restaurante para cenar ✗
4 Imprimir la tarjeta de embarque ✓
5 Leer la guía de viaje ✗
6 Escribir la dirección del hotel ✗

No habían guardado el cargador del móvil ni…

TRANSMITIR MENSAJES: ESTILO INDIRECTO

- Cuando transmitimos un mensaje de alguien, pueden producirse los siguientes cambios:
  - Cambio de lugar: ***Aquí*** *hace frío / En* ***esta*** *habitación hace frío* → *Dice que* ***allí*** *hace frío / que en* ***aquella*** *habitación hace frío.*
  - Cambio de tiempo: ***Mañana*** *voy a ir al cine* → *Dijo que* ***al día siguiente*** *iba a ir al cine.*
  - Cambio de referentes: *Venid* ***con nosotros*** → *Dice que vayamos* ***con ellos****.*

- Para transmitir un enunciado podemos usar verbos como ***decir, contar*** y ***explicar*** seguidos de la partícula ***que***:

Quiero ir a París. → *María* ***me ha dicho que*** *quiere ir a París.*
Me voy de viaje mañana. → *Javier* ***me ha contado que*** *se va de viaje mañana.*

- Al transmitir una pregunta o enunciado puede cambiar el sujeto y, por eso, hay que adaptar algunas palabras como los verbos, pronombres y posesivos:

Te he *comprado un regalo por* ***tu*** *cumpleaños.* → *Dice que* ***me ha*** *comprado un regalo por* ***mi*** *cumpleaños.*

- Para transmitir una pregunta podemos usar el verbo ***preguntar***. Cuando la pregunta directa es de respuesta *sí* o *no*, usamos la partícula ***si*** detrás del verbo ***preguntar***:

- Cuando la frase directa es una pregunta introducida por un interrogativo ***(qué, cuál, dónde, cómo, quién…)***, usamos el verbo ***preguntar*** directamente seguido del enunciado directo:

¿Qué países conoces? → *Me ha preguntado qué países conozco.*

- Podemos añadir la partícula ***que*** detrás del verbo ***preguntar*** cuando intentamos reproducir la pregunta exacta que nos han hecho:

Me preguntan que si hablo muchos idiomas.
Me preguntan que dónde voy a ir de vacaciones.

- Habitualmente el tiempo verbal entre la información directa y la transmitida se mantiene:
  *"**Quiero** estudiar chino"* → *Me dijo que **quiere** estudiar chino.*

Sin embargo, si queremos marcar la distancia temporal se pueden producir los siguientes cambios:

ESTILO DIRECTO	ESTILO INDIRECTO ***Me dijo que... / Me contó que...*** ***Me preguntó...***
Presente *Me gusta mucho viajar.*	**Pretérito imperfecto** *Me dijo que le gustaba mucho viajar*
Pretérito perfecto *¿Has estado en Tailandia?*	**Pretérito pluscuamperfecto** *Me preguntó si había estado en Tailandia.*
Pretérito indefinido *El año pasado estuve en Croacia.*	**Pretérito pluscuamperfecto** *Me contó que el año anterior había estado en Croacia.*
Futuro *El próximo año viajaremos por África.*	**Condicional** *Me dijo que el próximo año viajarían por África.*

ACTIVIDADES

5 Tu profesor te hace estas preguntas: piensa cómo transmitírselas a un compañero. Luego, hablad sobre ellas.

1 ¿Has estado en los cinco continentes?
2 ¿A qué país te gustaría viajar en un futuro?
3 ¿Cuál es el lugar más impresionante que conoces?
4 ¿Dónde sueles ir de vacaciones?
5 ¿Alguna vez te has perdido en un país desconocido?
6 ¿Sueles ir de vacaciones a una gran ciudad, o al campo?
7 ¿Con quién prefieres viajar?
8 ¿Cuántas veces vas de vacaciones al año?

- *El profesor me ha preguntado si he estado en los cinco continentes.*
- *Yo no, ¿y tú?*
- *Yo tampoco, solo he estado en...*

6 Imagina que hoy has recibido estos mensajes en tu móvil. Escribe las frases para transmitir estos mensajes a un amigo.

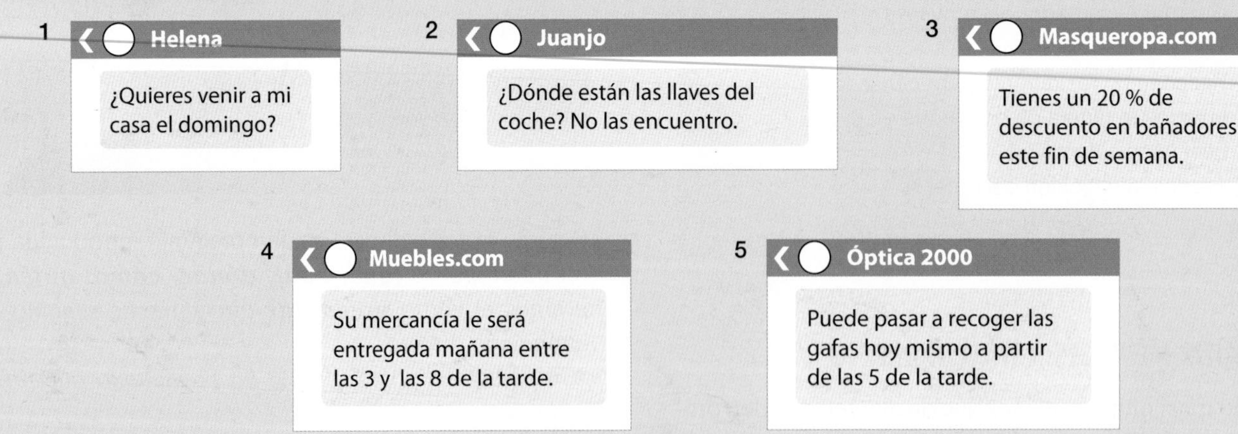

Helena me pregunta...

7 Ahora imagina que recibiste los mensajes anteriores hace unas semanas. Escribe de nuevo las frases para transmitir los mensajes.

Helena me preguntó...

UNIDAD 6

EXPRESAR DESEO Y NECESIDAD

- Para entender cuándo usamos el modo subjuntivo en español, es necesario contrastarlo con el modo indicativo.

Con el indicativo declaro, es decir, expreso lo que sé o pienso sobre un hecho, por eso es el modo que generalmente usamos en las oraciones independientes o principales.
En las oraciones subordinadas, puedo utilizar indicativo o subjuntivo:
- con el indicativo, declaro.
- con el subjuntivo menciono una idea que no quiero o no puedo declarar.

Veamos unos ejemplos:

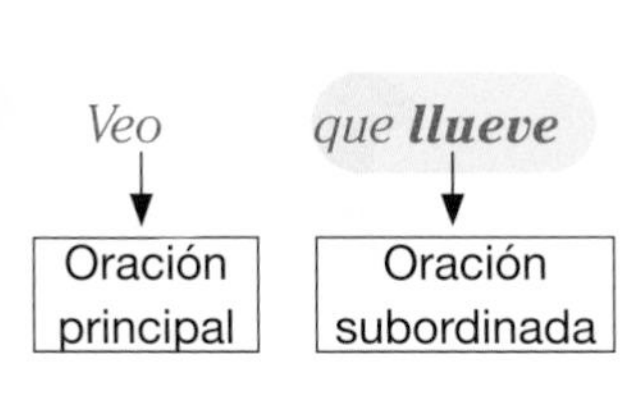

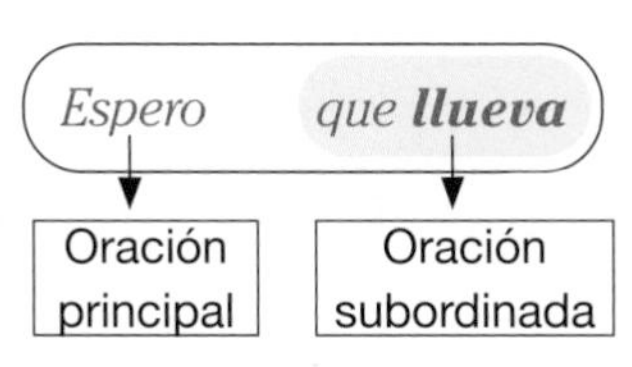

En el ejemplo A, declaro en la oración subordinada un hecho ("llueve") y, por ello, uso el modo indicativo. En el ejemplo B, hay una declaración inicial ("espero"), pero no declaro en la oración subordinada el hecho de que llueve, solo expreso el deseo de que esto ocurra, por eso utilizo el subjuntivo ("llueva").

- Para expresar deseo o necesidad podemos usar verbos como *querer / desear / esperar / buscar / necesitar...* Pueden ir seguidos de:
  - **un sustantivo:** *Necesito* ***un móvil*** *nuevo.*
  - ***que*** **+ subjuntivo:** cuando el sujeto del verbo principal y el del verbo subordinado son diferentes:

    Quiero que ***seas*** *más feliz.*
    YO TÚ

  - **infinitivo:** cuando el sujeto del verbo principal y el del verbo subordinado son el mismo o no queremos especificar el sujeto de la oración subordinada:

    Quiero ***ser*** *más feliz.*
    YO YO

- ***Ojalá (que)*** se usa para expresar deseo con mayor intensidad y generalmente lo vemos como algo más difícil de alcanzar. Siempre va seguida de subjuntivo:

Ojalá pongan una piscina cubierta en mi barrio.

Presente de subjuntivo

Verbos regulares

- El presente de subjuntivo de los verbos regulares es muy similar al presente de indicativo, pero los verbos en -AR cambian la vocal ***a*** → ***e*** y los verbos en -ER/-IR cambian ***e / i*** → ***a***:

hablar	comprender	escribir
habl**e**	comprend**a**	escrib**a**
habl**es**	comprend**as**	escrib**as**
habl**e**	comprend**a**	escrib**a**
habl**emos**	comprend**amos**	escrib**amos**
habl**éis**	comprend**áis**	escrib**áis**
habl**en**	comprend**an**	escrib**an**

- La primera y tercera persona del singular son iguales en todas las conjugaciones *(-ar, -er, -ir)*.

Verbos irregulares

- Muchos verbos irregulares en la primera persona del presente de indicativo tienen la misma irregularidad en todas las personas del presente de subjuntivo. También los verbos con cambio vocálico ***e*** → ***i*** *(pedir, seguir...)*, con cambio ***z*** → ***zc*** *(conocer, conducir...)* o con cambio ***i*** → ***y*** *(construir, destruir...)*:

Presente de indicativo	Presente de subjuntivo
tengo	tenga
	tengas
	tenga
	tengamos
	tengáis
	tengan

hacer	poner	venir	decir
haga	ponga	venga	diga

salir	oír	pedir	conocer
salga	oiga	pida	conozca

- Otros verbos presentan el mismo cambio vocálico que en el presente de indicativo ***(e*** → ***ie, o*** → ***ue, u*** → ***ue)***:

	querer e → ie	poder o → ue	jugar u → ue
yo	quiera	pueda	juegue
tú	quieras	puedas	juegues
él / ella / usted	quiera	pueda	juegue
nosotros/as	queramos	podamos	juguemos
vosotros/as	queráis	podáis	juguéis
ellos / ellas / ustedes	quieran	puedan	jueguen

- Verbos de la tercera conjugación *(-ir)* con cambio vocálico ***e*** → ***ie*** *(sentir, preferir, mentir...)* y ***o*** → ***ue*** *(dormir, morir)* son irregulares también en *nosotros/as* y *vosotros/as* en presente de subjuntivo:

	preferir e → ie	dormir o → ue
yo	prefie**ra**	duerm**a**
tú	prefie**ras**	duerm**as**
él / ella / usted	prefie**ra**	duerm**a**
nosotros/as	prefir**amos**	durm**amos**
vosotros/as	prefir**áis**	durm**áis**
ellos / ellas / ustedes	prefie**ran**	duerm**an**

Verbos totalmente irregulares

	ser	estar	ir
yo	sea	esté	vaya
tú	seas	estés	vayas
él / ella / usted	sea	esté	vaya
nosotros/as	seamos	estemos	vayamos
vosotros/as	seáis	estéis	vayáis
ellos / ellas / ustedes	sean	estén	vayan

	haber	ver	saber	dar
yo	haya	vea	sepa	dé
tú	hayas	veas	sepas	des
él / ella / usted	haya	vea	sepa	dé
nosotros/as	hayamos	veamos	sepamos	demos
vosotros/as	hayáis	veáis	sepáis	deis
ellos/as / ustedes	hayan	vean	sepan	den

ACTIVIDADES

1a Elige ocho verbos y completa el cartón con su forma en presente de subjuntivo.

- ser (nosotros)
- volver (él)
- hablar (ellos)
- ver (yo)
- conocer (nosotros)
- saber (tú)
- preferir (nosotros)
- salir (yo)
- poder (vosotros)
- pedir (ellos)
- dar (él)
- venir (yo)
- morir (él)
- hacer (nosotros)
- construir (ellos)
- seguir (tú)

1b 41 Escucha y ve tachando los verbos que tengas en tu cartón. ¿Quién ha logrado bingo primero?

2a Piensa en tres deseos que quieres pedir al genio de la lámpara: uno para ti y dos para otras personas o para la humanidad.

2b Repartid los genios entre todos. Habla con tus compañeros y pídeles tus deseos: ¿quién te concede cada uno?

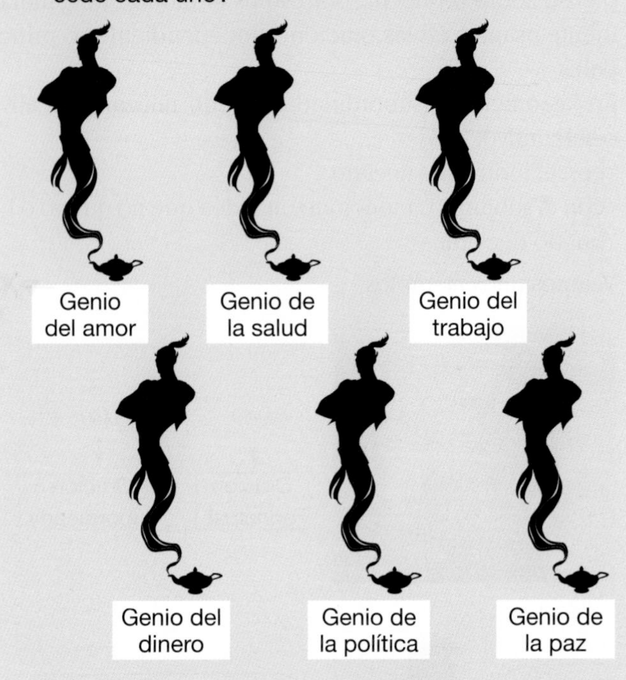

- *Quiero que se acaben las guerras en el mundo.*
- *Soy el genio de la paz: tu deseo será concedido.*

EXPRESAR OPINIÓN Y DESACUERDO

- Para expresar opinión podemos usar expresiones como *creo que, pienso que, imagino que, me parece que*... Pueden ir seguidas de indicativo o subjuntivo.
  - Usamos el modo indicativo cuando queremos declarar algo que sabemos o creemos, por eso lo utilizamos detrás de verbos de opinión en forma afirmativa *(creo que, pienso que, imagino que, me parece que...)*. Con ellos estamos declarando nuestra opinión:

  Creo que ***es*** *más barato.*

  - Usamos el modo subjuntivo cuando no queremos declarar, por eso aparece normalmente detrás de los verbos anteriores cuando están en forma negativa y también detrás de verbos que no introducen declaraciones como *dudar* o *negar*:

  Pues yo no creo que ***sea*** *más barato.*

- El presente de subjuntivo tiene valor temporal de presente y de futuro:

INDICATIVO	SUBJUNTIVO
Vivimos / ***Viviremos*** *bien.*	*No creo que* ***vivamos*** *bien.*
AHORA / EN EL FUTURO	AHORA O EN EL FUTURO

ACTIVIDADES

3 Mónica ha escrito un comentario en la página web de su ayuntamiento. Completa el texto utilizando los siguientes verbos en indicativo o en subjuntivo.

funcionar haber necesitar estar afectar ser

MON_PR_3450

Sinceramente, no pienso que nuestro alcalde **(1)** ________ haciendo nada por proteger el medioambiente y creo que eso **(2)** ________ a nuestra calidad de vida. No me parece que **(3)** ________ suficientes zonas verdes donde poder descansar y respirar el aire puro. Los transportes públicos es otro de los grandes problemas. No creo que **(4)** ________ bien y cada vez hay menos frecuencia, por eso nuestro pueblo se está llenando de coches y contaminación. Por último, creo que **(5)** ________ necesario mejorar el centro de salud: es un edificio muy antiguo y **(6)** ________ reformas urgentes.

4 Responde a las preguntas.

1. ¿Crees que en el lugar en el que vives hay suficientes zonas verdes?
2. ¿Piensas que los transportes públicos funcionan bien?
3. ¿Te parece que hay suficientes centros de salud?
4. ¿Qué cosas crees que se podrían mejorar?

5 Ahora haz las preguntas anteriores a tu compañero. No olvides mostrar acuerdo o desacuerdo usando las fórmulas que aparecen en la unidad.

COMPARACIONES DE CANTIDAD

- Las estructuras comparativas ***más / menos... que*** (con adjetivos, adverbios o sustantivos), ***tan... como*** (con adjetivos y adverbios) y ***tanto/a/os/as... como*** (con sustantivos) se usan para hacer una comparación entre dos personas, cosas o lugares:

Este mueble es ***más*** *moderno* ***que*** *este otro.*
Mi casa es ***menos*** *luminosa* ***que*** *la tuya.*
El sofá negro es ***tan*** *bonito* ***como*** *el blanco.*
En la tienda hay ***tantos*** *modelos* ***como*** *en la página web.*

- Cuando nos referimos a una cantidad numérica en la comparación, usamos las estructuras ***más de / menos de*** **+ cantidad** para expresar el límite por encima o por debajo respectivamente:

Tengo ***más de*** *diez cuadros en la pared de mi salón.*
Cuesta ***menos de*** *cien euros.*

ACTIVIDADES

6 Elige *que* o *de* y completa estas frases. Luego, coméntalas con tu compañero.

1. No me gastaría más **de / que** ________ en ________.
2. Mi habitación es más grande **de / que** ________.
3. Esta ciudad es más ________ **de / que** la mía.
4. Vivo a más **de / que** ________ de aquí.
5. Yo tengo más **de / que** ________ en mi casa.
6. Estudio español más **de / que** ________ al día.

7 Habla con tus compañeros y busca a alguien que:

	NOMBRE
1 Tiene más de cinco dormitorios en su casa.	________
2 Se gastaría más de cien euros en una cena.	________
3 Tiene más de dos coches.	________
4 Habla más de tres idiomas.	________
5 Lleva menos de un año estudiando español.	________
6 Ha estado en más de veinte países.	________
7 Tarda menos de quince minutos en llegar a la escuela.	________
8 Dedica más de dos horas al día a hacer deporte.	________

- *¿Tienes más de cinco dormitorios en tu casa?*
- *No, solo tengo dos, ¿y tú?*
- *Yo tampoco.*

8 Mira estos pares de propuestas y escribe una comparación para cada una de ellas. Luego, coméntalo con tus compañeros.

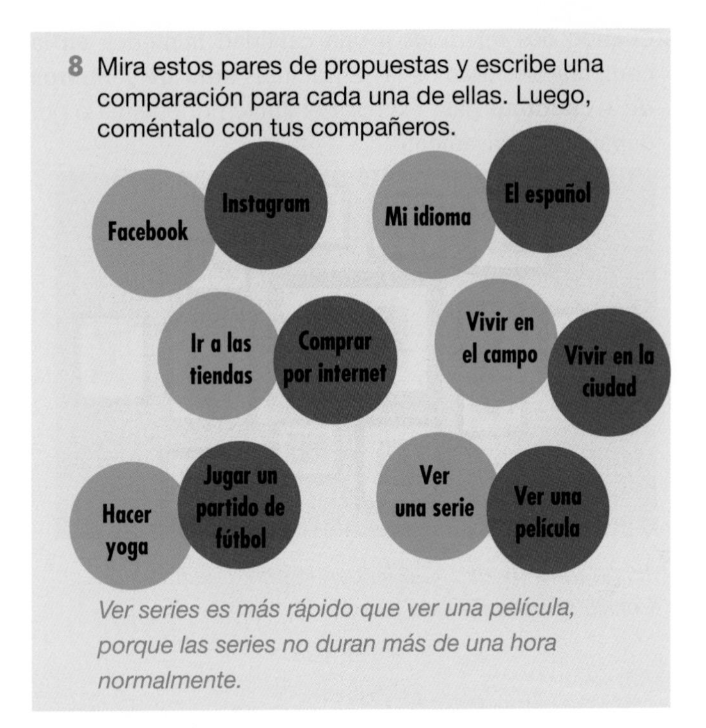

Ver series es más rápido que ver una película, porque las series no duran más de una hora normalmente.

UNIDAD 7

EL SUPERLATIVO

- En español existen diferentes formas de intensificar el significado de un adjetivo o un adverbio:
  - Mediante un adverbio ***(muy, tremendamente, sumamente, excesivamente…)***:
    No me gusta esa película, es excesivamente violenta.
  - Mediante el prefijo ***super-***:
    Tu hermana es una persona superdivertida, me lo pasé fenomenal con ella el otro día.
    En Argentina se usa el prefijo ***re-***:
    Tu niña es relinda.
  - Mediante la terminación ***-ísimo***. Esta terminación concuerda en género y número con el sustantivo al que se refiere:
    Esta tienda es grandísima.
- Algunos adverbios también aceptan esta terminación para intensificar su significado:
  Me gusta muchísimo esa película.
- En algunos casos se produce un pequeño cambio en la palabra:
  - Si terminan en vocal, suelen perder esta última vocal: *listo > listísimo; tarde > tardísimo.*
  - Si terminan en ***-io/-ia***, pierden las dos vocales: *sucio > sucísimo; amplia > amplísima.*
  - Si terminan en ***-or*** o en ***-n,*** añaden ***-císimo***: *mayor > mayorcísimo; joven > jovencísimo.*
  - Si terminan en ***-ble***, la terminación es ***-bilísimo***: *amable > amabilísimo.*
- Los adverbios terminados en ***-mente*** (formados a partir de un adjetivo femenino) añaden ***-ísima-*** a la forma del adjetivo: *lentamente> lentísimamente; claramente> clarísimamente.*
- Por último, hay un grupo de adjetivos cuyo significado ya implica un significado intensificado y no admiten la transformación al superlativo: *absoluto, colosal, diminuto, eterno, infinito, principal, perfecto…*

ACTIVIDADES

1 Escribe el superlativo de estas palabras. Ten en cuenta su concordancia.

1 altas: *altísimas*
2 simpática: ___________
3 agradables: ___________
4 viejo: ___________
5 joven: ___________
6 malas: ___________
7 pronto: ___________
8 tranquilamente: ___________

2 Completa el texto con las siguientes palabras con la terminación del superlativo (en algunos casos puede haber más de una opción).

guapo/a	divertido/a	largo/a	sucio/a
interesante	pequeño/a	muchos/as	amable

Ayer vi una película en el cine. Aunque es muy buena, dura casi tres horas y me pareció **(1)** ___________. La protagonista es una chica **(2)** ___________, de unos 20 años, que se traslada a vivir a Barcelona. Ella vivía en un pueblo **(3)** ___________ en los Pirineos y su vida cambia completamente cuando llega a la ciudad. Empieza a trabajar en un bar. El lugar es terrible, está todo **(4)** ___________ y su jefe la trata muy mal. Ella quiere volverse a su pueblo, pero pronto conoce a un grupo de gente **(5)** ___________ y su vida cambia completamente. Por supuesto, también conoce a un chico que, aunque parece una persona **(6)** ___________, esconde un gran secreto. Es en ese momento cuando la peli se pone **(7)** ___________. A la chica le ocurren **(8)** ___________ cosas, pero no cuento más porque es mejor ir a verla.

3 Piensa en una de estas cosas y coméntalo con tus compañeros.

- Una persona guapísima
- Un lugar supertranquilo
- Una comida buenísima
- Un día divertidísimo

EXPRESAR EMOCIONES Y SENTIMIENTOS (II)

Como hemos comentado en la unidad 6 al hablar de los modos indicativo y subjuntivo, usamos el modo indicativo cuando queremos declarar o afirmar algo que sabemos o pensamos, y el subjuntivo cuando no tenemos intención de declararlo:

*Mi vecino **toca** el piano.*

*Me molesta que mi vecino **toque** el piano.*

En el ejemplo A, declaro que mi vecino toca el piano, mientras que en el ejemplo B, no declaro que mi vecino toca el piano, sino que expreso mi disgusto por esa acción, por ello usamos el subjuntivo en la oración subordinada.

Lo mismo ocurre con otros verbos que expresan emociones y sentimientos:

- **Gustos**: *me gusta, me encanta...*
- **Disgusto**: *odio, no soporto, me molesta, me sienta fatal, estoy harto/a de...*
- **Indiferencia**: *no me importa, me da igual...*
- **Miedo**: *me da miedo...*
- **Preocupación**: *me preocupa...*
- **Tristeza**: *me da pena...*

Estas expresiones pueden ir seguidas de:

- **un sustantivo:** *Odio **la contaminación.***
- ***que* + subjuntivo:** cuando el sujeto de la oración subordinada es diferente de la persona a la que se refiere el verbo de la oración principal:

  *Me encanta que **vengas** a verme.*
  A MÍ — TÚ
- **infinitivo:** cuando el sujeto de la oración subordinada coincide con la persona a la que se refiere el verbo de la oración principal:

  *No soporto **llegar** tarde.*
  YO — YO

ACTIVIDADES

4 Completa estas frases usando una expresión de sentimiento. Luego, coméntalas con tu compañero: ¿Tenéis los mismos sentimientos?

1 ________ cenar solo/a en un restaurante.
2 ________ que me ignoren.
3 ________ los perros abandonados.
4 ________ perder mi trabajo.
5 ________ que me regalen flores.
6 ________ que haga frío.
7 ________ que me hagan esperar.
8 ________ cometer errores.
9 ________ los políticos corruptos.
10 ________ que se rían de mí.

- *A mí me no me gusta cenar solo en un restaurante, ¿y a ti?*
- *A mí no me importa, a veces lo hago.*

5 Completa el texto con el verbo adecuado.

hacer ser dar preguntar preocuparse pasar

Me gusta que la gente **(1)** ________ simpática, que me **(2)** ________ los buenos días por la mañana y las buenas noches al final del día. Me gusta que mis amigos **(3)** ________ por mí y me **(4)** ________ cómo me siento. Me gusta **(5)** ________ tiempo con mis amigos y que me **(6)** ________ reír.

6 Ahora escribe un texto para decir cómo te gusta la gente. Compártelo con tus compañeros.

HABLAR DE NORMAS SOCIALES

- Cuando nos referimos a normas sociales, los verbos y expresiones que utilizamos para hablar de hábitos, prohibiciones y obligaciones presentan hechos posibles, pero no los declaran, por eso usamos el subjuntivo:

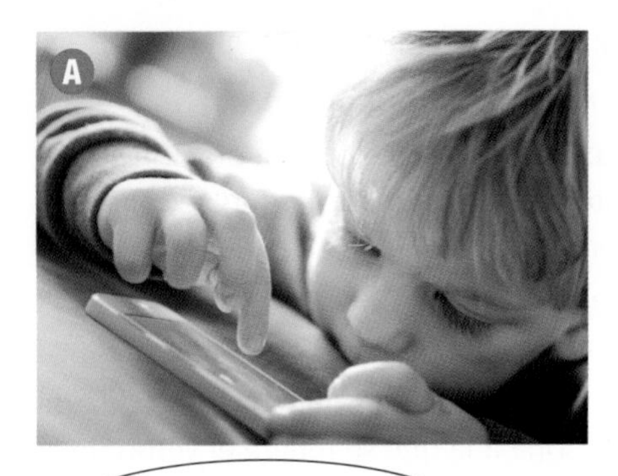

*El niño **usa** el móvil.*

*Está prohibido que el niño **use** el móvil.*

En el ejemplo A, declaramos que el niño usa el móvil y por eso usamos el modo indicativo, mientras que en el ejemplo B, no declaramos que el niño usa el móvil, solo la idea de que esa acción está prohibida, por ello usamos el modo subjuntivo en la oración subordinada.

Algunas expresiones para mostrar hábitos y prohibiciones al hablar de normas sociales son:

Prohibición

- *No está permitido*
- *Está prohibido*

Hábitos

- *Es (muy / bastante) normal / frecuente / habitual*
- *Es (un poco) raro*

Detrás de estas expresiones podemos usar:

- **un sustantivo:** *No están permitidas **las visitas**.*
- **infinitivo:** en este caso no se especifica el sujeto de la acción ("llegar tarde") porque la intención del hablante es poner el foco en la prohibición:

  *No está permitido **llegar** tarde.*

  YO, TÚ, TODO EL MUNDO
- **subjuntivo:** en este caso queremos marcar el sujeto de la acción ("llegues tarde" – tú):

  *No está permitido **que llegues tarde**.*

  TÚ

- Otras expresiones frecuentes para hablar de normas sociales son:
  - *Está bien / mal visto.*
  - *Lo (más) normal es... / Es lo (más) normal.*
  - *Mejor no hacerlo.*

  En mi país desayunar fuerte es lo más normal.

  ¿Descalzarte en clase?, mejor no hacerlo.
- ***Permitido*** y ***prohibido*** pueden cambiar de género y número según el sustantivo al que acompañan:

  *No está permitid**a** la entrada a menores de 18 años.*

  *Están prohibid**as** las bebidas alcohólicas.*
- También cambia la expresión *es un poco raro*:

  *Son un poco rar**as** tus ideas, ¿no?*

ACTIVIDADES

7 Relaciona elementos para formar frases sobre normas sociales en diferentes países.

1. En Argentina es habitual...
2. En Singapur está prohibido...
3. En los bares en España no se permite...
4. En México está muy mal visto...
5. En España es bastante normal...
6. En China es muy frecuente...

a ☐ tirar chicles al suelo.
b ☐ ver gente mayor haciendo taichí en los parques.
c ☐ no dejar propina.
d ☐ que los estudiantes tuteen a sus profesores.
e ☐ tomar mate.
f ☐ que los clientes fumen dentro, pero sí en las terrazas.

8 En parejas, preparad cuatro frases sobre normas sociales de distintos países (podéis consultar en internet). Vuestros compañeros tendrán que adivinar de qué país se trata en cada ocasión.

FORMULAR BUENOS DESEOS

- En la unidad 6 vimos expresiones de deseo como *espero, deseo, ojalá*... y comentamos que con ellas no declaramos un hecho, sino el deseo de que algo se cumpla, por ello no pueden ir seguidas del modo indicativo:

  Espero que encontremos una vacuna pronto.
- Cuando visitas un país, es conveniente conocer expresiones sociales que te ayudarán a integrarte mejor en la cultura. Muchas fórmulas sociales que usamos para expresar deseos están estandarizadas y, por eso, omitimos el verbo de deseo, ya que se sobreentiende:

Buen viaje, ¡(espero) que lo paséis muy bien!

ACTIVIDADES

9 Relaciona cada expresión de deseo con su situación. Puede haber más de una posibilidad.

1 ¡Que te vaya bien!
2 ¡Que os divirtáis!
3 ¡Que descanses!
4 ¡Que aproveche!
5 ¡Que te mejores!
6 ¡Que tengáis un buen fin de semana!
7 ¡Que tengas suerte!
8 ¡Que te lo pases muy bien!

a ☐ Cuando alguien va a hacer una entrevista de trabajo.
b ☐ A un grupo de amigos antes de ir a una fiesta o de vacaciones.
c ☐ Cuando es viernes y te despides de tus compañeros hasta el lunes.
d ☐ Si te despides de una persona enferma.
e ☐ Cuando alguien se va de viaje.
f ☐ Antes de empezar a comer o cuando vemos a un conocido haciéndolo.
g ☐ Cuando alguien se va a acostar.
h ☐ Cuando un amigo se va a vivir a otro país.

10 Imagina una situación y haz mímica. Tus compañeros tienen que reaccionar con una expresión de deseo.

QUÉ / QUE

- ***Que*** puede llevar tilde o no dependiendo de su significado o función gramatical:

¡Qué bien!

¿Qué ha dicho?

No sabe qué ha dicho.

- En las exclamaciones, ***qué*** (con tilde) mide la cantidad o la intensidad de algo y se pronuncia con mayor fuerza:

¡Qué alegría verte! (= Me alegro mucho de verte)

- Lo mismo sucede en las oraciones interrogativas, lleva tilde cuando es un pronombre interrogativo:

¿Qué has dicho?

No lleva tilde si está entre signos de exclamación o interrogación, pero no introduce una exclamación o tiene valor interrogativo. Por ejemplo, no lleva tilde cuando se sobreentiende un verbo anterior:
¿Que mañana viene Martina? = (¿Has dicho que mañana viene Martina?)
Tampoco en exclamaciones donde se sobreentiende el verbo de deseo (o de otro tipo):
¡Que te diviertas! = (Espero que te diviertas)

ACTIVIDADES

11 Completa el diálogo con las siguientes expresiones. Pon tilde si es necesario.

Que bonito	Que rica	Qué tal
Que será	Que lo disfrutes	

Lucía: Oye, ¿os apetece un poco más de tarta? Es casera, la ha hecho mi madre.
Boni: Sí, un poco más por favor... ¡**(1)** ____________!, está buenísima.
Elena: Y ahora los regalos: toma, de parte de todas.
Lucía: ¿**(2)** ____________?... ¡Anda, un jersey, ¡**(3)** ____________! Me encanta.
Elena: ¡**(4)** ____________!, que ya empieza el invierno.
Lucía: ¡Muchas gracias! ¿**(5)** ____________ me queda?
Amigas: ¡Genial! Estás guapísima.

12 En parejas, mirad estas fotos e imaginad la situación. En dos minutos, escribid el mayor número de expresiones con ***que*** o ***qué*** que podáis usar (poned atención a si deben llevar tilde o no). Comparadlo con las de otros grupos justificando vuestra elección: ¿quién ha escrito más?

1 ¡Qué contenta estoy! / ¡Que sigas tan feliz!...

UNIDAD 8

EXPRESAR FINALIDAD

La forma más habitual de expresar finalidad es con ***para***:

*Hierve las cucharas y sécalas al sol para que **parezcan** nuevas.*

En el ejemplo anterior, no declaro o afirmo que las cucharas parecen nuevas, solo expreso la idea de que puede ocurrir, por eso utilizo el modo subjuntivo.

Detrás de ***para*** podemos usar:

- **un sustantivo:** *Cocino para **mi familia**.*
- **infinitivo:** cuando el sujeto de la oración principal y el de la subordinada es el mismo, o bien cuando no hay un sujeto concreto en la subordinada:

Puedes (TÚ) *usar una cuchara de helados para retirar* (TÚ) *las semillas.*

Para exprimir (TÚ, YO, TODO EL MUNDO) *más jugo de los limones...*

- ***que* + subjuntivo:** cuando el sujeto de la oración principal y el de la subordinada son diferentes:

Guarda (TÚ) *el plástico de cocina en el refrigerador para que no se rompa* (EL PLÁSTICO DE LA COCINA).

ACTIVIDADES

1 Relaciona elementos para formar frases.

1 María estudia mucho...
2 Mi profesora me ha dado estos ejercicios...
3 Te doy mi correo electrónico...
4 Te invito a casa...
5 He quedado con Laura...
6 Te he traído unas galletas caseras...

a ☐ para que me escribas cuando quieras.
b ☐ para ir al cine.
c ☐ para que las pruebes.
d ☐ para que conozcas a mi familia.
e ☐ para que practique en casa la gramática.
f ☐ para aprobar el examen.

2 Completa estas frases con un verbo en el tiempo adecuado.

ponerse dar romperse tener
perder consumir freír hervir

- Hay que echar mucho aceite en la sartén para **(1)** ________ las croquetas.
- Yo congelo el queso para que no **(2)** ________ malo.
- Para que el pan rallado **(3)** ________ más sabor, añade ajo y perejil.
- Guarda el aceite en un armario para que no le **(4)** ________ el sol y **(5)** ________ sus propiedades.
- Para **(6)** ________ menos energía, se recomienda apagar el horno un poco antes de terminar el cocinado.
- Para que el agua **(7)** ________ más rápido, pon la tapadera en la olla.
- Para que no **(8)** ________ los bizcochos al cortarlos, deja que se enfríen primero.

EXPRESAR HIPÓTESIS O PROBABILIDAD

- Podemos mostrar hipótesis o probabilidad con diferentes expresiones, que pueden ir seguidas de indicativo o subjuntivo, pero la elección de uno u otro dependerá de si declaramos una información o no declaramos:

A *Seguro que **es** más agradable comer en una mesa de madera.*

B *Puede que **sea** más agradable.*

En el ejemplo A, la chica declara una información que sabe o piensa ("es más agradable comer en una mesa de madera"), por eso usa el modo indicativo. En el ejemplo B, el chico no lo declara, porque la información ya se ha presentado antes, solo expresa la hipótesis, por lo que usa el modo subjuntivo.

- Algunas expresiones para mostrar hipótesis o probabilidad permiten el uso de ambos modos. La elección de uno u otro dependerá de la intención del hablante:

- **Expresiones solo con indicativo:** *seguro que, a lo mejor, supongo que*:

A lo mejor dejaste las gafas encima de la mesa del restaurante y no las viste.

Supongo que vendrán para el cumpleaños de la abuela.

- **Expresiones solo con subjuntivo:** *es probable que, es posible que, puede (ser) que*. Con la expresión *dudo que*, estamos cuestionando o negando la probabilidad de que ocurra:

Dudo que haya alguien en casa a estas horas.

Puede que mis hermanos vengan este año a mi cumpleaños.

- **Expresiones con ambos:** *seguramente, posiblemente, probablemente, quizá(s), tal vez*:

A

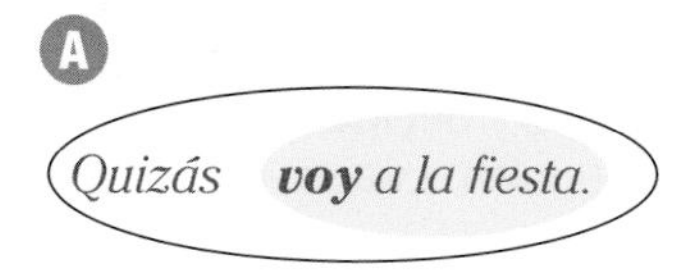

B

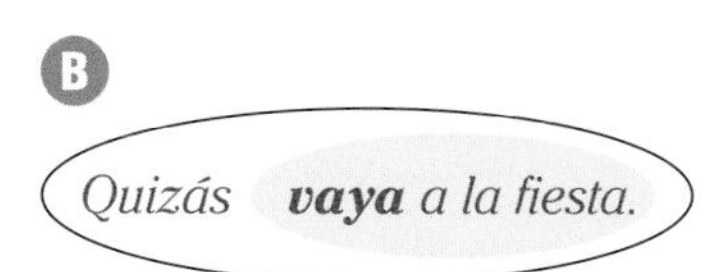

En el ejemplo A, se declara, aunque de forma débil, la intención de ir a la fiesta. En el ejemplo B, solo se expresa una posibilidad, puedo ir o no.

Con estas expresiones, el subjuntivo solo es posible cuando la expresión de probabilidad aparece en la primera parte de la oración:

Posiblemente cenemos en un japonés.. / ~~Cenemos en un japonés posiblemente~~.

Quizás venga mañana a la cena. / ~~Venga mañana a la cena, quizás~~.

ACTIVIDADES

3 Elige una de estas dos fotos y piensa qué les ha pasado. Escribe 6 hipótesis y luego coméntalas con tus compañeros: ¿quién ha escrito la más original?

4 Eneko es un chico que siempre duda de todo. Completa este texto con sus planes para el verano.

Este verano a lo mejor **(1)** ________ a la playa porque me encanta hacer surf y nadar, supongo que así **(2)** ________ descansar y divertirme: ¡estoy trabajando muchísimo este año! Aunque como mi amiga Cheryl me ha invitado a Londres, puede que al final **(3)** ________ a visitarla y **(4)** ________ allí una semana. Además, posiblemente **(5)** ________ ver también a Pierre que está viviendo allí, ¡me encantaría!, aunque es probable que no **(6)** ________ en verano porque se irá a su país. Uf, qué lío, todavía no sé qué voy a hacer.

EXPRESAR CERTEZA, DUDA O FALSEDAD

- Para expresar certeza podemos usar expresiones como *es cierto que, es verdad que, es evidente que, está claro que, estoy seguro/a de que, sé que*... Con estas expresiones informamos de algo que consideramos real y verdadero, por ello van seguidas de un verbo en indicativo.
- Para expresar duda, falsedad o falta de certeza podemos usar las siguientes expresiones: *no es cierto que, no es verdad que, no es evidente, no está claro que, no estoy seguro/a de que, dudo que*... Usamos el subjuntivo porque no estamos declarando una información, no la ofrecemos como cierta, sino que la ponemos en duda o la negamos:

Es cierto que *las hamburguesas de laboratorio* ***tienen*** *el mismo sabor que las naturales.*

A

No, no es verdad que ***tengan*** *el mismo sabor.*

En el ejemplo A, se afirma que las hamburguesas de laboratorio tienen el mismo sabor que las naturales, por eso se usa el indicativo. En el ejemplo B, se niega o se pone en duda la información anterior, por eso se usa el subjuntivo.

ACTIVIDADES

5 Juan y Pedro son dos amigos que tienen ideas totalmente opuestas. Lee los comentarios que hace Juan y completa la respuesta de Pedro.

1 **Juan:** Está claro que es mejor vivir en un país cálido. Está demostrado que el sol nos hace ser más felices.
Pedro: No está tan claro que ________.

2 **Juan:** Es verdad que la dieta vegetariana es la mejor para nuestra salud.
Pedro: No es cierto que ________.

3 **Juan:** Dudo que exista el cambio climático, creo que es todo un invento.
Pedro: Pues está claro que ________.

4 **Juan:** Sé que todos los políticos mienten.
Pedro: No es verdad que ________.

6 Lee las siguientes frases y di si crees que son ciertas o no. Escribe tus respuestas usando las estructuras anteriores y comparte tus opiniones con el resto de la clase. ¿Coincidís?

1 La mejor cocina del mundo es la francesa.
2 El azúcar vuelve a los niños hiperactivos.
3 La Muralla china puede verse desde el espacio.
4 Un año de un ser humano equivale a siete años de un perro.
5 El pelo blanco no se cae.
6 Es peligroso bañarse después de comer.

7 ¿Qué cosas has escuchado tú muchas veces y crees que son falsas? Cuéntaselo a tu compañero.

Yo he escuchado muchas veces que el zumo hay que tomarlo recién exprimido para que no pierda sus vitaminas, pero no es cierto que eso ocurra.

PRONUNCIAR DOS VOCALES IGUALES SEGUIDAS

- Cuando aparecen dos vocales iguales dentro de una misma palabra, normalmente las pronunciamos las dos vocales sin reducirlas cuando hay necesidad de diferenciar la palabra de otra *(azar / azahar)*, o cuando las vocales pertenecen a diferentes sílabas *(le-er, cre-er)*. Esto es más frecuente en la variedad del español peninsular, mientras que en otras variedades del español se tiende más a fusionarlas en una sola.
- Si las vocales iguales están en palabras diferentes:
  - generalmente las fusionamos si ninguna de las dos sílabas implicadas tiene acento o cuando solo está en la primera vocal:
    Ayer comió olivas > comió:livas
  - si la segunda tiene el acento, es habitual pronunciar las dos vocales sin reducirlas:
    Como ostras > Como-ostras
    Da asco > Da-asco

  Hay casos en los que es habitual fusionarlas cuando se trata de formas breves de algunos verbos muy frecuentes como ***ser*** o ***ir*** o con algunos determinantes como ***un***, ***este***, ***ese***...:

  este es > este:s
- Cuando se trata de dos vocales diferentes, si las dos vocales pertenecen a sílabas acentuadas, entonces se pueden pronunciar juntas, muy habitual en el habla espontánea: *no es sano > noes sano*
- Si solo una de las vocales pertenece a una sílaba acentuada, no se pueden pronunciar juntas si con ello no se respeta el acento de cada palabra (aguda, llana o esdrújula): *come ostras*. ***Come*** y ***ostras*** son palabras llanas: si pronunciamos las vocales juntas, ~~co-meos-tras~~, estamos cambiando el acento de las dos palabras, luego no es posible.

ACTIVIDAD

8 42 Fíjate en estos ejemplos y decide con tu compañero cómo se pronuncian. Luego, escucha y comprueba.

1 Apr**ehe**nder
2 Sals**a a**mericana
3 R**ee**mitir
4 Se llam**a A**gustín
5 M**i hi**jo
6 M**i i**guana
7 Pos**ee**r

UNIDAD 9

PRESENTAR ESTADÍSTICAS

- Para presentar estadísticas usamos **expresiones de cantidad** como:

  - *La mitad de, el doble de, un cuarto, de un tercio de...*
  - *El veinte / treinta por ciento de...*
  - *Una tercera / cuarta parte de...*
  - *Una de cada cuatro, casi tres de cada cuatro personas...*
  - *La mayoría de, la mayor parte de...*
  - *Uno/a de cada tres, las tres cuartas partes de...*

  Casi el 30 % de los ciudadanos no logra ahorrar nada a fin de mes.

  Una cuarta parte de los españoles no tiene una hucha para imprevistos.

- Para **situar en una *ranking*** usamos los números ordinales:

1.º primero / 1.ª primera
2.º segundo / 2.ª segunda
3.º tercero / 3.ª tercera
4.º cuarto / 4.ª cuarta
5.º quinto / 5.ª quinta
6.º sexto / 6.ª sexta
7.º séptimo / 7.ª séptima
8.º octavo / 8.ª octava
9.º noveno / 9.ª novena
10.º décimo / 10.ª décima
11.º décimo primero / 11.ª décima primera = undécimo/a
12.º décimo segundo / 12.ª décima segunda = duodécimo/a
13.º décimo tercero / 13.ª décima tercera
20.º vigésimo / 20.ª vigésima

Concuerdan en género con el nombre al que acompañan:

*En décim**a** posición se encuentra Argentina, y Chile ocupa el undécim**o** lugar.*

Décimo primero, décimo segundo... también pueden escribirse junto: *decimoprimero, decimosegundo...* En femenino, cuando se escribe junto, se mantiene *décimo* en masculino: *decim**o**primera, decim**o**segunda...*
En la lengua hablada podemos utilizar números *(once, veintidós)*: *Ocupa el puesto número once.*
Recuerda que ***1.º*** y ***3.º*** pierden la ***-o*** cuando van delante de un nombre masculino, también en sus formas compuestas ***(1.er, 3.er, 11.er, 13.er...)***: *el primer lugar / el vigésimo tercer puesto de la lista.*

- Asímismo usamos expresiones como ***está por delante de / por detrás de*** para situar en un *ranking*:

  Entre los países productores de aceite de oliva del mundo, Portugal se encuentra por detrás de Túnez, y Siria, por delante de Argentina.

ACTIVIDAD

1 En pequeños grupos, buscad en internet algún *ranking* y presentadlo a la clase. Aquí tienes algunas ideas.

- Países que reciclan más plásticos.
- Países que producen café.
- *Influencers* con más seguidores.
- Ciudades más bonitas del mundo.
- ...

EXPRESAR VALORACIÓN

*Rosa **trabaja** aquí.*

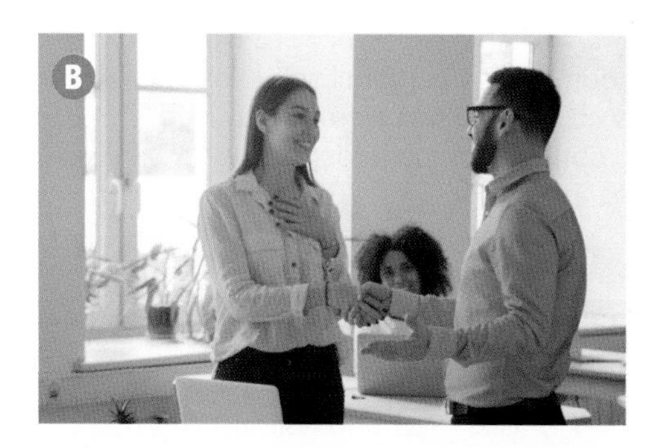

*Me parece estupendo que **trabajes** aquí.*

En el ejemplo A, declaro que Rosa trabaja aquí, por ello usamos el modo indicativo, mientras que en el ejemplo B, lo que declaro es mi valoración sobre esa acción ("me parece estupendo"), y no la acción en sí misma, por eso usamos el modo subjuntivo en la oración subordinada ("que trabajes aquí").

Podemos expresar valoración con los verbos *parecer, ser* y *estar:*

Está / *Me parece* — *bien* / *mal*

Es / *Me parece* — *estupendo / fantástico*, *increíble / sorprendente*, *lógico / normal*, *una vergüenza / ridículo*, *terrible / horrible*, *sensato*, ...

Estas expresiones pueden ir seguidas de:

- **infinitivo:** cuando hacemos una valoración general o no especificamos el sujeto:

  Es normal recibir publicidad. (recibir publicidad: TODO EL MUNDO O CUALQUIER PERSONA)

  También usamos el infinitivo cuando el sujeto de la oración subordinada coincide con la persona que valora:

  Me parece estupendo trabajar aquí. (Me parece estupendo: A MÍ; trabajar aquí: YO)

- ***que* + subjuntivo:** cuando en la oración subordinada hay un sujeto específico que no coincide con la persona que valora:

  Me parece estupendo que trabajes aquí. (Me parece estupendo: A MÍ; trabajes aquí: TÚ)

ACTIVIDAD

2 Escribe un comentario personal sobre las siguientes noticias utilizando una valoración. Luego, compártelo con tus compañeros.

- Se espera que en varias décadas todos los coches sean eléctricos.
- Multan a un hombre por llevar a su hijo en patinete eléctrico.
- Una *influencer* destroza una estatua de más de doscientos años de antigüedad para ganar seguidores.
- Una reconocida empresa internacional deja de patrocinar a una atleta por quedarse embarazada.
- Una cadena de supermercados deja en la calle los productos frescos que no vende en el día.

IDENTIFICAR UN OBJETO, UN LUGAR O UNA PERSONA

- Para dar información o identificar un objeto, un lugar o a una persona podemos utilizar un adjetivo o una oración de relativo.
- Las oraciones de relativo funcionan como un adjetivo, es decir, dan información sobre la cosa, la persona o el lugar al que acompañan:

  Un chico muy alto (ADJETIVO) → *Una chico* ***que mide dos metros*** (ORACIÓN DE RELATIVO)

  Unas zapatillas muy caras → *Unas zapatillas* ***que cuestan mucho dinero***

  Una ciudad monumental → *Una ciudad* ***que tiene preciosos monumentos***

- En las oraciones de relativo usamos el subjuntivo cuando hablamos de algo que no conocemos o que todavía no tenemos identificado, sin embargo, usamos el indicativo cuando hablamos de algo que conocemos, que tenemos identificado. Veamos unos ejemplos:

Hola, papá, esta noche tengo invitados y necesito una receta ***que sea fácil de hacer****. ¿Alguna idea?*

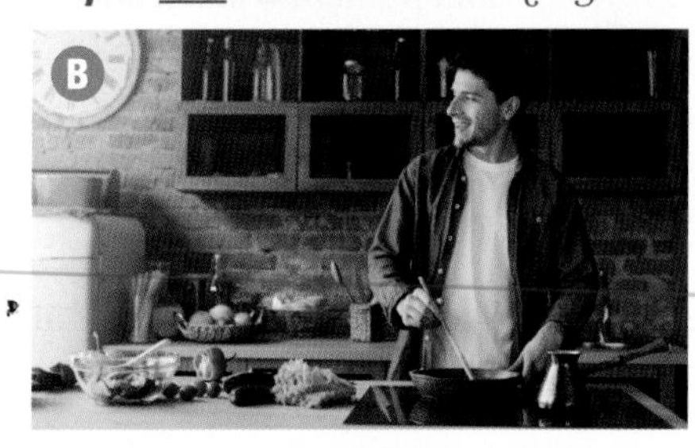

Mi padre me ha dado una receta ***que es fácil de hacer****.*

En el ejemplo A, Gonzalo llama a su padre porque necesita una receta fácil de cocinar. Todavía no sabe qué receta hará, por eso usa el modo subjuntivo. En el ejemplo B, Gonzalo comenta a su pareja que ya sabe qué receta va a cocinar, la tiene identificada, por eso usa el modo indicativo.

- En algunos casos la oración de relativo necesita una preposición. En estos casos aparece un artículo entre la preposición y el pronombre relativo que tiene que concordar en género y número con la palabra a la que se refiere:

  Ese es el lugar en ***el*** *que pasamos las vacaciones.*

  Estas son las amigas de ***las*** *que te hablé.*

UNIDAD 12

RECURSOS PARA REACCIONAR ANTE INFORMACIÓN

- **Cuestionar la información:** cuando queremos cuestionar la información de nuestro interlocutor porque no estamos de acuerdo, podemos usar preguntas como ***¿Estás seguro de (que)...?*** y ***¿Seguro que...?***:

¿Estás seguro de que los camellos son los animales más resistentes?

- **Confirmar la información:** si estamos seguros de la información, podemos confirmarla de forma rotunda con expresiones como ***Claro (que sí / no)*** y ***Segurísimo***:

• *¿Seguro que San Sebastián está en el País Vasco?*
▪ *Claro que sí.*

- **Corregir la información:** cuando queremos corregir la información que nos dice nuestro interlocutor, podemos usar diferentes recursos donde intensificamos a través de la entonación:

- Intensificar la palabra clave que muestra la corrección:

• *Cabo de Gata está en Murcia.*
▪ *No. Cabo de Gata está en AL-ME-**RÍ**-A.*

- Repetir el enunciado previo intensificando la negación **(*No*, + enunciado previo negado + *sino*)**:

No, no está en Murcia, sino en Almería.

- Para corregir la información de un enunciado negativo:

• *Cabo de Gata no está en Almería.*
▪ *¡Sí que está en Almería!*

- **Negar la información: *¡Qué va!*** es una expresión común usada en contextos informales. También es frecuente usar la doble negación ***(No, no)*** o expresiones más rotundas como ***No, en absoluto***:

• *El diamante es el material más duro del planeta.*
▪ *¡Qué va!*

ACTIVIDAD

1 Lee las siguientes frases sobre curiosidades del mundo y busca en internet por qué son falsas. Luego, corrige o niega la información usando alguno de los recursos anteriores.

1. La isla de Navidad está en Finlandia.
2. Los mosquitos no tienen dientes.
3. El país más pequeño del continente americano es Costa Rica.
4. El 90 % de la población mundial vive en el hemisferio sur.
5. China es el país con más zonas horarias.
6. El sentido del olfato de un perro no es más sensible que el de los humanos.
7. Las estrellas de mar no tienen cerebro.

EXPRESAR INVOLUNTARIEDAD

- La involuntariedad muestra acciones o sucesos que ocurren (o se expresan) sin voluntad o intención por parte de una persona. Se expresa con verbos en 3.ª persona y el pronombre *se* seguido de un pronombre que se refiere a la persona afectada por la acción *(me / te / le / nos / os / les)*.

(a mí)	se me	cae(n)
(a ti)	se te	
(a él / ella / usted)	se le	
(a nosotros/as)	se nos	
(a vosotros/as)	se os	
(a ellos / ellas / ustedes)	se les	

- El sujeto es aquello que "se cae", por eso el verbo aparece siempre en tercera persona del singular (si lo que se ha caído es singular) o del plural (si lo que se ha caído es plural):

• *Perdone, señor, se le ha caído la cartera.*
▪ *Ay, muchísimas gracias chico.*

• *Señora, se le han caído las llaves.*
▪ *Muchas gracias, no me había dado cuenta.*

Como vemos en los ejemplos anteriores, la cartera y las llaves se han caído de manera involuntaria o accidental, no hay voluntad de tirarlas.

Este tipo de estructuras se utilizan frecuentemente con verbos como *perderse*, *romperse*, *olvidarse*, *caerse*, *mancharse* o *estropearse* entre otros.

ACTIVIDADES

2 Completa los diálogos usando una expresión de involuntariedad. Puede haber más de una opción correcta.

1 • ¡Uy! Esos pantalones tienen un agujero.
 ▪ Sí, es que estaba haciendo deporte y ______.
2 • ¿Le dijiste a María que llamó su madre?
 ▪ No, es que ______.
3 • ¿Qué ha pasado aquí? ¿Por qué hay cristales en el suelo?
 ▪ Lo siento, es que cogí un vaso y ______.
4 • ¿Puedes llevarme en coche al aeropuerto?
 ▪ No, es que tengo el coche en el taller, ______.
5 • ¿Te acuerdas del libro que me dejaste?
 ▪ Sí, claro.
 • Pues no sé dónde está, creo que ______.
6 • ¿Qué estás buscando?
 ▪ Mis guantes, ______.

3a Piensa cuándo fue la última vez que te pasó alguna de estas cosas.

1 Se te rompió algo en casa.
2 Se te olvidó una fecha importante.
3 Se te perdió algo valioso.
4 Se te estropeó el ordenador.

La última vez que se me rompió algo en casa fue la semana pasada: se me cayó un vaso cuando estaba fregando.

3b Ahora cuéntaselo a tu compañero. ¿Os han pasado cosas parecidas?

SECUENCIAR ACCIONES FUTURAS

▪ ***Cuando, antes de que, después de que, en cuanto, hasta que...*** son partículas temporales con las que relacionamos dos hechos. Generalmente van seguidas de indicativo cuando se refieren al pasado o al presente habitual:

Lo compró cuando estuvo en Guatemala.

Cuando viaja, es feliz.

Si se refieren al futuro, habitualmente van seguidas de presente de subjuntivo:

Cuando llegues a México, llámame.

No cambies dinero hasta que llegues al aeropuerto.

Cuándo como interrogativo sí puede ir seguido de futuro. Nunca usamos subjuntivo en las preguntas sobre el futuro:
¿Cuándo llegarás? / ~~*¿Cuándo llegues?*~~

Quiero saber cuándo llegará.

▪ ***En cuanto*** añade un matiz de inmediatez a la acción:

Llámame en cuanto llegues a México.

En estos casos también podemos usar ***al* + infinitivo**:
Al llegar a México saca dinero = En cuanto llegues, saca dinero.

▪ ***Antes de*** expresa que una acción es anterior a otra. ***Después de*** expresa que una acción es posterior a otra. Estas partículas pueden ir seguidas de infinitivo o de subjuntivo:

Después de ***cenar****, salimos.*

Te llamo antes de que ***salgas*** *de casa.*

En este último caso usamos el subjuntivo porque especificamos el sujeto de la oración subordinada y no coincide con el sujeto de la principal.

▪ ***Hasta que*** expresa delimitación del tiempo:

No sabrás lo maravilloso que es México hasta que no lo visites.

ACTIVIDADES

4 Piensa si estas frases se refieren al pasado, a hábitos presentes o al futuro. Después, complétalas con un verbo adecuado.

1 En cuanto ______ a casa todos los días, se tumba en el sofá.
2 ¿Me preguntas que qué haré cuando ______ a mi país? Todavía no lo sé, la verdad.
3 Anoche no me dormí hasta que ______; al oírte entrar, ya me quedé tranquilo.
4 No sabía lo bonita que era Costa Rica hasta que Elvira ______ de allí y me lo contó.
5 Cuando ______ en Argentina, fuimos a la Patagonia, ¡qué maravilla!
6 Tráeme un recuerdo cuando ______ de Perú, me hace mucha ilusión.
7 Nunca tiene ganas de ir a ningún lado cuando le ______ hacer un viaje, es un rollo.
8 Cuando ______ a Isla Mujeres, no querrás volver, es un verdadero paraíso.

5 En parejas, completad estas frases sobre una persona de la clase. Luego, leédselas para comprobar si habéis acertado.

1 En cuanto termine la clase,...
2 Al llegar a casa,...
3 Cuando se jubile,...
4 Cuando tenga tiempo,...
5 Cuando sepa hablar perfectamente español,...
6 Cuando acabe este curso,...

• *Nosotros pensamos que en cuanto termine la clase, volverás a casa.*
▪ *Pues no, hoy me quedo en la escuela, porque...*

UNIDAD 1

Saludar

saludarse
despedirse
darse | la mano / un abrazo / un beso
dar recuerdos

Relaciones sociales

encontrarse con alguien en la calle
quedar con alguien
presentar a alguien
relacionarse
verse
tomar algo
pasarlo genial

La zona de confort

el estado mental
el estrés
la rutina diaria

vivir instalado/a en una zona segura
controlar lo que pasa alrededor
evitar los riesgos
llevar una vida tranquila
dejar algo para mañana
tener miedo

tomarse un año sabático
cambiar | de trabajo / el corte de pelo
apuntarse a clases de inglés
hacerse un tatuaje
practicar un deporte de riesgo
hacer | escalada / paracaidismo
hacer realidad un sueño
soñar

Aprender idiomas

la lengua materna
ser | bilingüe / monolingüe
el país de habla extranjera
el entorno bilingüe
crecer con una lengua
dominar un idioma
desarrollar estrategias
concentrarse
memorizar
recordar

mejorar la memoria
adaptarse a una situación nueva
invertir | tiempo / esfuerzo
merecer la pena

el cerebro
la concentración
la información
la capacidad cognitiva
el desarrollo creativo
la información | relevante / irrelevante

UNIDAD 2

Cosas del pasado

soler
conducir sin cinturón de seguridad
ponerse el casco
memorizar los números de teléfono
saber de memoria
echarse crema solar
reparar la televisión

la cabina telefónica
la enciclopedia
la máquina de escribir
el videoclub

Secciones de prensa

nacional
internacional
política
economía
cultura
deportes
sociedad
sucesos
belleza
moda

Noticias

robar
fingir un secuestro
coger algo sin permiso
sorprender a alguien
darse cuenta de algo
hacerse una prueba de ADN
oír ruidos
llamar a la policía
estar acusado/a
hacer algo | aposta / sin querer

el titular
el/la protagonista
el/la ladrón/ona
el/la detenido/a
el/la desconocido/a
el/la okupa
el secuestro
la ocupación ilegal
la comisaría

Recuerdos

la anécdota

ocurrir
mencionar
producir | nostalgia / risa / vergüenza
estar | enfadado/a / enfermo/a / nervioso/a

quedarse grabado en la mente
sentirse ridículo/a
tener la culpa
asustarse
enamorarse
graduarse
ganar un premio

UNIDAD 3

Futuro

predecir
hacer un pronóstico
anticipar
actuar

causar problemas
provocar un conflicto
transformar
volar
encontrar una cura
extinguirse

estar concienciado/a
conectado/a
en peligro
ser eficiente
tener éxito
tener una visión sensata

el planeta
el cambio climático
la contaminación
la crisis ambiental
la escasez de recursos
la energía
el huerto urbano
el nivel del mar
la urbe
el ser humano
el/la científico/a

la computación móvil
la plataforma digital
la empresa *online*

Planes

crear un plan
fijar un objetivo
marcarse una meta
imaginar
visualizar
planificar
organizar con antelación
tener esperanzas
pensar en positivo
trabajar duro
fracasar
ir bien / mal algo
salir bien / mal un proyecto
preocuparse
dejar a un lado algo
superar una dificultad
hacer realidad un sueño
lograr un deseo
montar una empresa

Ciencia y salud

el estudio
la sociedad
la calidad de vida
el consumo

la tecnología
la realidad virtual
el robot
la modificación genética
el dron
la máquina
la impresión en 3D

el explosivo nuclear
la radiación
el meteorito
la destrucción del medioambiente
el residuo tóxico
el alimento transgénico
la comida vegana
la dietética
el alga
la proteína vegetal
generar basura

investigar
afectar a la salud
tener fiebre
modificar éticamente
estar expuesto

la modificación genética
la capacidad de memoria
la neurociencia
la seguridad
la soledad

UNIDAD 4

Cualidades y defectos

activo/a
amable
amistoso/a
analítico/a
apasionado/a
competitivo/a
creativo/a
desordenado/a
dinámico/a
diplomático/a
educado/a
egocéntrico/a
innovador(a)
inquieto/a
insensible
mandón/ona
movido/a
observador(a)
organizado/a
perfeccionista
previsor(a)
responsable
vago/a

Buena educación

dar las gracias
respetar la opinión de los demás
ofrecer ayuda
utilizar un lenguaje correcto
interesarse por lo que dice alguien
pedir las cosas por favor
respetar la opinión / la vida privada de los demás
ser puntual
ignorar los cotilleos
evitar mensajes innecesarios
llamadas innecesarias
pedir algo de manera educada
directa
autoritaria

Vida personal y laboral

el estilo de vida
el equilibrio
el éxito
la felicidad
el bienestar

tener capacidad de análisis
dotes de mando
empatía
flexibilidad
ser bueno/a para algo
incapaz de algo
un desastre
un(a) genio
darse bien / mal algo a alguien
resultar fácil
costar

demostrar interés
estar en forma
apreciar la belleza
conmoverse
sentirse identificado/a

tomar decisiones
adquirir responsabilidades
controlar los gastos
prepararse con antelación
fomentar el compañerismo
invertir
retener el talento

la carrera profesional
la trayectoria laboral
el compañerismo
la inauguración
el convenio
el compromiso
el éxito
la flexibilidad
el horario flexible
la hora de salida
la inteligencia emocional
el orgullo corporativo
el rendimiento
el permiso justificado
el punto fuerte
el sector financiero
el trámite

Profesiones

el/la bailarín/ina
el/la entrenador(a) personal
el/la fotógrafo/a
el/la periodista
el/la pintor(a)
el/la profesor(a)
el/la psicólogo/a
el/la publicista

UNIDAD 5

Emociones y sentimientos

la felicidad
la simpatía
la amabilidad
el gusto
la pasión

alegrar
apasionar
poner de buen humor
dar felicidad / miedo / igual
impresionar
importar
valorar
molestar
soportar
odiar

Viajes

planear un viaje
cambiar de aires
hacer la maleta
pasarlo bien
elegir un destino
escoger
dejarse algo
merecer la pena
quedarse dormido
ir cargado
hacerse entender
sentirse perdido
ser capaz de hacer algo
tardar
rechazar
regatear

el viaje organizado
la reserva
el crucero
el vuelo
el subte
el colectivo
el billete
la taquilla
el cambio
la comisión
el cajero automático
las escaleras mecánicas
el guardaequipaje
la entrada gratuita
la ruta
la partida
el pronóstico del clima
la gestión de los documentos
el atasco
la decepción
el desastre
la sensación de libertad
el ambiente

UNIDAD 6

Aplicaciones

la *app*
el clic
la plataforma
la tecnología informática
el diseño
los servicios

crear una cuenta
compartir
informar de algo
mejorar
participar en algo
reaccionar
votar
sugerir
ubicar
recuperar
apoyar
pasar a la acción
denunciar

el ayuntamiento
el barrio
el/la ciudadano/a
la medida
la propuesta
la mejora
el alquiler
el/la casero/a
el/la inquilino/a
el espacio común / diáfano / habitable / humano / inclusivo
el desperfecto
la movilidad
la calidad del aire

Vivienda

el hogar
la urbanización
el apartamento
el baño
el aseo
la cocina
el salón
el cuarto de estar
el dormitorio
el jardín
la piscina
la terraza
la pared
el techo
el suelo de madera

la decoración
el mueble de segunda mano
la alfombra
la cortina
la persiana
el cojín
el cuadro
la vajilla

el espejo
el jarrón
la lámpara
el electrodoméstico
la domótica
el frigorífico
el congelador
la cafetera
el horno

encender / apagar la luz
bajar la persiana
poner / quitar la calefacción
instalar la alarma

habitar
decorar
pintar
restaurar

Describir objetos y lugares

barato/a
caro/a
decorativo/a
acogedor(a)
diáfano/a
funcional
práctico/a
antiguo/a
moderno/a
de diseño
tradicional
minimalista
sencillo/a
tranquilo/a

Personalidad

culto/a
elegante
extrovertido/a
familiar
imaginativo/a
nostálgico/a
tradicional

UNIDAD 7

Comportamientos

apreciar
caer bien / mal / fatal / genial
llevarse bien / mal / fatal / genial
hacerse amigo de alguien
estar a gusto con alguien
sentirse cómodo/a
interesarse por los demás
gastar una broma a alguien
estar de buen humor
comportarse de manera natural
guardar un secreto
evitar una pregunta incómoda
juzgar a alguien
respetar la intimidad de alguien
invadir el espacio de alguien
traicionar la confianza de alguien
interesarse por los demás
ponerse en el lugar de la otra persona

Carácter

abierto/a
agradable
atento/a
auténtico/a
cercano/a
discreto/a
divertido/a
generoso/a
humilde
prudente
reservado/a
tímido/a

La educación

la buena / mala educación
ser maleducado/a
ser tolerante
preocuparse por los demás
perder la paciencia

pedir algo por favor
dar las gracias / los buenos días / ejemplo
ceder el asiento
hacer ruido
hablar a gritos
interrumpir
mentir

Emociones y sentimientos

el gusto
el disgusto
la indiferencia
el miedo
la tristeza

encantar
dar igual / miedo / pena
molestar
estar harto/a
preocupar
no soportar

Normas sociales

estar bien / mal visto / permitido/a / prohibido/a
ser frecuente / lo más normal / raro

dejar propina
descalzarse
quitarse los zapatos
llevarse las sobras
presentarse sin avisar

Mensajes de voz

la llamada
el buzón de voz

dejar un mensaje
saludar a un conocido
concertar una cita
cancelar una cita
contar la última aventura
recoger a alguien
accionar el teléfono sin querer
cortarse un mensaje

UNIDAD 8

Gastronomía

cocer
hervir
pelar
degustar

un montón de sitios y nos divertimos muchísimo. Pero, lo mejor, fue conocer a Lucía: creo que nunca había conocido a alguien tan especial. La última noche salimos ella y yo solos a cenar. Después de la cena, dimos una vuelta y vimos la puesta de sol. Creo que ese ha sido uno de los momentos más especiales de mi vida.

Pista 8

Persona 1

El otro día iba por la calle y me encontré a una antigua alumna. Yo soy profesora de literatura en un instituto y le di clase hace años. La chica estaba guapísima, nos saludamos y me empezó a contar sobre su vida. Estaba trabajando en Lisboa y tenía un niño. Bueno, el caso es que yo la miré bien y pensé que estaba embarazada, así que le dije: "¡enhorabuena, qué bien!". Y le pregunté: "¿va a ser niño o niña?". Y ella, con cara extrañada, me dijo que no entendía. ¡Casi me muero...! Cambié rápidamente de conversación. ¡Qué vergüenza!

Persona 2

Soy profesor de español y una de las anécdotas más divertidas me ocurrió la semana pasada. Mi alumna Kelly tenía un móvil buenísimo (y muy caro). Pero un día estaba hablando con un compañero y le dijo: "ya me he cargado el móvil"; y yo le contesté: "vaya, qué pena". Pero no reaccionó mucho, la verdad. Mi sorpresa fue que en el descanso la vi hablando con el móvil, y entonces le pregunté: "¿pero no se había roto tu teléfono?". Y ella me dijo: "no, no, está bien, ¿por qué lo dices?" . Entonces le tuve que explicar la diferencia entre "cargar el móvil" y "cargarse el móvil".

Persona 3

Estuve trabajando en España unos meses. Un día estaba en la oficina, era verano y hacía mucho calor... Una compañera estaba asomada a la ventana y dijo: "¡madre mía, hay tres gatos en la calle!". Y yo fui corriendo y, al no ver los gatos, pregunté dónde estaban. Todavía recuerdo las risas de todos mis compañeros. Luego me explicaron que, cuando se dice "hay tres gatos en la calle" , significa que hay poca gente en la calle. ¡Qué gracia!

Persona 4

Pues una vez conocí en Madrid a un chico español que me gustaba bastante y yo tenía muchas ganas de quedar con él el fin de semana para poder comer tranquilamente y pasar la tarde juntos. Así que quedamos un sábado al mediodía. Fui a las doce horas al lugar que me dijo y no apareció. ¡Estuve esperando más de una hora! Estaba muy decepcionada, y lo peor es que me dejé el móvil en casa y no podía llamarlo. Total, que me fui a comer con una amiga. Pero resulta que por la noche me llamó y me dijo que él estuvo esperándome una hora desde las catorce horas, y entonces comprendí lo que los españoles quieren decir cuando se refieren "al mediodía" .

Persona 5

Estuve en España estudiando español y un fin de semana queríamos ir a la playa, así que preparamos todo y cogimos un tren. Íbamos dos compañeras coreanas y yo. Estábamos felices pensando en tomar el sol y comer una auténtica paella. Pero no sabéis lo que pasó... Pues el caso es que llegamos a Palencia, que era una ciudad pequeña que no tenía playa... y ¡hacía un frío horrible! Todavía me río cuando lo recuerdo... Confundimos la ciudad de Palencia con la de Valencia. ¡Madre mía!

Persona 6

Pues a mí una vez me pasó algo horrible. Estábamos en la oficina y nuestro jefe estaba reunido con unos clientes: hablaban bastante alto y todos queríamos enterarnos de lo que pasaba. Total, que yo me metí en el despacho de al lado y me puse a escuchar con la oreja pegada a la pared. Mis compañeros se estaban riendo, pero, de pronto, hubo un gran silencio, y me encontré al subdirector delante de la puerta, mirándome bastante enfadado. ¡Fue horrible! Nunca lo olvidaré.

UNIDAD 3

Pista 9

–¿Cómo será el mundo en 2050? No lo sabemos con certeza, pero los científicos ya tienen alguna idea de los avances que podrían concretarse para esa fecha. Hemos realizado una serie de preguntas a una experta en ciencia y tecnología para conocer su opinión. Buenos tardes y muchas gracias por atendernos.

–Gracias a ustedes. Para mí es un placer estar aquí.

–La primera pregunta parece un tópico, pero es una de las que más curiosidad despierta: ¿existe un futuro para la humanidad más allá de la Tierra?

–Bueno, sí, se ha planteado esa posibilidad, pero creo que, a corto plazo, no. Estamos aún muy lejos de poder conquistar otros planetas, aunque posiblemente en el próximo siglo habrá grupos de aventureros que vivirán en Marte y después, quizás, en otros lugares del sistema solar. No obstante, debemos hacer frente a los problemas de nuestro mundo y no tratar de buscar otros lugares para vivir.

–Sí, sin duda. Hablando de problemas: ¿podemos solucionar todavía el cambio climático, o es demasiado tarde?

–Todo depende de nuestra capacidad de reacción. Supongo que, si actuamos ya de forma rápida, reduciendo la contaminación del aire y del agua, el cambio climático no debería llegar a sus peores consecuencias.

–¿Cuáles son los principales retos tecnológicos para el futuro?

–Para los próximos años será desarrollar la tecnología necesaria para proteger la privacidad de los datos y la seguridad en la transmisión de la información. Luego, también podemos hablar de otro tipo de retos que la industria tecnológica tendrá que abordar para mejorar nuestra calidad de vida: por ejemplo, convertir el agua del mar en agua dulce, limpiar el plástico de los océanos o predecir terremotos.
–La tecnología avanza muy rápidamente. ¿Cómo serán los móviles del futuro?
–Seguramente no existirán. Hay muchas tendencias tecnológicas que nos hacen creer que el móvil tal y como lo conocemos hoy en día pasará a la historia, debido a sus limitaciones. Pero seguro que habrá computación móvil, aunque integrada en la ropa o incluso en nuestro cuerpo.
–Increíble. Pues muchas gracias por compartir con todos nosotros sus opiniones, ha sido muy interesante. Esperamos volver a contar con usted para seguir hablando del futuro.
–Encantada, cuando quieran.

Pista 10

RUBÉN: Hola, Eva. ¿Qué tal?
EVA: Bien, un poco cansada por los exámenes. Mañana tengo el último y, si todo va bien, este verano ya estaré graduada. Estoy ya contando los días.
RUBÉN: Ya, yo estoy igual. Tengo muchas ganas de terminar, pero, por otro lado, me da un poco de miedo pensar en lo que haré el próximo año.
EVA: Te entiendo perfectamente, pero seguro que será mejor que estar todo el día haciendo exámenes y trabajos.
RUBÉN: Sí... Bueno, no sé, supongo que sí. ¿Tú sabes ya lo que vas a hacer?
EVA: Sí, he estado dándole vueltas y al final he pensado que voy a montar una pequeña empresa de diseño gráfico. Me encanta el tema y, por lo que he visto, no requiere mucha inversión. ¿Y tú?
RUBÉN: Muy buena idea. La verdad es que yo no lo tengo tan claro todavía. Probablemente, estudiaré un máster de investigación clínica o algo parecido. Me gusta mucho el tema de la investigación.
EVA: Pues suena muy bien. Pero, entonces, ¿te quedarás a vivir en Barcelona?
RUBÉN: No, voy a ir a Estados Unidos este verano y miraré qué te piden para hacer el máster. Me apetece mucho vivir allí una temporada. ¿A ti no te gustaría pasar un tiempo en otro país?
EVA: Sí me gustaría, pero lo veo complicado. Mi familia, mi pareja, mis amigos..., todos viven aquí: creo que los echaría mucho de menos. Yo me imagino más viviendo en Barcelona y trabajando desde casa.
RUBÉN: ¿Sí? Yo es que no me veo trabajando aquí siempre. Tengo claro que lo primero que quiero hacer es buscar un trabajo fuera, ahorrar un poco de dinero y, después, continuar con mis estudios.
EVA: ¡Bien pensado! Yo este verano me voy a vivir con Marcos. Estamos mirando un apartamento con dos habitaciones por esta zona.
RUBÉN: ¿Con dos habitaciones? ¿Estáis ya pensando en tener hijos?
EVA: No, no, nada de hijos. La segunda habitación es para los invitados y para poder trabajar yo también. No está entre mis proyectos lo de tener hijos.
RUBÉN: Pues a mí sí me gustaría, no ahora, pero quizá dentro de unos años. Me imagino en mi casa con mis hijos y mi perro.
EVA: ¡Anda! Pues yo te veía más viajando de un lado para otro y sin cargas familiares.
RUBÉN: Ya... Bueno, no sé... De momento tampoco me lo planteo mucho, ya se verá.

Pista 11

1 Si una puerta se cierra, otra se abrirá.
2 Si miras en dirección al sol, no verás las sombras.
3 Si hoy te caes, mañana te levantarás.
4 Si siempre estás mirando hacia abajo, nunca verás el arcoíris.
5 Si piensas en positivo, las cosas buenas vendrán.

Pista 12

Película 1: *Terminator*
En *Terminator* un ejército de robots soldados ha tomado el control, ha destruido la Tierra y he esclavizado al hombre. ¿Es esto posible? De momento, no. Aunque ya se usan drones con objetivos militares, todavía es el hombre quien da las órdenes para disparar. Sin embargo, la ciencia evoluciona rápido y, por ello, dos profesores de Cambridge han creado un centro de investigación que analiza el riesgo del uso de robots inteligentes en el ejército.
Película 2: *Wall-E*
Wall-E es una película de animación que muestra el peor escenario para la Tierra: se trata de un planeta lleno de basura en el que la vida ha desaparecido. Esta situación podría llegar a ser realidad, si tenemos en cuenta que cada año generamos 1,4 millones de toneladas de residuos tóxicos o peligrosos. ¿Podemos evitarlo? Seguramente sí, pero para acabar con la contaminación, necesitamos un mayor esfuerzo por parte de ciudadanos, empresarios y gobiernos.
Película 3: *Alien*
En *Alien*, un extraño ser de otro planeta atacaba a los tripulantes de la nave espacial Nostromo. Sin embargo, los

alienígenas podrían no estar tan lejos como muestra esta película. Treinta y tres científicos han firmado un documento que afirma que los pulpos son extraterrestres que llegaron a la Tierra en meteoritos. Una teoría algo radical que explicaría la gran inteligencia y rareza de los pulpos sugiriendo que estos invertebrados son extraterrestres que evolucionaron en otro planeta.

Película 4: *Armagedón*

En *Armagedón*, la NASA tiene una importante misión que cumplir: evitar que un gran meteorito impacte sobre la Tierra. Pues bien, esta amenaza no es pura ficción y la NASA trabaja para hacer frente a este peligro. No quieren hacerlo estallar con una bomba nuclear, como en la película, sino encontrar el modo de cambiar su dirección y evitar el impacto con la Tierra.

Película 5: *Matrix*

La realidad virtual continúa desarrollándose día a día y, en el futuro, esta tecnología será capaz de cambiar nuestras vidas. La película *Matrix* va un paso más allá. Los seres humanos viviremos ya dentro de una realidad virtual. Para algunos esto ya está sucediendo y dos multimillonarios han financiado en secreto a un grupo de científicos que estudian cómo podremos liberarnos de ella.

Película 6: *Yo, robot*

En *Yo, robot* el hombre ha conseguido crear modelos de androides que realizan sus trabajos. Esta idea parece que cada día está más cerca de nosotros. Hace poco conocimos a Androidol, un androide hiperrealista que presentará un programa de televisión en directo para una página web japonesa. Se trata de un experimento social que pretende demostrar que un robot es capaz de desarrollarse a través de la comunicación con seres humanos.

UNIDAD 4

Pista 13

1 Ma/rio - Ma/rí/a
2 rui/do - re/í/do
3 ac/tú/a - ac/tuar
4 vi/vió - vi/ví/a
5 criar - cre/er
6 Pau/la - Pa/o/la

Pista 14

ALEJO: Bueno, Lucía, cuéntame: ¿qué tal te va en el nuevo banco?

LUCÍA: Pues estoy encantada: qué diferencia con el otro... En este tenemos mejores condiciones laborales. Por ejemplo, algunos días puedo quedarme en casa trabajando sin ir a la oficina, así me concentro mucho mejor.

ALEJO: ¿Pero hay alguien vigilando vuestro trabajo?

LUCÍA: No, no hay nadie. Nos dan mucha autonomía y confían en nosotros.

ALEJO: Pero, y si tienes alguna duda, ¿qué haces?

LUCÍA: Pues, si tengo una duda, puedo llamar a algún compañero en cualquier momento: hay mucha colaboración entre todos.

ALEJO: ¿Y qué tal el horario?

LUCÍA: Genial, pues hay mucha flexibilidad de entrada y salida. Me encanta porque puedo organizarme como quiero... Y lo mejor es que tenemos un montón de actividades para hacer a mediodía: yoga, pilates, aerobic...

ALEJO: ¡Qué bien! Me alegro mucho... Pero... ¿hay algo que no te gusta?

LUCÍA: No, nada, la verdad. Bueno, sí..., la comida del comedor, pero me llevo la mía. En general, estoy encantada: he tenido mucha suerte con el cambio.

Pista 15

ENTREVISTADORA: Bueno, Carlos, ¿tienes experiencia en este ámbito?

CARLOS: Pues dentro del aula todavía no, pero sí he trabajado como monitor de tiempo libre durante los veranos. En este trabajo he aprendido muchas dinámicas y técnicas para manejar grupos. Creo que soy bueno motivando a la gente.

ENTREVISTADORA: ¿Te consideras una persona positiva?

CARLOS: Sííííí, yo siempre pienso en el lado bueno de las cosas. Aunque a veces hay problemas, pienso que todo es un aprendizaje que ayuda a mejorar.

ENTREVISTADORA: ¿Cómo actuarías con un niño con mala conducta?

CARLOS: Por mi experiencia en campamentos como monitor, creo que cuando un niño se porta mal, es porque quiere llamar la atención. Lo mejor es hablar con él e intentar descubrir cuál es el problema. Yo no creo en los castigos, sino en el refuerzo positivo.

ENTREVISTADORA: ¿Cuáles son tus principales fortalezas y debilidades?

CARLOS: Pues soy una persona activa, me gusta organizar y hacer cosas nuevas. Y como debilidad, me cuesta ser puntual, por eso, cuando tengo una cita importante, adelanto el reloj quince minutos y así llego a tiempo.

ENTREVISTADORA: ¿Estarías dispuesto a trabajar fuera del horario de trabajo? Por ejemplo, acompañando a los niños en alguna excursión durante el fin de semana.

CARLOS: Yo soy una persona muy trabajadora: cuando estoy en el trabajo, no pierdo el tiempo y termino siempre mis tareas, pero creo que es necesario tener tiempo libre también, para poder desconectar y volver al trabajo con energía. Por eso, no me gustaría tener que trabajar los fines de semana.

ENTREVISTADORA: ¿Por qué crees que deberíamos contratarte a ti y no a otro candidato?
CARLOS: He terminado mis estudios de Magisterio y me encanta el mundo de la educación. No tengo mucha experiencia todavía en el aula, pero tengo capacidad para aprender y adaptarme a situaciones nuevas. Además, se me dan muy bien los niños.
ENTREVISTADORA: ¿Qué te gustaría hacer en el futuro?
CARLOS: Pues ahora estoy deseando empezar a trabajar y tener más experiencia. En un futuro me gustaría viajar y vivir en otros países: dar clases es una salida laboral para poder trabajar fuera.
ENTREVISTADORA: Muy bien. Pues muchas gracias por tu tiempo. Todavía tenemos que entrevistar a unos cuantos candidatos más y después nos pondremos en contacto contigo para comunicarte nuestra decisión.
CARLOS: De acuerdo. Muchas gracias a vosotros.

UNIDAD 5

Pista 16

LOCUTOR: Ahora damos comienzo a la sección "Auténticos viajeros". Para muchas personas viajar es un modo de vida, pero no todo el mundo comprende esta visión. A los viajeros se les hace todo tipo de preguntas que no son siempre muy acertadas. Si es tu caso, déjanos un mensaje de voz en nuestro contestador y comparte con nosotros tus experiencias.
Ya tenemos varios mensajes. Escuchamos a Silvia (de Alicante), Emilio (de Madrid) y Luciana (de Ciudad de México).
SILVIA: Hola, yo me llamo Silvia y me considero una auténtica viajera: bueno, yo y toda mi familia. Mi marido y yo nos conocimos en un viaje a Nepal y desde entonces no hemos parado de viajar, especialmente por Asia, incluso cuando nacieron nuestros dos hijos. Muchas veces me han preguntado que qué comen los niños en esos países. A mí me sorprende mucho esa pregunta y siempre contesto: ¡pues comida! Yo creo que es una experiencia única para mis hijos poder conocer otras culturas y formar parte de ellas. ¡Saludos desde Alicante!
EMILIO: Hola, me llamo Emilio. Pues yo llevo viajando muchos años. Cuando era muy joven, ya sentía la necesidad de conocer nuevos lugares. La verdad es que en todos estos años me han hecho preguntas de todo tipo. Me preguntan mucho si no me canso de tanto viaje: ¡pues claro que no! Para mí viajar es el motor de mi vida. También me preguntan si me queda algún país por conocer: ¡por supuesto! El mundo es muy grande y desafortunadamente una vida no es suficiente para poder conocer todos los rincones del planeta. Pero lo que más me molesta es cuando me preguntan si trabajo alguna vez. Al principio les explicaba que tengo un negocio turístico y trabajo principalmente en verano y por eso tengo mucho tiempo libre: pero estoy tan harto de escuchar esta pregunta que ya les digo que me ha tocado la lotería y por eso no trabajo, lo cual no me importaría... Saludos a todos.
LUCIANA: Hola, soy Luciana, soy mexicana y, bueno, viajar me encanta. Viajo siempre que puedo y normalmente voy sola, por eso me preguntan mucho si no me da miedo viajar sola. Pues la neta* es que no: yo planeo muy bien mis viajes y me voy con cuidado. No salgo de noche por barrios peligrosos, no dejo mi mochila desatendida en cualquier parte..., esas cosas... Una vez me preguntaron que cómo podía llevarlo todo en una mochila, porque yo llevo una chiquita y la uso hasta para viajes de un mes de duración. El chiste es llevar solo lo básico y muy organizadito: así, sí.

*la verdad

UNIDAD 6

Pista 17

MARCOS: Fernando, mira esta casa: impresionante, ¿verdad?
FERNANDO: Sí, es muy bonita, pero creo que es demasiado cara, ¿no?
MARCOS: Pues yo no creo que sea tan cara: ¿has visto todo lo que tiene?
FERNANDO: Sí, ya... Pero a ver quién se puede permitir una casa así.
MARCOS: Ya, bueno, pero no está mal soñar un poco. Mira, ¿no te gustaría poder controlar toda la casa desde el móvil? Encender y apagar las luces, la calefacción..., todo.
FERNANDO: No sé..., no me parece que sea necesario utilizar el móvil para eso. La verdad es que es algo que puedo hacer yo mismo sin necesidad de usar el móvil.
MARCOS: Ya, bueno, pero podría ser muy útil: por ejemplo, si hay una fuga de agua, pues recibes una alerta en el móvil. A mí me parece una idea buenísima.
FERNANDO: Bueno, a mí es que todos estos avances informáticos me parecen una excusa para seguir vendiéndote productos nuevos cada vez más caros. Si ocurre algo en tu casa, es mejor tener un buen seguro y ya está.
MARCOS: Bueno, esto sí que te va a gustar: fíjate qué vistas tiene. ¿Qué me dices? Imagínate llegar a casa y mirar por esos ventanales.
FERNANDO: La verdad es que sí: me parece que las vistas son impresionantes, pero esta casa está muy lejos de la ciudad, ¿no? Yo es que prefiero vivir aquí en el centro, aunque no tenga unas vistas tan buenas.
MARCOS: ¿Y la piscina? ¿Qué me dices de eso?
FERNANDO: Lo de la piscina no me parece nada mal. Me en-

cantaría poder tener una piscina privada, sobre todo en verano.
MARCOS: Vaya, menos mal que al menos te gusta algo.
FERNANDO: No, si la casa sí me gusta, pero es que no creo que alguna vez tenga dinero para comprar una casa como esta. O me toca la lotería, o nada.
MARCOS: Oye, nunca se sabe.

Pista 18

ESTHER: Bueno, pues vamos a ver los sofás: en esta tienda hay más de cincuenta modelos diferentes.
GERMÁN: Entonces seguro que encontramos uno que nos guste.
ESTHER: Eso espero... Mira, Germán, qué sofá más bonito: quedaría genial en nuestro salón, ¿no crees?
GERMÁN: No está mal... ¿Sabes cuánto cuesta?
ESTHER: Mil euros.
GERMÁN: ¡¿Mil euros?! Yo no me gasto más de quinientos euros en un sofá.
ESTHER: Hombre, pero es que es de muy buena calidad: es un sofá para toda la vida.
GERMÁN: Sí, claro, pero hay que comprar más muebles y no podemos gastarnos tanto.
ESTHER: Ya..., bueno..., ¿y qué te parece este? Cuesta menos que el otro.
GERMÁN: No sé... Se parece al sofá de mi abuela...
ESTHER: A ver, Germán, es un sofá elegante: tiene ese toque *vintage*. Me parece muy original, y hay un sillón a juego, mira.
GERMÁN: No necesitamos un sofá y un sillón...: yo es que prefiero algo más funcional, más sencillo... Mira este otro.
ESTHER: ¿Este? Es muy soso, ¿no?
GERMÁN: Vamos a ver: tiene un tamaño perfecto para los dos, es cómodo y, además, es más barato que los demás. Esto, con una mesa y dos sillas..., y ya tenemos el salón listo.
ESTHER: Sí, claro: tú con menos de cien euros te decoras la casa entera.
GERMÁN: Pues no es mala idea.
ESTHER: Anda, vamos a mirar más...

Pista 19

GERMÁN: ¿Sabes cuánto cuesta?
ESTHER: Mil euros.
GERMÁN: ¡¿Mil euros?!

Pista 20

1 ¡¿Dos meses?!
2 Cincuenta años.
3 ¡¿Ocho hermanos?!

UNIDAD 7

Pista 21

–Lucía, ¿qué tal? ¿Cómo fue tu viaje a Chile?
–Increíble, me ha encantado todo lo que he visto, la gente..., ¡todo!
–¡Cuánto me alegro! ¿Tienes fotos?
–Sí, claro, mira. Aquí estoy en Santiago y esta es la gente que conocí en el viaje.
–¡Qué bonito! Oye, ¿y este chico que está a tu lado? ¡Qué guapo!
–Sí, es José. La verdad es que es guapísimo: además es de ese tipo de personas que siempre está de buen humor y gastando bromas. Nos reímos muchísimo con él. Pero, no pienses mal, es solo un amigo. La que está a su lado es Julia, su novia: es superinteligente, está haciendo ahora su tesis doctoral y no ha cumplido todavía los 25 años.
–Vaya, pues es jovencísima para estar ya con la tesis. ¿Y este otro de aquí?
–Ese es Francisco. Es el primo de Julia. Lo conocí cuando fuimos a la Isla de Pascua y me cayó muy bien desde el principio. Es amabilísimo, siempre está ayudando a todo el mundo y es muy generoso.
–Sí, tiene cara de buena persona. Y este otro tan serio, ¿quién es?
–Es Gustavo: al principio no nos llevábamos muy bien, me parecía muy serio, pero cuando lo conoces, te das cuenta de que es extremadamente tímido y necesita un poco de tiempo para abrirse a los demás.
–¿Y esta que está a su lado?
–Ah, es su hermana, se llama Isabel y es todo lo contrario: es simpatiquísima y siempre está hablando. .
–¿Y crees que los volverás a ver pronto?
–Bueno, eso espero. Gustavo e Isabel viven aquí y ya hemos dicho que vamos a quedar la próxima semana. Francisco, Julia y José viven en Chile, pero quieren venir a visitarnos las próximas vacaciones. Ya les he dicho que se pueden quedar en mi casa todo el tiempo que quieran.
–Oye, pues me los tienes que presentar. Tengo muchas ganas de conocerlos.
–Por supuesto que sí. Ya verás como también te encantan.

Pista 22

LOCUTOR: Queridos oyentes, en el buzón de voz del programa habéis dejado muchos mensajes contestando a las preguntas que hacíamos sobre estereotipos en el mundo hispano, y podemos confirmar lo que ya habíamos intuido: hay tantos comportamientos como personas en este mundo. Así, mientras Gema, desde Asturias, nos cuenta que desde hace años pide las sobras en los restaurantes para llevarse a casa, Antonio, sevillano, nos dice que a él

le da mucha vergüenza hacerlo. La nueva ley del Gobierno catalán reconoce que hay que ir cambiando la mentalidad de la gente por otra más ecológica para reducir el exceso de comida que se tira cada día.
LOCUTORA: Ana, de Bolivia, asegura que allí jamás se quitan los zapatos cuando van a casa de alguien, y repite lo mismo la asturiana Blanca. Pero Joan, de Barcelona, nos dice que, aunque sus visitas se quedan un poco sorprendidas, ellos les piden que se descalcen cuando van a su casa, porque tienen un niño pequeño y no les gusta que la gente entre con los zapatos de la calle. Y añade que esto empieza a ser lo más normal en su círculo de amigos.
LOCUTOR: La siguiente oyente se llama Camino y lamenta no poder pasear con su perra por la playa más próxima a su casa. Sin embargo, cuenta que puede hacerlo en otras más alejadas, porque es cada Ayuntamiento el que decide si permite o no bañarse a personas y perros en sus playas.
LOCUTORA: Parece que lo de la propina ya es más complicado. Rodrigo, de Ciudad de México, confirma que los sueldos de los camareros son bajos y, por lo tanto, es casi obligatorio pagar una propina de entre un 10 y un 20 % de la consumición. Alejandra, de Guatemala, asegura dejar siempre un 10 %, pues está muy mal visto no hacerlo. Pero Carmen, de Madrid, confirma que apenas deja propina en un bar, como mucho alguna moneda suelta del cambio, y en restaurantes asegura no dejar nunca más de un 5 %.
LOCUTOR: Respecto al último tema, todos nuestros oyentes afirman decir "buen provecho" a un conocido que está comiendo, aunque Valeria, especialista en protocolo, nos informa de que puede ser maleducado hacerlo, porque se obliga a responder algo a una persona que está con la boca llena.
Pues ya ven ustedes, así es la variada cultura hispana. Así que hoy terminaremos aconsejándoles que "allá donde vayan, miren las costumbres que haya".

Pista 23

Mensaje 1

RECEPCIONISTA: Buenos días. Este mensaje es para Raúl García. Le llamo de la clínica de salud Siglo XXI. Usted tenía cita mañana a las cinco de la tarde con la doctora Rosa Palacios, pero no va a poder atenderle hasta las 7 de la tarde; o bien podemos ofrecerle otra cita para otro día de la semana. Por favor, póngase en contacto con nosotros y disculpe las molestias.
NARRADOR: ¿Para qué llama la recepcionista a Raúl?

Mensaje 2

CÉSAR: Oye, Carlos, que por fin me han dado las vacaciones, así que empiezo ya a organizar el viaje a Grecia. Pero, ¿te importaría mirar los vuelos? Que tú eres muy bueno buscando ofertas en internet. Tengo que hablar con Mónica porque me ha dicho que ella estuvo el verano pasado allí y nos puede recomendar sitios. Venga, luego nos vemos. Adiós.
NARRADOR: ¿Qué le pide César a Carlos?

Mensaje 3

ANA: Hola, Graciela, soy Ana. Mira, te llamo porque voy a salir tarde de la oficina. Estoy en medio de una reunión y esto va para largo: no creo que llegue a tiempo al colegio. ¿Podrías recoger tú al niño? Te lo agradezco mucho, de verdad. Si te quedas en el parque, voy allí directamente. Mándame un mensaje y me dices dónde estáis. Muchas gracias.
NARRADOR: ¿Para qué llama Ana a Graciela?

Mensaje 4

MARÍA: Hola, Héctor, soy María. Acabo de escuchar tu mensaje. Yo ya le he comprado un regalo a papá por su cumpleaños: una camisa. Pero... sí, me parece buena idea comprarle otra cosa juntos. ¿Has pensado en algo? Mañana por la tarde estoy libre: podemos quedar y lo hablamos. Hasta luego.
NARRADOR: ¿Qué quiere Héctor?

Mensaje 5

CHICO: Hola, Olaya, ¿qué tal? Me encantaría comer contigo mañana, pero es que me han llamado de una agencia de trabajo, que están muy interesados en mi currículum y quieren entrevistarme lo antes posible, justo mañana. Así que, claro, no puedo decirles que no. Lo siento mucho. A ver si podemos quedar otro día. Te llamo y hablamos. Un beso.
NARRADOR: ¿Por qué llama el chico a Olaya?

Mensaje 6

ALICIA: Hola, Fernando, soy Alicia. ¿Qué tal estás? Creía que estabas de vacaciones, pero me dijo Manuel que estás de baja: espero que no sea nada grave. Mirá, llegó un paquete para vos: si querés, te lo llevo a casa. Bueno, ya me decís. Espero que te mejores. Un beso.
NARRADOR: ¿Qué le pasa a Fernando?

UNIDAD 8

Pista 24

Hoy les presentaremos cinco trucos de cocina increíblemente útiles, que pueden ser de gran ayuda y le harán la vida mucho más fácil.
Truco número 1: para pelar los cítricos fácilmente un buen consejo es meter la fruta durante quince segundos en el microondas. Comprobará como prácticamente se pela sola.
El truco número 2: para que los huevos no se rompan al cocerlos y nos resulte más fácil pelarlos después, recomendamos añadir una pizca de sal en el agua mientras

–¡Qué va!, no está en China.
–¡Que sí está en China!

GRAMÁTICA Y COMUNICACIÓN

Pista 38

–Susana, ¿te he contado lo que me pasó una vez en Nueva York?
–No, no, cuéntame, ¿qué te pasó?
–Pues resulta que estaba en el museo Guggenheim viendo una exposición, y un chico no paraba de mirarme.
–¿Y qué hiciste?
–Yo no hice nada, pero él se acercó a mí y me preguntó en español si yo tenía un hermano en Sevilla que se llamaba Antonio.
–¡Anda, no me digas!
–Sí, el caso es que era un compañero suyo que estaba de viaje de trabajo. Y al final quedamos para cenar y lo pasamos genial. ¿A que es increíble?
–Sí, cierto, ¡qué casualidad!

Pista 39

1 ¿Estás casado, o soltero?
2 ¿Te gusta cantar o bailar?
3 ¿Lucas habla italiano, o portugués?
4 ¿Vives en el centro, o a las afueras?
5 ¿Sabés tocar el piano o la guitarra?
6 ¿Estudias inglés, o francés?

Pista 40

–Vamos a ver... ¿Qué quiere saber sobre su futuro?
–Pues..., todo, todo. Bueno, primero quiero saber si conseguiré un ascenso en mi empresa.
–Un ascenso... Un ascenso... No, no lo veo. Pero sí veo luces, fotógrafos. Sí: usted se hará muy famoso.
–¿Famoso?, ¿yo?
–Sí, sí, muy famoso: como un actor de Hollywood.
–¡Oh, actor!
–Y se comprará una mansión en Miami.
–¿De verdad?
–Sí, sí. Además, veo que se casará con una mujer muy importante.
–Ah, ¿sí? ¿Con quién?, ¿con quién?
–Pues no sé, hombre, pero alguien del mundo de la política: una presidenta de un país o algo así.
–¡En serio!
–Sí, y tendrán tres hijos.
–¡Tres!
–Sí, trillizos: los tres igualitos. Se ve muy claro en la bola.
–Bueno, si usted lo dice... Entonces seré muy feliz.
–Sí, mucho..., pero se quedará usted calvo.
–¿Cómo?
–Sí, calvo como mi bola de cristal, ni un pelo.
–No sé...: en mi familia no hay calvos.
–Pues usted será el primero.
–Bueno, pues muchas gracias.
–Espere, veo algo más... Ummmm... Sí, veo un viaje: un viaje muy largo.
–Ah, me encanta viajar...
–Bueno, es un viaje sin retorno: parece que dejará todo para retirarse a un templo en... Nepal.
–Pero... ¡qué dice!
–Sí... En fin, eso es todo, ya no veo nada más.
–¿Está segura?
–Segurísima: la bola nunca falla.

Pista 41

sigas - sepas - seamos - hablen - prefiramos - podáis - conozcamos - construyan - dé - venga - vea - vuelva - salga - pidan - muera - hagamos

Pista 42

1 Aprehender
2 Salsa americana
3 Reemitir
4 Se llama Agustín
5 Mi hijo
6 Mi iguana
7 Poseer

RESPONDER PREGUNTAS

Tres hábitos saludables que no conocías	Imperativo negativo de *gritar* (*tú* y *usted*)	¿Qué perífrasis va seguida de gerundio: *ponerse a...* o *llevar...*?	¿Qué diferencia hay entre *una burla* y *un chiste*?
¿Es importante el arte en la vida? ¿Por qué?	¿Qué tiempo verbal va después de "yo en tu lugar"?	¿Qué tipo de música te gusta escuchar? ¿Por qué?	Completa con *lo que* o *lo de*: ¿Sabes ______ le ha pasado a Mario?
Define: • duna • sabana • valle	¿Cuál es el animal más resistente del planeta?	¿Qué diferencia hay entre: *ha roto el jarrón* y *se le ha roto el jarrón*?	Llámame ________ llegues a casa, ¡que sea lo primero que hagas!

VOCABULARIO: DECIR 5 PALABRAS

Maneras de llevar una vida sana	Emociones	Imperativos negativos	Perífrasis para hablar de tu vida
Palabras relacionadas con la pintura	Formas de dar consejo	Expresiones para hablar de preferencias o intereses	Expresiones para reaccionar ante una noticia curiosa
Paisajes de la naturaleza	Verbos que reflejan involuntariedad: *mancharse...*	Consejos para visitar un país en verano	Hablar de las próximas vacaciones

HACER MÍMICA

Ponerse recto	Hacer burla a alguien	Rabia	No comas helados
Un desfile	Ritmo	Prefiero el reguetón al *rock*	"Niña con globo", de Banksy
¡Qué va!	Animal salvaje	Romperse el pantalón	Manchar

DIBUJAR

Cantar en la ducha	Echarse crema solar	No llores	Estar a punto de salir de casa
Hacer una foto	Notas musicales	Escuchar música tropical	Una cola de gente
Un reptil	Aves	Cambio climático	Romperse un vaso

NOTAS

NOTAS

NOTAS

Primera edición, 2020
Segunda edición, 2021

Produce: SGEL Libros
Avda. Valdelaparra, 29
28108 Alcobendas (Madrid)

AGRADECIMIENTOS DE LOS AUTORES

Muchas gracias a nuestras familias y a nuestros amigos por entender nuestras ausencias. Sin su apoyo este libro no hubiese sido posible. Y a Mónica López por su material y porque ha sido fuente de inspiración, aunque la hemos echado de menos.

Director editorial: Javier Lahuerta
Coordinación editorial: Jaime Corpas
Edición: Yolanda Prieto
Corrección: Belén Cabal
Asesoramiento (Fonética y pronunciación): José María Lahoz
Diseño de cubierta e interior: Verónica Sosa
Maquetación: Leticia Delgado
Fotografías de cubierta y portadillas: José Luis Santalla

Ilustraciones: Pablo Torrecilla (págs. 116, 118, 122 y 124).

Fotografías: AP / GTRESONLINE: pág. 93. CORDON PRESS: pág. 100 actividad 1a (Banksy y Yayoi Kusama) y actividad 1b (foto 2). SHUTTERSTOCK: resto de fotografías, de las cuales, solo para uso de contenido editorial: pág. 30 foto A (hurricanehank / Shutterstock.com), pág. 44 foto inferior derecha (Yulia Grigoryeva / Shutterstock.com), pág. 50 fotos 1 (FCG / Shutterstock.com), 2 (Jon Chica / Shutterstock.com) y 3 (Pabkov / Shutterstock.com), pág. 64 fotos 1 (Ascannio / Shutterstock.com), 2 (Heath Dinsdale / Shutterstock.com) y 4 (TonyV3112 / Shutterstock.com), pág 73 (First class photography / Shutterstock.com), pág. 82 fotos de bicicleta estática (Duncan Cuthbertson / Shutterstock.com) y bolsas (Tomas 123 / Shutterstock.com), pág. 96 fotos 2 (neftali / Shutterstock.com), 3 (Soloveva Anasasiia / Shutterstock.com) y 4 (Yellow Cat (Shutterstock.com), pág. 100 obra de Jeef Koons (EQRoy / Shutterstock.com) y obra de Yayoi Kusama (KeongDaGreat / Shutterstock.com), pág. 101 (trabantos / Shutterstock.com), pág. 102 foto Lady Gaga (Everett Collection / Shutterstock.com) y Hatsune Miku (small1 / Shutterstock.com), pág. 104 foto 6 (Yavuz Sariyildiz / Shutterstock.com), pág. 108 foto Ciudad de México (Alice Nerr / Shutterstock.com), pág. 122 foto 4 (TungCheung / Shutterstock.com).

Audio: CARGO MUSIC

ISBN: 978-84-16782-93-2

Depósito legal: M-17765-2020
Printed in Spain – Impreso en España
Impresión: Gómez Aparicio Grupo Gráfico